中医学基础

（第二版）

主　编　张登本

副主编　张景明　乔文彪

编　委　朱钰叶　逯　莉　郝　蕊

西安交通大学出版社
XI'AN JIAOTONG UNIVERSITY PRESS

图书在版编目(CIP)数据

中医学基础(第二版)/张登本主编. —西安:西安交通大学
出版社,2011.8(2024.7重印)
ISBN 978 - 7 - 5605 - 3679 - 8

Ⅰ.①中… Ⅱ.①张… Ⅲ.①中医医学基础
Ⅳ.①R22

中国版本图书馆 CIP 数据核字(2010)第 152021 号

书 名	中医学基础(第二版)
主 编	张登本
责任编辑	李 晶 张沛烨
装帧设计	伍 胜

出版发行 西安交通大学出版社
(西安市兴庆南路 1 号 邮政编码 710048)
网 址 http://www.xjtupress.com
电 话 (029)82668357 82667874(发行中心)
(029)82668315(总编办)
传 真 (029)82668280
印 刷 西安日报社印务中心

开 本 787mm×1092mm 1/16 印张 12 字数 287 千字
版次印次 2011 年 8 月第 2 版 2024 年 7 月第 5 次印刷
书 号 ISBN 978 - 7 - 5605 - 3679 - 8
定 价 28.00 元

发现印装质量问题,请与本社发行中心联系。
订购热线:(029)82665248 (029)82667874
投稿热线:(029)82668805
读者信箱:medpress@163.com

编写说明

　　《中医学基础》教材系西安交通大学医药类"十二五"重点规划系列教材之一。本教材自2005年1月使用后,经过全国多所医药学院校近6年来的教学实践,得到了多数专家、老师和学生的肯定和好评,同时也对该教材提出了一些改进意见。为了使本教材能更好地适应新时期医药学专业的教学需要,也为了争创精品教材,编写组成员根据第一版教材使用后的反馈意见和建议,严格遵循医药学专业的培养方案和培养目标,在"要言不烦,疏而不漏"的编写原则指导下,对教材的内容进行了十分认真地修订,使《中医学基础》教材的内容更加适合于医药学院校培养一线高级实用型专业人才的需要。

　　本教材系统地阐述了中医学理论体系的形成和发展、哲学基础、藏象、精气血津液、经络、体质、病因病机、疾病的防治、康复及养生等内容的基本概念、基本理论、基本知识和基本技能。通过本课程的教学使医药类相关专业的学生了解、熟悉、掌握医药方面最基本的中医学知识,并为进一步学习该专业方向后续课程奠定基础。

　　本教材根据专家对以往《中医学基础》教材的使用意见和全国各医药学专业教学中对中医药知识的需求进行修订编写。为了确保医药学专业教材的连续性、先进性和实用性,吸纳了各医药类院校在中医药相关知识的教学、教改方面的经验和成果。在教材的修订编写过程中,坚持"以人为本"的教育理念,坚持学科的定位意识,坚持教材的精品意识,遵循"中医要发展,教材要改革",保障中医药理论传统性和系统性的原则,结合医药类专业学生知识结构的特点,对教材的内容进行了进一步充实和优化;对医药学专业必须掌握的中医理论中主要的学术观点和内容,力求用准确、简明、严谨的现代语言进行表述;对教材的结构作了进一步相应的整合,增添了学习要点、名词点击、目标检测、想一想等内容,更加适合在校学生学习。同时较妥当地处理了教材内容的前后重复及不一致等问题,力求使本教材最大限度地达到科学、缜密和先进的水平。

　　本教材在编写过程中参考了王新华编写的《中医学基础》、李德新编写的《中医基础理论》、张登本编写的《中医学基础》、《〈内经〉的思考》等文献,在此对以上作者表示感谢。

　　教材建设是院校教学的基础性工作,也是一项艰巨的任务。虽然各编委为此付出了艰辛的劳动,但难尽人意之处在所难免,敬请各院校的师生在使用本教材的过程中,不断地总结经验,提出宝贵的意见,以便进一步修订和提高。

编　者

2011 年 8 月

目　录

第一章　中医学导论

> **学习要点**
>
> 1. 掌握中医学理论体系的基本特点。
> 2. 理解中医学的基本概念、中医学的学科属性，以及中医学理论体系的形成和发展概况。
> 3. 了解中医学思维方法的主要特点。

中医学，是指在中华民族传统文化深刻影响下形成的，专门研究人体生理功能、病理变化、疾病的诊断、治疗，以及养生、康复的一门知识体系。因此中医学是具有浓郁中国传统文化特色的医学，是中华民族在长期的生产、生活和医疗实践中，逐渐积累总结而成的，具有独特理论体系和丰富诊疗手段的医学。在历史的长河中，中医学对中华民族的繁衍昌盛做出过巨大的贡献。时至今日，中医学仍以其特有的理论体系和卓越的诊疗效果，屹立于世界医学之林，颇受世人瞩目。中医学理论，是以研究阐发中医学的基本概念、基本原理，以及遵循中医学的逻辑思维所推演的科学结论（即科学规律）构成的医学体系。

第一节　中医学理论体系的形成和发展

人类在漫长的生活、生产实践中，逐渐积累了大量的医药知识。如传说中的神农尝百草，伏羲制九针，就反映了远古时代人类医药知识积累的过程。随着时代的发展，医药知识的丰富积累，文化科学的不断进步，医药知识也和其他理论一样，逐渐地从实践经验升华到理性认识，从而产生了中医学理论。

一、中医学理论体系的形成

中医学理论形成于先秦两汉时期，《黄帝内经》《难经》《伤寒杂病论》《神农本草经》是其形成的标志。这些医著分别从中医基础理论、临床辨证、治疗法则，以及方剂药物等方面，为中医学理论体系的形成和发展奠定了坚实的基础。

中医学理论是在诸多因素的综合影响下形成的，主要有以下四个方面。

（一）以古代解剖知识为基础

春秋战国时期，社会发生了急剧变革，政治、经济、文化都有了显著的发展，各种学术思想也随之日趋活跃。在这种文化及学术氛围中，出现了我国现存最早的医学巨著——《黄帝内经》。该书撷取了秦汉以前的天文、历法、气象、物候、数学、生物、地理、哲学等多学科的重要成果,在精气、阴阳、五行学说的指导下,总结了当时的医学成就,使长期积累的医药知识系统化、理论化,确立了中医学的理论原则,是中医理论原则确立的标志。该书较系统地阐述了人体的形态结构、生理功能、病因病机,以及疾病的诊断、治疗、养生、防治等方面的内容,确立了中医理论的基本框架;最早发现人体的血液是在心脏的主导作用下,沿着脉道在体内"流行不止,环周不休"。这一认识较英国哈维氏发现血液循环要早 1000 多年。首先提出了解剖的概念,运用了"解剖"的方法,并将这一技术运用于医学研究,成为中医学理论形成的主要条件之一。

《黄帝内经》认为,要进行医学研究,必须重视人体的形态结构,明确地指出:"若夫八尺之士,皮肉在此,外可度量切循而得之,其死可解剖而视之"(《灵枢·经水》)。书中记载的人体骨骼及其名称、血脉长度、内脏器官的大小和容量等,基本上符合人体的实际情况。《难经》的解剖学较《黄帝内经》又有了发展并获得了巨大成就,其对人体脏腑器官解剖形态的认识已达到了相当高的科学水平。由于这些认识是来自人的尸体解剖实践,所记载的五脏、六腑等器官的形态结构与现代人体解剖基本一致。这些认识虽然局限于宏观的表层的认识,但为藏象学说的形成奠定了形态学方面的科学基础。如果没有古代的人体解剖知识,完全不了解脏腑器官的位置、形态、结构与联系,而试图确定脏腑器官的名称,推论脏腑器官的生理功能,以及病理变化规律,是完全不可能的。

(二)长期对疾病的认识和治疗经验的积累

古代长期医疗实践经验的积累,为中医学理论体系的形成奠定了丰富而坚实的实践基础。自从有了人类社会,就有了人类与疾病作斗争的经验积累,人们在长期的实践过程中对疾病的认识逐步深化,并有了部分疾病的专名。如成书于战国时期的医学著作《五十二病方》,记载52病,药物247种;《易经》、《诗经》等十三经中,记载的病症名称约180余种;春秋时期的《山海经》,明确地记载了38种疾病名称,100多种药物;《周礼·天官》中记载了当时宫廷医生的分工、医政组织措施,以及医疗考核制度等;《左传》多次言及扁鹊、医缓、医和等当时著名专职医生的诊疗实迹。这都表明当时人们对疾病已有相当深刻而广泛的认识,积累了较为丰富的医疗实践经验和药物治疗的知识,为医学规律的总结、理论体系的整理、医学概念的抽象提供了丰富的资料,奠定了扎实可靠的实践基础。

东汉末年,著名医学家张机(张仲景)在《黄帝内经》、《难经》等医学论著的影响下,进一步总结了前人的临床医学成就,结合自身的实践经验,著成了《伤寒杂病论》,使《黄帝内经》、《难经》确立的基础理论与临床实践知识紧密地结合在一起,确立了辨证论治及理、法、方、药的理论体系,是中医学论述辨证论治的第一部专著。

这一时期药物知识有了新的积累和发展,《神农本草经》集东汉以前药物学研究之大成,是我国现存最早的第一部药物学典籍。该书收录药物365种,其中多数为常用药,并被《中华人民共和国药典》所收载,成为中药学发展的奠基之作。

(三)社会科学、自然科学知识的渗透

从春秋战国到秦汉之际,各种文化学术流派如儒家、道家、墨家、法家、名家、阴阳家、兵家等进行了广泛的学术争鸣与交流,呈现出"诸子百家"的繁荣景象,这就为中医学理论体系的确立奠定了坚实的社会科学和人文科学的基础,这是《黄帝内经》博大精深的文化底蕴之根源。

自然科学的发展从来都是互相渗透、相互促进的。中医学理论体系的形成和发展,与我国

古代科学技术的成就是分不开的。中医学理论体系在形成和发展过程中,广泛地吸纳了当时高度发展的天文、历法、气象学、地理学、物候学、数学等多学科知识,如医和的"六气致病"说,就反映了气象学知识对病因理论形成的影响。再如"五运六气学说",更是全面吸收古代天文学、历法、气象、地理、物候、数学知识,并将其与医学知识有机联系在一起的范例。可见古代自然科学知识的渗透,为中医学理论体系的形成奠定了丰厚的科学技术基础。

(四)古代哲学理论的影响

哲学是人们对世界(自然、社会、思维)根本观点的知识体系。任何一门自然科学的形成和发展,都必然地要接受哲学思想的支配。中医学在其形成的过程中,毫无例外地受到哲学思想的深刻影响,古代医家在整理长期积累的医药实践知识时,有意识地运用了当时先进的唯物论和辩证法观点,如采用精气学说(也称气一元论)、阴阳学说、五行学说,把零散的、原始的、初级的医疗实践经验,通过归纳总结和分析研究,使之逐步地系统化,把感性的医疗知识升华为理性的医学理论,使之成为比较完整而系统的医学理论体系。中医学理论形成乃至辉煌,根本的原因就在于有了坚实的医疗实践基础、深厚的中国传统文化底蕴,以及丰富而合理的哲学原理。

二、中医学理论体系的发展概况

《黄帝内经》、《难经》、《伤寒杂病论》、《神农本草经》的出现,使中医学理论体系的发展初具规模,并有了统一的范式,从此医学呈现出较快发展的趋势。两晋隋唐时期,基础理论和临床学科有了较大的发展,出现了《脉经》、《针灸甲乙经》、《诸病源候论》、《千金要方》,及《外台秘要》等著名医书。两宋金元时期,学派份争,学术活跃,产生了陈无择的"三因学说"和寒凉、攻邪、补土、滋阴等学术流派,使中医理论有了突破性的进展。明清时期,中医学的发展进入到学科分化、医学集成的阶段;同时《本草纲目》巨著的问世,"命门学说"、"瘀血理论"及温病学派的兴起,使中医学理论体系得到了进一步的深化并日趋完善。近现代时期,中医学理论在自身发展的同时,逐步走向中西医理性结合发展的新路。

(一)基础医学

中医的基础医学,主要是研究、阐述中医学的基本概念、基本理论、基本规律和基本原则,是以脏腑经络、气血津液、病因病机为理论基础,以精气、阴阳、五行学说为基本方法,以整体观念和辨证论治为主要特点的医学学科。《黄帝内经》创立的诊脉方法,是中医诊法内容的重要组成部分,《难经》予以发展和弘扬。晋代王叔和的《脉经》在总结前人脉诊知识的基础上补充了新的内容,详述了24脉法,使此前确立的诊脉方法得到实施和推广。隋朝巢元方的《诸病源候论》对病源、症状及其形成机理的研究达到了空前的水平,其中诸如糖尿病、脚气病、麻风病的认识就十分准确,该书是这一时期学术发展的代表著作,对后世医学的发展影响很大。

宋代陈无择著《三因极一病证方论》,详细地阐述了"三因致病说",把复杂的致病因素概括为外因、内因、不内外因三类,发展了《黄帝内经》及《金匮要略》的病因理论,使中医的病因学理论更加系统化。

金元时代涌现了各具特色的学术流派,其中刘完素、张从正、李杲、朱震亨,被尊为"金元四大家"。刘完素以火热立论,认为"六气皆从火化"、"五志过极皆为热甚",用药以寒凉为主,被后世尊为"寒凉派"。他的学术思想对温病学派的创立有启迪作用。张从正认为病由邪生,邪去正安,用药以攻邪为主,对汗、吐、下的祛邪之法有所发挥,后世尊为"攻邪派"。李杲提出"内伤脾胃,百病由生"的观点,治病以补脾胃为主,后世尊其为"补土派"。朱震亨倡导"相火论",提出"阳常有余,阴常不足"的重要观点,治病以滋阴降火为主,是"滋阴派"的代表。金元时期的四大医家,立论不同,但互有发明,各具创见,分别从不同的角度丰富了中医学的内容,促进了中医理论的发展。

明代吴又可著《瘟疫论》,提出"戾气"致病观点,为中医传染病学的形成与发展做出了重要贡献。清代叶桂(叶天士)在继承明代温病学成就的基础上,创立了卫气营血辨证的方法;清代吴瑭所著的《温病条辨》提出了三焦辨证的新思路。

明代温补学派的代表医家赵献可、张介宾等提出了命门学说,丰富了藏象学说的内容。清代的王清任重视解剖,所著的《医林改错》,修正了前人在人体解剖方面的一些错误认识,并发展了瘀血致病的理论,对中医基础理论的发展产生了积极的影响。

(二)临床医学

自东汉张机的《伤寒杂病论》奠定了辨证论治的诊疗思路以后,两晋隋唐时期的中医临床医学,逐渐趋向于学科分化,向专科化发展。

南北朝时期,北齐徐之才首次提出了"十月养胎法"。唐代孙思邈在《千金要方》中对妇女的经、带、胎、产诸疾论之甚详。唐末昝殷在继承前人经验的基础上,著成现存最早的妇产科专书《经效产宝》。宋人陈自明的《妇人大全良方》,更是影响深远、内容丰富的妇产科专著。

内科学的发展更为显著。《诸病源候论》详列各科病候达784条。其中对绦虫病、蛲虫病、麻风病的研究达到较高水平。《千金要方》记载的谷白皮治脚气、消渴病的饮食疗法及饮食宜忌等,均反映了唐代以前内科发展的水平。明清时期温病学派的形成,标志着中医学对传染性热病的认识水平。明朝张介宾提出内科疾病辨证的"两纲六要"思路,为"八纲辨证"的创立奠定了基础。

此外,南齐龚庆宣的《刘涓子鬼遗方》,元代危亦林所撰《世医得效方》,明代陈实功的《外科正宗》等,代表了外科学的发展水平。宋代钱乙《小儿药证直诀》是现存最早的儿科专著。金代宋慈撰写的《洗冤录》是世界上最早的法医专著。

(三)药物学

继《神农本草经》之后,南北朝雷敩的《炮炙论》,反映了汉以后药物加工技术的水平。陶弘景的《神农本草经集注》,总结了魏晋时期药物学发展的成就,载药730种。

唐代医药学有了较大的发展,各地使用的药物达千种之多。唐显庆四年,政府颁行了由李勣、苏敬等主编的《新修本草》,又称《唐本草》,是世界上最早的药典,比欧洲《纽伦堡药典》早800多年。全书收录药物844种,附有药物图谱并加以文字说明,开创了世界药物学著作图文对照方法的先例。后来陈藏器编撰了《本草拾遗》,详细地描述了辨识药物品类的方法,补充了大量的民间药物。唐至五代,孟诜的《食疗本草》补充了食物药。李珣的《海药本草》增添了舶来药物,扩大了药物研究的范围,丰富了中药学的内容。

宋代应用的药物种类大幅度地增加,重视道地药材和质量规格,尤其是对生药鉴别及药物生长环境的研究有了很大的发展。这一时期将药物配伍禁忌总结为"十八反"、"十九畏",并为后世所遵循。北宋政府组织重修本草,如公元975年刊行了《开宝本草》,公元1060年刊行了《嘉祐补注本草》,公元1061年刊行了《本草图经》等。这一时期还出现了个人的本草专著,尤为突出的是蜀中世医唐慎微,在继承宋以前历代本草研究成就的基础上,广集民间方药经验,收录古方、经史杂家、佛书道藏中记载的有关药物知识,著成规模空前的《经史证类备急本草》,收载药物 1558 种,有很高的文献价值。此书后经政府多次修订增补,于 1249 年修订时更名为《重修政和经史证类备急本草》,载药 1746 种,成为宋代最完备的本草专著,在中国医药史上占有极为重要的地位。

金元时代的张元素重视药物气味厚薄和升降浮沉关系的研究,倡导药物"归经"、"引经"的观点。明清时期有大量的本草书籍涌现,以李时珍的《本草纲目》成就最大,在国内外的影响最为深远,载药 1892 种,绘图 1100 余幅,附方 11000 余首。李氏采用了当时最先进的自然分类法,将收载的药物分为 16 部 62 类。清代杰出医学家赵学敏的《本草纲目拾遗》,是这一时期有研究价值的名著。综上所述,中药学自汉代至清末,每个时期各有成就,历代相承,日渐丰富与成熟,历代累计的药学著作达 400 余种。

(四)方剂学

方剂学是专门研究方剂配伍规律及临床应用的学科。最早记载方剂的书籍是《五十二病方》,其成书于《黄帝内经》之前,载方 280 余首。《黄帝内经》载方 14 首(其中"豕膏"方有两首,一是内服口含豕膏方,一是疮疡敷涂填充方),剂型有汤、丸、酒、膏,书中已有君、臣、佐、使和七方(大、小、缓、急、奇、偶、复)的组方原则,奠定了方剂学的理论基础。《伤寒杂病论》总结了汉以前临床实践经验,创造性地融理、法、方、药于一体,辨证明确,立法严谨,组方全面而精当,是时至今日处方用药的圭臬,后世尊为"方书之祖"。晋代《肘后备急方》以急症方为主,首创臌胀病的"筩针"放腹水疗法。唐代孙思邈《千金要方》载方 5300 首,多为仲景之方及历代验方,首创葱管导尿术。王焘的《外台秘要方》载方近 6800 首,其中载有已佚的唐以前历代方书内容。宋代著名的大型方书有《太平圣惠方》和《圣济总录》,前者载方 16834 首,是第一部国家组织编著的方书;后者载方 2 万多首,是一部理、法、方、药齐备的医药学巨著;还有国家"太医局熟药所"颁布的成药规范著作《太平惠民和剂局方》,虽然载方仅为 800 首,但却是第一部成药典籍。金元时期医学流派纷呈,丰富和发展了方剂学的内容。明清时期,从制方到方论,从分类到歌诀,都有很大的发展,其中资料最为丰富的是明代朱橚编著的《普济方》,收载了十五世纪以前所有方书的内容,载方 61139 首。清代汪昂的《医方集解》、吴仪洛的《成方切用》,对所载方剂的证治机理和组方原则都作了详细的阐述。

(五)针灸学

据《左传》记载,春秋战国的医缓、医和都擅长于针灸疗病,扁鹊运用针灸抢救重危急证。《黄帝内经》以前就有《足臂十一脉灸经》和《阴阳十一脉灸经》的文献,反映了针灸理论的古朴面貌。《黄帝内经》中详述了经络、腧穴、针法、灸法内容,尤其是《灵枢经》,对针灸学的相关知识作了较系统的总结,故其初名为《针经》。《难经》完善和补充了"奇经八脉"及针刺方法的内容。晋代皇甫谧所撰的《针灸甲乙经》是现存最早的针灸学专著,确定了 349 个腧穴的部位、主治和刺治方法。北宋王惟一于 1026 年撰成《铜人腧穴针灸图经》,并铸造 2 具针灸教学的铜人模型。元代滑伯仁著《十四经发挥》,对后世针灸理论的发展有重要的影响。明代杨继洲撰著的《针灸大成》,汇集了历代研究的成果,是后世研习针灸的重要文献。清代吴谦主持编撰的《医宗金鉴·刺灸心法要诀》,是当时政府主编的第一部系列教学用书中的针灸教材,对针灸学的普及和推广产生了积极的作用。

中国医药学具有悠久的历史,是我国各族人民在长期的生产、生活,以及同疾病作斗争的实践中的经验总结,有其独特的理论体系和丰富的内容,是中华民族宝贵文化遗产的重要组成部分。我们一定要认真学习,努力继承和弘扬,更好地为人类健康事业服务。

第二节　中医学理论体系的基本特点

中医学理论体系是在古代唯物论和辩证法思想的指导下,通过长期对生活现象、生理机能、病理变化,以及临床治疗效应的实践观察,经过反复地综合与归纳、分析与对比,逐渐地升华与抽象而成。这一理论体系是以精气、阴阳、五行学说为哲学基础,以整体观念为指导思想,以脏腑经络的生理病理为理论基础,以辨证论治为诊疗特点的学术体系。该理论体系主要由中医基础医学、中医临床医学和中医养生康复医学组成。中药学、方剂学是中医基础医学的主要组成部分。

中医理论体系有诸多特征,其中整体观、恒动观、功能观和辨证论治是其中最基本、最重要的特点。

一、整体观

所谓整体观,是关于物质世界所有事物都具有普遍联系的认识方法。中医学的整体观特点,是关于人体自身的完整性及人与自然和社会环境的统一性的认识,是整体思维方法在中医理论中的体现。中医学非常重视人体的统一性和完整性,包括内在的脏腑器官之间,心理活动与生理机能之间,以及人与外界环境之间的相互联系。认为人是一个有机的整体,构成人体的各个组织器官,在结构上相互沟通,在功能上相互协调、互相为用,在病理上互相影响;认为人与外界环境也有密切的关系,人体在能动地适应环境的过程中,维持着自身稳定的机能活动。这一观念贯穿于中医学对人体结构、生理、病理、诊法、辨证、治疗及养生等各个方面的理性认识之中。

(一)人是一个有机的整体

中医学认为,人体是一个以心为主宰,五脏为中心,通过经络"内属于脏腑,外络于肢节"联系的有机整体。就形体结构而言,任何一个局部都是整体的组成部分,与整体密切相连;就基本物质而言,各组织器官活动的物质是同一的(即精、气、血、津液);就功能活动而言,结构上的整体性和基本物质的统一性,决定了各种不同功能活动之间的密切相关性。彼此之间相互协调,互相制约,共同完成人体的生理活动,从而表现出生命活动的整体联系。

中医学不仅从整体上探索人体生命活动的基本规律,而且在分析疾病的病因病机时,亦立足于整体,着眼于局部病变的整体病理反应。认为任何一个局部的病变,都可以影响整体。

中医学是以"有诸内必形诸外"(《孟子·告子下》)为理论依据进行临床察病的。局部病变常与全身脏腑、气血、阴阳的盛衰虚实有关,局部的症状常是整体功能失调在局部的反映。因此通过观察分析五官、形体、色脉等外在的病理表现,就可判断内在脏腑的病理变化。现代生物全息理论认为生物体某些局部的变化,在相当程度上以一定方式反映整体的、内在的规律。所以中医的诊法是通过察脉、验舌,以及观察体表的变化,测知内脏及全身机能活动的识病方法,是整体观念指导下的创举。

整体观念也融贯于中医学的治疗用药之中。对于局部的病变，不是头痛医头，脚痛医脚，而是主张通过整体加以调治，如齿龈红肿疼痛可以通过清泻胃火治愈，因为足阳明胃经循行于此。耳鸣、耳聋，补肾可愈，因为肾开窍于耳。如此等等，都是整体观念在治疗学中的体现。综上所述，中医理论在形体结构、生理病理、诊断治疗等方面均充分体现着整体思想，都基于人是一个有机的整体这一基本观点。

(二)人与自然环境的统一性

人是自然界进化的产物，生活在自然环境之中。人不仅与自然环境有着物质的同一性，而且自然环境存在着人类赖以生存的必需条件。中医学历来重视人与自然环境的联系。这一认识体现在以下诸方面：

在生理方面，中医学认为人体通过内在的调节机能，保持着人体与自然界的统一。如盛夏天气炎热，人体的气血趋向于体表，故表现为皮肤松弛，汗孔开张而多汗；隆冬天气严寒，人体的气血趋向于里，故表现为皮肤致密，汗孔关闭而少汗。这种适应性的生理变化，既维持了人的体温恒定，也反映了在冬夏不同气温之下，人体气血运行和津液代谢的状况。

人体的阴阳气血亦受昼夜晨昏的影响。人体的阳气，在白昼运行于体表，有利于脏腑机能活动；夜晚则阳气内敛，便于人体睡眠休息，反映了机体受昼夜的影响而产生的阴阳消长变化。此外人的体温、脉搏、呼吸、血压、能量代谢等，都有昼夜高低的节律变化。

地理环境也是影响人体的一个重要的外在因素。地理环境的差异，包括区域性气候、人文习俗、生活习惯等的不同，在一定程度上影响着人体的生理机能和心理活动。如江南海拔低，气温高，湿度大，生活在这一地区的人，腠理疏松，体格柔弱瘦小；西北海拔高，气温低，湿度小，生活在这一地域的人，腠理致密，体格壮实粗犷。正由于人生活在不同地理环境之中，长期受特定环境的影响，逐渐地在机能活动方面表现出某些适应性变化。因此一旦易地而居，许多人初期会有不适的感觉，甚或因此而罹病，即所谓"不服水土"。

自然环境对疾病的发生和病理变化也有影响。人体受季节气候变化的影响，各季节有不同的多发病。不同的地理环境，既可导致人群体质的差异，也可因气候、水土的因素而形成不同性质的致病因素，因而会导致地域性的多发病与常见病。如克山病、血吸虫病、囊虫病、瘿瘤、疟疾等，均有其地域性的发病特点。

中医对疾病的诊治用药，强调结合机体的内外因素而进行全面考虑，对任何疾病都不能孤立地看待，应该联系四时气候、地方水土、生活习惯、性情好恶、体质强弱、年龄性别、职业特点等，运用望、闻、问、切的诊病方法，全面地了解病情，准确地把握疾病的原因、性质、部位等，才能作出正确的诊断与治疗。在具体处方用药时，还应结合具体的地理环境及气候特点，才能取得理想的疗效。

人受自然环境的影响不完全是消极的、被动的，有时也可以积极、主动地适应自然，有限的改造自然，从而提高健康水平，减少疾病。"动作以避寒，阴居以避暑"(《素问·移精变气论》)，以及"沟渠通浚，屋宇清洁无秽气，不生瘟疫病"(《养生类纂》)，这都体现了人类主动适应和改造自然环境的能力。

(三)人与社会环境的统一性

每一个人都是社会群体之一，社会环境的不同可造成人们身心机能上的某些差异。就社会经济和政治地位而言，"大抵富贵之人多劳心，贫贱之人多劳力；富贵者膏粱自奉，贫贱者藜藿苟充;富贵者曲房广厦,贫贱者陋巷茅茨;劳心则中虚而筋柔骨脆,劳力则中实而骨劲筋强;膏粱自奉者脏腑恒娇,藜藿苟充者脏腑恒固;曲房广厦者玄府疏而六淫易客,茅茨陋巷者腠理密而外邪难干。故富贵之疾,宜于补正;贫贱之疾,利于攻邪"(《医宗必读·富贵贫贱治病有别论》),强调了社会地位的不同,经济状态的差异,可使身心机能产生诸多的差别。社会的进步,无疑给人们的健康带来更多的益处。如食品衣着的日渐丰富,居住环境的日益舒适,人类对疾病认识的更加深刻,对自身的养生保健愈加重视,因此人类寿命随着社会的进步而愈加延长。但是人们应当清醒地认识到,社会的进步也会给人类健康带来一些新的不利因素,如社会技术水平愈高,竞争便愈加激烈,过度激烈、紧张的快节奏生活,会给人带来更多的精神压力。再如人口急剧增长,工业高度发展,矿产资源的过量开采,生态环境的破坏也日趋严重,由此产生的疾病也会随之增加。另外,随着社会环境的改变,人们的人生价值取向和生活方式也会改变,一些新的身心疾病就会产生,如焦虑、头痛、眩晕、失眠、心悸等病症。所以社会的变迁可造成人群体质和发病的差异,这就是中医学诊治疾病非常重视社会环境的原因所在。

二、恒动观

恒动,即不停顿的运动、变化和发展之意。中医理论认为,一切物质,包括整个自然界,都处于永恒而无休止的运动之中,"动而不息"是自然界的根本规律,运动是物质的存在形式及其固有的特性。自然界的各种现象包括生命活动、健康、疾病等都是物质运动的表现形式,因此,运动是绝对的、永恒的。摒弃一成不变、静止、僵化的观点,就称之为恒动观。

就生理而言,认为人体脏腑器官的生理功能活动都处于永恒无休止的运动之中。如生、长、壮、老、已是生命活动的全过程。在这一过程中,充分体现了"动"。欲维持健康,就要经常锻炼身体,即"生命在于运动"之本意。又如人体对饮食的消化、吸收,津液的环流代谢,气血的循环贯注,物质与功能的相互转化等,无一不是在机体内部以及机体与外界环境之间阴阳运动之中实现的,这就是生理上恒动观的体现。

就病理变化而言,中医学以"动"的观念,从病因作用于机体到疾病的发生、发展、转归,对整个疾病的全过程进行动态的观察,发现疾病的病理亦处于不停的发展变化之中。如外感表寒证未能及时的治疗,则可入里化热,转化成为里热证;实证日久可转为虚证;旧病未愈又添新疾,新病又往往引动旧病等。另一方面疾病的病理变化多表现为一定阶段性,发病初、中、末期都有一般规律和特点。例如风温,初在肺卫,中在气分,末期多致肝肾阴伤,或耗血动风,表现为营分证或血分证。又如气血瘀滞、痰饮停滞、糟粕蓄积等,都是发病机体脏腑气化运动失常的结果,诸如此类,都充分体现了病理上的恒动观。

就疾病的防治而言,中医学认为,疾病过程是一个不断运动变化的过程。一切病理变化,都是阴阳矛盾运动失去平衡协调,阴阳偏盛偏衰的结果。因此在恒动观的指导下,治病必求其本为治疗疾病的总体思路,并根据具体情况,分别采用扶正祛邪、标本缓急、正治反治等,以调整机体阴阳的动态平衡为基本原则,体现了中医学运用对立统一的运动观点指导临床治疗的特点。中医学主张未病先防,既病防变的思想,也是运用运动的观点去处理健康和疾病的矛盾,以调节人体的阴阳偏盛偏衰,使之处于生理活动的动态平衡。所以,中医学养生及防治疾病的基本思想,均体现了动静互涵的恒动观。

三、功能观

功能是与形体相对而言的。中医理论的建构是以气、阴阳、五行学说为其哲学基础。在中国古代哲学中,认为气是一种连续性的、浑然的、弥漫状态的物质存在。气在形质方面常是模糊的,而在功能方面,却给予了尽量的发挥。气被视作事物间一切联系的中介。古人把自然界及人体内外的几乎所有关联都归之为气的作用,如天地、四时、经络、脏腑等的联系,都是仰仗着气的功能,通过气来实现的。在中医理论中,气是标示一切联系和作用的概念,其中包括了信息联系。阴阳概念主要代表的是动态功能属性。"阴阳者,有名而无形"(《灵枢·阴阳系日月》)。"名"即指功能性态,与形质相对。可见阴阳没有固定的形体,它只代表两种功能属性,所关注的只是事物的功能关系。木、火、土、金、水五行实际上是代表曲直、炎上、稼穑、从革、润下等五种功能属性的符号。正由于气、阴阳、五行的上述特点以及与此相关的思维方式,决定了中医学研究人体及其疾病时必然具有以功能为主的学术特征。

藏象经络理论是中医理论体系的核心。藏象学说的形成是以一定的解剖知识为基础,但主要采用司外揣内、取象类比等方法,以象测藏,并通过象来界定藏。中医藏象理论虽然有其解剖学的根据,但却仍是关于人体内部结构组织的整体功能模型。五脏在功能上是一个独立的单位,有着特定的性能和作用,但不是一个独立的实体单元,既不同于相关的任何一个解剖单元的功能,也不包括相关的各解剖单元的所有功能,更不等于相关解剖单元的相关功能的代数和,而往往与几个相关解剖单元的多项功能中的一项或几项联系着,具有"整体大于部分之和"的整体性,所以,不能用完全解剖的方法把它从母系统中割裂或抽取出来。

经络理论的建立,主要是基于古人对经络治疗过程中针感传导路线的观察,对病症过程中各种循经症候和体表反应点的总结,以及采用内景返观的方法内向地自我体察,是在气、阴阳、五行等哲学思想指导下形成的。虽然把十二经脉、奇经八脉等循行的路线具体描绘了出来,但实际上并未把经络与神经、血管系统从解剖形态上明确地区分开来。经络作为生命功能现象,但不是人身具体的实体组织,而是一种直接与生命相关联的具有通透能力的相对独立的无形存在,即一种功能性结构或功能子系统。所以经络只为活的机体所具有,当失去生命之时,经络也就随之消失。

中医学的病因概念,在很大程度上是依靠辨证推导而来,具有明显的功能特性。如风、寒、暑、湿、燥、火六淫病因,本来是指六种过度的气候因素,也有其实体性的物质基础,但是后来医家把人体的六组证候群(即六类人体整体机能病变反应)分别用六淫概念标示,因而从本质上说,六淫所标示的是能够使人体产生六类证候的病因功能模型,或曰病因符号。

中医学的诊疗特点是辨证论治。辨证论治正是通过对机体即时综合功能状态的认识,并针对此特定的功能状态进行治疗。中医学对中药的认识与应用,以及针灸、推拿等治疗措施,无不反映着功能观。因此从一定意义上讲,中医学可以称为"状态医学"。

四、辨证论治

辨证论治是中医学认识疾病和治疗疾病的基本思路,是中医理论体系的基本特点之一。辨证论治包括辨证和论治两个思维阶段。辨证的任务是分析疾病,寻找疾病过程中某一阶段的主要矛盾或矛盾的主要方面;论治则是采取相应的措施,对所找出的主要矛盾进行治疗。

"证",原意即证据、凭证,是医生识病用药的依据,是医生通过望、闻、问、切四诊所搜集的症状和体征等资料。现代将证候简称为"证",是指机体在疾病发展过程中某一阶段病理本质的概括。这一病理本质包括疾病的原因、病变的部位、性质、邪正关系等多方面的病理特征,反映疾病过程特定阶段的本质。症状简称为"症",虽然是明清以来由"证"演化的俗字,但现代的中医学则将二者进行了严格的界定。症状和体征是疾病的临床表现,是病人主观感觉或医生检查所获得的结果。同一症状可以出现在不同的证候之中。"病"是疾病的简称,是指有特定的病因、发病形式、病变机理、发病规律和转归的一种病理过程。同一种病可以有不同的发展阶段,故有不同的证候。

所谓辨证,就是将四诊所搜集的症状、体征及其他资料,在中医理论指导下进行分析,辨清其原因、性质、部位、邪正关系,概括、判断为某种性质的证候,这一识病方法就是辨证。因此辨证的过程就是医生从机体反应性的角度来认识临床表现的内在联系,并以此反映疾病本质的思维过程。

所谓论治,是根据辨证的结果,确定相应的治疗方法。辨证是确定治疗方法的前提和依据,论治是辨证的目的。通过论治的效果,可以检验辨证是否正确。所以辨证论治的过程,就是认识疾病和治疗疾病的过程,是指导中医临床医学的基本原则。

辨证论治的原则要求人们辩证地看待病与证的关系。既要重视一病可能出现的多种证候,又要关注不同的病可以出现相同性质的证候,因而临床实践中常有"同病异治"和"异病同治"的方法。相同的证候反映着相同性质的矛盾,因而可用相同的治疗方法。不同的证候反映着不同性质的矛盾,因而要用不同的方法治疗。所谓"同病异治",就是指同一疾病,在疾病发展过程中出现了不同的病机,即所表现的证候不同,因而治疗方法也不相同。例如水肿病,有实有虚,有因肺、因脾、因肾功能失调所致,所以治水肿的方法就必然不同,这就是"同病异治"原则的具体运用。所谓"异病同治",是指不同类型的疾病,在其发展过程中出现了相同的病机,即所表现的证候相同,就可采用相同的治疗方法。例如久病泄泻、慢性水肿、哮喘等不同的病,在发展过程中都可以有肾阳不足的病理本质阶段,因而可用温补肾阳的相同方法治疗,这就体现了"异病同治"的治疗原则。

总之,中医治病注重于病机的异同,其次才是病的异同。所谓"证同治亦同,证异治亦异",即指相同的病机可以表现为相同的证候,不同的病机表现为不同的证候。病机体现着疾病特定阶段的病理本质,是该阶段的主要矛盾,决定了疾病在此阶段所表现的证候。显然这种针对疾病发展变化过程中,不同质的矛盾用不同质的方法进行解决的原则,就是辨证论治的精神实质。

第三节　中医学思维方法特点

思维是人脑对客观事物间接的、概括的反映,是认识的理性阶段,它是在实践的基础上产生和发展的,其主要特征是间接性和概括性。中医学在长期医疗实践的基础上,运用中国古代哲学的思维方法,对人体的组织结构、生理功能、病理变化,以及疾病的诊断、治疗和预防等方面进行了分析、归纳和总结,逐渐形成了中医学的理性认识。中医学的思维方法,是中医学理论体系构建过程中理性的认识方法,其借助于语言,运用概念、判断、推理等思维形式,反映人体内外的本质联系及其规律性。因此了解并掌握中医学所特有的思维方法特点,是学习和理解中医学基本理论的门径和钥匙,是深入研究中医学的必要手段。

中医学的思维方法特点,主要有下列五个方面。

一、司外揣内

司外揣内是指通过观察事物的外在表象,以推测、分析其内在变化规律的方法,又称作"以表知里"。人体内外是一个整体,相互间通过脏腑经络相连。"有诸内,必形诸外",机体的内在变化,可通过某种方式在外部表现出来;通过观察机体的表象,可在一定程度上认识疾病内在的变化机理。中医学关于人体的生理病理的许多理论皆发生于此,如心主血脉,其华在面;肝开窍于目等等。藏象学说就是借助对外在生理、病理现象的观察,推测和判断内在脏腑的生理病理变化,并以此作为诊断和治疗的依据。

司外揣内方法与现代控制论的某些方法有所类同,都是根据外部表现测知研究对象内部大致联系与变化,获得较多的信息。由于司外揣内法是在未全面了解内在结构的具体细节情况下进行研究的,虽然可从总体上把握研究对象内在的联系与变化,但是仍较为笼统,故有一定的局限性。

二、整体思维

整体思维是在整体观的基础上形成的,是指世界一切事物都是广泛联系的思维方法。中医学认为,人是一个有机整体,人与环境之间存在着密切联系。基于这一思维方法,中医学研究人体正常生命活动和疾病变化时,注重从整体上、从自然界变化对人体的影响上来认识。这一思维方法既注重人体解剖结构、内在脏腑器官的客观存在,又重视人体各脏腑组织器官之间的功能联系,更强调人体自身内部以及人与外界环境之间的统一和谐关系。

中医学的整体观反映在思维和方法上,往往是采用由整体到局部或从局部推测整体的考察研究方法,这种整体研究方法体现在中医基础理论方面尤为突出。如阴阳学说认为,世界是物质性的整体,世界的本质是阴阳二气对立统一的结果,阴阳二气的相互作用,促成了事物的发生,并推动着事物的发展和变化。人生活在自然界,人的生命活动也必然受到自然界的影响而产生与之相适应的变化。因此中医学在研究人体的生理功能、病理变化,以及疾病的诊断、治疗与养生等方面,均注重人与自然界的统一性,形成了中医学特有的天人一体的整体思维模式。

三、援物比类

援物比类,又称"取象比类",是运用形象思维,根据被研究对象与已知对象在某些方面的相似或类同,从而认为两者在其他方面也可能相似或类同,并由此推测被研究对象某些性状特点的认知方法。

《素问·示从容论》说:"援物比类,化之冥冥","不引比类,是知不明也",表明它是中医学常用的认知与思维方法。五行学说认为宇宙间的一切事物,都是由具有木、火、土、金、水五类属性的物质构成的,事物的发生、发展、变化,都是这五类属性的物质运动和相互作用的结果。中医学采用取象比类的方法,把人体的脏腑组织功能特性按照五行的各自特性相配归属,如将肝、胆、筋、目等归属于木,将心、小肠、脉、舌等归属于火等,脾、肺、肾等内脏以此类推,从而形成了人体的肝、心、脾、肺、肾五大生理、病理系统。

中医学还运用取象比类的思维创造了不少的治疗方法。如用"釜底抽薪法"治疗火热上炎,"增水行舟法"治疗肠燥便秘等等,并成为临床上常用的治疗方法。

四、形象思维

形象思维又称为意象思维,是将各种感官所获得并储存于大脑中的客观事物的信息,运用分析、比较、归类、抽象、综合、概括等方法,加工成为能反映事物本质或共性规律的一系列意象,运用这些意象为基本单元,再通过联想、类比等思维形式,形象地反映客观事物本质和规律的思维过程。形象思维一直是中国传统的思维方式,中医学充分地运用了形象思维,从客观的层次上把握了自然、社会、人体和疾病之间的联系和相关的本质,构建了自己的理论体系。如运用五行学说建立的藏象理论,诸如肝脏有主升、主动、喜条达恶抑郁特性的认识,六淫病因理论的形成等等,都体现了形象思维的特征。由于中医学较多地应用了形象思维,因此其理论多表现为直观可感性、整体性和内涵模糊性的特征。

五、直觉思维

直觉思维也称为"心法"、"领悟"或者"灵感",是一种不遵循严格逻辑关系的思维方式。这种思维是在已掌握的数据资料、知识信息和经验体会的基础上,调动一切已知的思维材料和思维(或想象)能力,对客观事物的本质及其规律作出迅速地识别,靠思维的直接领悟和敏锐的洞察,做出具体判断的思维方法。直觉思维是逻辑思维的对称,因此其不像逻辑思维那样有严格的思维步骤和程式,而是以突然的"领悟"作为认识事物的基本形式,通过主观的内省体验,使主体与客体直接冥合,实现认识上的突变和飞跃,因此直觉思维有突发性、简约性及模糊性。文学创作、艺术创作过程多采用这一思维。直觉思维需要以大量的知识积累和长期的实践过程为基础,绝不是随意、凭空就能发生的,中医理论和实践经验中有历代名医直觉思维的大量范例。

第四节 《中医学基础》的主要内容和学习方法

一、《中医学基础》的主要内容

《中医学基础》是中医理论体系的基础学科,是学习中医药学的入门课程。《中医学基础》所体现的思维方式,是从整体、联系、运动的观念出发,认识和解决医药学的相关问题。《中医学基础》以其独特的思维方法和原理法则,客观地概括了人体生命活动、病理变化、诊断治疗、养生康复的基本规律,指导着临床实践和药物学的研究开发。

《中医学基础》的主要内容有阴阳五行、人体结构与功能(藏象、精气血津液、经络、体质)、病因、病机、诊法、辨证、养生、防治及康复等内容。

阴阳五行 阴阳五行是中医学的哲学基础。任何一门科学都必须以一定的哲学思想为指导。产生于中国古代的中医学凭借着精气学说、阴阳学说、五行学说构建了自己的理论体系,用来解释人体的结构、生理、病因、病机,并指导临床的诊断和防治,渗透到中医学的所有领域,成为中医学的主要思维方法。

人体结构与功能　这部分内容涵盖了以下四部分知识：

藏象：藏象理论是借助"司外揣内"的思维方法，通过对人体表现于外的各种征象的观察，研究深藏体内的脏腑功能、病理变化，以及相互关系的理论；是中医学特有的关于人体生理、病理的知识体系，也是中医学的理论核心和基础。藏象理论所研究的内容包括五脏、六腑、奇恒之腑，以及与脏腑密切相关的形体官窍。

精气血津液：精气血津液是构成人体和维持人体生命活动的基本物质。这些物质既是脏腑经络活动的产物，也是维持各脏腑经络活动的物质基础，其生理和病理，都是与脏腑经络之间存在着十分密切的关系，是藏象、经络不可缺失的重要内容。

经络：经络是人体结构的重要组成部分，是人体气血的运行、脏腑官窍之间各种联系的纽带和通路，也正是因为有经络的联络沟通、感应传导、调节控制作用，才使得人体各部分成为一个有机联系的统一体。

体质：人是一个形神高度和谐有序的统一体，心理活动是人类特有的生理机能，中医学将心理活动用狭义之"神"予以概括。人类有着相同的脏腑经络、形体官窍、气血津液等形质及其机能，但却因个体的差异而表现为不同的生理活动和心理活动，中医学在"形神一体"的观念指导下，将人类表现在形体结构、生理机能和心理活动方面的个体特征称为"体质"。这与西方人将生理上的特征称为"体质"、将心理特征称为个性心理特征（即人格）有所不同，本书简要介绍中医体质的一般知识及其应用。

病因：病因是引起疾病发生的一切原因。中医学将病因分为外感病因（六淫、疫气）、内伤病因（七情内伤、饮食失宜、劳逸失度）、病理产物性致病因素（痰饮、瘀血、结石）和其他病因（外伤、药邪等）四类。中医学认识病因的思维方法是"审证求因"，因此中医病因学的内容，着重阐述各种致病因素的性质和致病特点，以及所致疾病的临床表现。

病机：病机是指疾病发生、发展、变化的机理，是疾病变化的本质所在，是疾病演变过程中的主要矛盾，也是医生临证工作中所要寻求和把握的关键。中医病机学包括发病机理和基本病机。

养生·防治·康复：养生就是保养生命，使人长寿。顺应自然规律、重视调摄精神、形神兼养、动静结合、养精护肾、保养脾胃，是最理想的养生。中医学强调预防为主，既重视既病防变，更重视未病先防，防重于治。已病之后所使用的扶正祛邪、治标治本、正治反治、调整阴阳和三因制宜等治则，是中医学最基本的治疗原则，都是隶属于"治病求本"的总思路。病后调养，早日恢复健康，也是中医学十分重视的内容。

二、《中医学基础》的学习方法

《中医学基础》的内容丰富，研究的范围较广，涉及中医学的名词概念、形成条件、基本特点，中医学的传统哲学思想和特有的思维方法，涵盖了人体的组织结构（即藏象、经络）、生理功能、生命物质基础（即精气血津液）、体质、病因、病理、预防、治则，以及养生、康复等多个医学学科的内容。通过本课程的学习，要求全面地认识和领会中医学的基本理论、基本知识和基本技能，为进一步深入学习中药、方剂及中药专业的其他相关课程奠定扎实的基础。

学习中医药学，要树立强烈的时代责任感；要有为继承和发扬祖国医学药学遗产，为振兴中医药学，为人类保健事业服务的明确学习目标；要以辨证唯物主义和历史唯物主义为指导思想,充分认识学习中医学基础理论的重要性和必要性;要遵循学习的规律,培养严谨的治学态度;要讲究学习方法,掌握各具体学习环节。由于中医学与西医学是产生于不同历史背景和文化背景下的两个不同的医学体系,在学习过程中要以科学求实的态度,切实掌握并运用中医学独特的思维方法和理论特征,既要联系西医的相关知识,又不能生搬硬套,对号入座;既要明辨两个医学理论体系的差异,又不能将二者对立起来,更不能不加分析地予以肯定或否定,这都不是科学的学习态度。

名词点击

中医学　中医理论体系　整体观念　辨证论治　证候　同病异治　异病同治

目标检测

1. 中医学的指导思想是（　）
　　A. 辨证论治　　　　　B. 五行学说
　　C. 精气学说　　　　　D. 整体观念
2. 下列哪一论著的作者是秦越人（　）
　　A.《伤寒论》　　　　 B.《金匮要略》
　　C.《中藏经》　　　　 D.《难经》
3. 下列哪部著作的成书奠定了中医理论的基础
　　（　）
　　A.《伤寒杂病论》　　 B.《黄帝内经》
　　C.《千金要方》　　　 D.《中藏经》
4. 在病因学方面,提出著名"三因致病说"的医家是
　　（　）
　　A. 王清任　　　　　　B. 华佗
　　C. 张介宾　　　　　　D. 陈无择
5. 被称为"寒凉派"的代表医家是（　）
　　A. 朱震亨　　　　　　B. 张从正
　　C. 王清任　　　　　　D. 刘完素
6. 第一部由国家组织编著的大型方书是（　）
　　A.《千金要方》　　　 B.《千金翼方》
　　C.《外台秘要》　　　 D.《太平圣惠方》
7. 第一部由国家颁布的处方规范著作是（　）
　　A.《太平圣惠方》　　 B.《太平惠民和剂局方》

　　C.《普剂方》　　　　 D.《千金要方》
8. 现存最早的针灸学专著的作者是（　）
　　A. 张机　　　　　　　B. 华佗
　　C. 皇甫谧　　　　　　D. 王叔和
9. 以"火热立论"的医家是（　）
　　A. 刘完素　　　　　　B. 张从正
　　C. 李杲　　　　　　　D. 朱震亨
10. 提出"内伤脾胃,百病由生"观点,治疗用药以补脾胃为主的医家是（　）
　　A. 刘完素　　　　　　B. 张从正
　　C. 李杲　　　　　　　D. 朱震亨

想一想

1. 试论中医理论体系的形成。
2. 简述"金元四大家"在中医基础医学发展中的学术贡献。

参考答案

1. D　2. D　3. B　4. D　5. D　6. C　7. B　8. C　9. A　10. C

第二章　阴阳五行

> **学习要点**
>
> 1. 掌握阴阳的概念、特征，以及阴阳学说的基本内容。
> 2. 掌握五行的概念、特征，以及五行学说的基本内容。
> 3. 了解阴阳学说和五行学说在中医学中应用的相关内容。

　　哲学是关于世界观的学说，是人们对各种自然知识和社会知识进行概括发展而成的、关于物质世界最一般运动规律的理性认识。中国古代哲学，是古人对宇宙的发生、发展、变化本源和规律的认识，是中国古代的世界观和方法论，是古人用以解释物质世界发生、发展和变化规律的哲学思想。医学是研究人类生命过程，以及同疾病作斗争的科学体系。医学要探索生命的奥秘，寻求保健和治病的方法，就必须借助哲学、借助人们对物质世界的认知方法来建构自己的理论。诞生于中国古代的中医学，充分地借助了当时先进的哲学思想，解释人体的生理现象和病理变化，归纳出关于健康与疾病的某些规律，用以指导临床的诊断和治疗。在中医学的形成和发展过程中，影响最大的哲学思想有精气学说、阴阳学说和五行学说。这些哲学思想被广泛地运用于中医学的每一层面，只有深刻地领会这些哲学内容，才能有效地学习并掌握中医学的理论。其中精气学说（又称为"元气论"、"气一元论"）是主导中国古人认识世界的自然观，有丰富的内涵，因其融入中医学理论之中，渗透到医学领域的各个层面，并由此产生了中医学的气论内容，故为避免内容重复，此处不再独立为节，于下后章相关内容中简要述之。

第一节　阴阳学说

　　阴阳学说是研究阴阳概念的基本内涵及其运动规律，并用以解释宇宙万物发生、发展和变化的哲学理论。阴阳学说渗透到医学领域之后，成为中医药学重要而独特的思维方法，深刻地影响着中医学理论的形成和发展。成书于秦汉时期的《黄帝内经》，就是凭借着包括阴阳学说在内的古代哲学思想和思维方法，建构了中医学的理论。因此阴阳学说是中医学理论中不可分割的组成部分，被广泛地用于说明人体的生理活动和病理变化，指导疾病的诊断和防治。中医学在运用阴阳学说的时候，对其进行了发展和充实，借用大量的医学实例详细地阐发了阴阳的相互交感，以及由此产生的相互制约、互根互用、消长平衡、相互转化等关系，使抽象的阴阳哲学概念得到了深化、细化和具体应用。医学中的阴阳理论虽然源于哲学，但已经不完全等同于哲学的阴阳，而是具有丰富的医学内涵。

一、阴阳的概念

阴阳学说源于古代人们在生产生活过程中对宇宙万物的长期观察。阴阳的最初涵义是非常朴素的。在万事万物中太阳对人类的生产生活影响最大,人类与太阳的关系最为密切。人们将日出后的白昼称为阳,将日落后的黑夜称为阴。在殷商时期的甲骨文中,就有"阳日"、"晦月"等具有阴阳涵义的表述。西周时期《诗经》所用的"阳"、"阴"二字,就具有温热与寒凉、向光面与背光面的意义。西周末期已经将阴和阳抽象为两种对立的物质或势力,并用以解释地震的形成和自然界四季变化的更替。哲学意义上的阴阳是在春秋战国时期逐渐形成的。此时的哲学家,不但认识到事物内部存在着对立的阴阳两个方面,也认识到这两个方面是不断运动变化和相互作用的,还认识到阴阳的相互作用是推动宇宙万物产生和变化的根本动力。这一时期的哲学家们,已经把阴阳的存在及其运动变化视为宇宙的一种基本规律,并广泛地运用阴阳双方的对立互根、消长转化等关系,解释宇宙万物的形成,以及宇宙万物之间的普遍联系。可见阴阳学说是古人以观察太阳活动为背景形成的,从对日光向背之原始涵义,经过广泛地联系,逐渐地抽象出阴阳的概念及阴阳的对立统一规律,并最终应用于认识宇宙万物,这学说的完整、系统地表述,应当归功于成书这一时期的《黄帝内经》。

中医学中的阴阳概念,既有生活常识的阴雨内涵,也有哲学层面和自然科学中的医学层面的内涵,绝大多数情况下是指后两者。所谓哲学层面的阴阳概念又称为属性阴阳,仅用于对事物的属性予以标识,是对自然界相互关联的某些事物或现象对立双方属性的概括,体现了事物的对立统一法则。阴和阳,既可以标示自然界相互关联而又相互对立的事物或现象的属性,也可标示同一事物内部相互对立的两个方面。即所谓"阴阳者,一分为二也"(《类经·阴阳类》)。

所谓自然科学中的医学层面的阴阳概念,特指人体内密切相关的相互对立的两种物质及其机能。其中阳(又称为阳气)是指具有温煦、兴奋、推动、气化等作用的物质及其机能,阴(又称为阴气)是指具有营养、滋润、抑制、凝聚等作用的物质及其机能。

二、阴阳的特征

中医学理论中的阴阳具有相关性、普遍性、相对性、属性的规定性等特征。

(一)相关性

所谓阴阳的相关性,也称为关联性,是指用阴阳所分析的对象,应当是同一范畴、同一层面的事物或现象,只有相关联的事物,或同一事物内部的两个方面,才可以用阴阳加以解释和分析。不同层面、不同范畴的事物,如果在阴阳属性上没有相关性,就不能进行阴阳属性的划分,否则是没有意义的。

(二)普遍性

所谓阴阳的普遍性,也就是广泛性。虽说阴阳有其局限的一面,但从其形成之时,人们就试图用它揭示宇宙万物形成之奥秘,广泛地用以认识宇宙万物的发展与联系,大到天和地,小到人体的脏腑和气血;从抽象的方位之上下、左右、内外,到具体事物的水火、药物的四性五味等,都可以用阴阳加以认识。

(三)相对性

所谓阴阳的相对性,是指各种事物或现象以及事物内部对立双方的阴阳属性不是绝对的、一成不变的,而是相对的。阴阳的相对性又表现在阴阳的可分性、阴阳的相互转化,以及划分事物阴阳属性前提或条件改变时,事物的阴阳属性也会随之改变等方面。

(四)规定性

所谓阴阳的规定性体现在以下两方面:一是事物阴阳属性的不可反称性。例如就温度而言,温暖的、炎热的为阳,寒冷的、凉爽的属阴;就气象变化而言,晴朗的天气为阳,淫雨的天气为阴;就不同的时间段而言,白昼、春夏为阳,黑夜、秋冬为阴;就方位空间而言,东、南、上、外、表、左为阳,西、北、下、内、里、右为阴;就物体存在的性状而言,气态的、无形的为阳,液态、固态、有形的为阴;就物体的运动状态及运动趋向而言,凡运动着的、兴奋的、上升的、外出的、前进的为阳,静止着的、抑制的、下降的、内入的、后退的为阴;就功能、运动与物质而言,功能和运动属阳,物质属阴等等。阴阳学说对事物属性的这种规定,在前提不变的情况下,已确定的属性是不变的,如寒与热的属性,寒被规定为阴,就不能反称为阳;反之,热被规定为阳,同样也不能反称为阴(见表1)。

表 1　事物阴阳属性归类表

属性	空间(方位)	时间(季节)	温度	湿度	重量	性状		亮度	事物运动状态
阳	上 外 左 南 天	昼 春 夏	温热	干燥	轻	清	无形	明亮	化气 上升 动 兴奋 亢进
阴	下 内 右 北 地	夜 秋 冬	寒凉	湿润	重	浊	有形	晦暗	成形 下降 静 抑制 衰退

二是中医学根据自身的需要,将人体内具有推动、温煦、兴奋、气化等作用的物质及其功能规定为阳,而将人体内具有营养、滋润、凝聚、抑制等作用的物质及其功能规定为阴。阴阳学说的这一规定性相对于哲学里的对立统一法则而言,具有其局限性,但在医学领域却是其优势所在。例如将具有温煦、推动、兴奋作用的物质及其功能不足时称之为"阳虚",其临床表现必然有畏寒怕冷、肌肤不温、精神萎靡的症状,治疗时运用附子、鹿茸等补阳的药物才能获得良效。如果没有阴阳学说的这一规定,就可能把畏寒怕冷、肌肤不温、精神萎靡的病变称为"阴虚",那么就会无章可循,无标准可言。可见阴阳学说这一古代哲学思想被应用到医学领域以后,不但成为解释人体组织结构、生理、病理,指导疾病诊断、防治的认知方法,而且与医学内容有机地融合在一起,成为中医学的主要内容之一。所以医学中的阴阳,既有哲学的一般属性,又有医学的特定内容,例如阴虚、阳虚,补阴、补阳中的阴和阳,就具有物质本体的特定内涵。

三、阴阳学说的基本内容

阴阳学说的基本内容,主要研究阴阳的相互交感作用下所引发的对立制约、互根互用、消长平衡和相互转化关系。

(一)阴阳的相互交感

所谓阴阳的相互交感,是指阴阳二气在运动中,相互影响、相互交流,并由此产生各种相应的变化和反应。交,即交合、交流;感,即感应,指事物间在物质或信息的交流过程中,双方所产生的各种变化或反应。阴阳的相互交感是宇宙间万事万物生成演化的肇端。阴阳学说对阴阳的相互交感作用十分重视,认为能维持或进行正常的交感,事物就会健康的发展,否则就会受到伤害,甚至凋亡。可见阴阳的相互交感,是阴阳之间产生各种联系的前提和基础。

(二)阴阳的对立制约

阴阳的对立制约,是指相互关联的阴阳双方彼此间存在着互相抑制、排斥、约束的关系。

阴阳的对立制约关系是宇宙间普遍存在的规律,阴阳双方始终处于差异、对抗、制约、排斥的矛盾运动之中。阴阳之间的相互对立制约关系,是促进事物运动发展的内在动力,如上半年从冬至春及夏,气候由寒转温变热,这是自然界属阳的温热之气制约了属阴的寒凉之气的结果;下半年从夏至秋及冬,气候从热转凉变寒,这是属阴的寒凉之气制约了属阳的温热之气的结果。人体也是如此,清晨人从睡眠中清醒,是阳制约了阴;夜晚人从清醒转入睡眠,是阴制约了阳,因为阳主兴奋,阴主抑制。

阴阳双方的对立制约是有一定限度的,如果一方对另一方的制约太过或者不及,都属异常,在于人体则会发生疾病。例如《内经》所说的"阳胜则阴病,阴胜则阳病"(《素问·阴阳应象大论》),即为一方对另一方的制约太过而生病。"阳不胜其阴"、"阴不胜其阳"(《素问·生气通天论》),则为一方对另一方的制约不足。中医学将阴阳对立制约的规律广泛地用于指导疾病的治疗,如"寒者热之"、"热者寒之"、"高者抑之"、"下陷者举之",即是在这一规律指导下确定的治疗方法。

(三)阴阳的互根互用

阴阳的互根互用关系包含阴阳互藏、阴阳互根和阴阳互用三个方面:

1. 阴阳互藏

阴阳互藏是指相互对立的阴阳双方,任何一方中都蕴涵有另一方,即阳中蕴涵有阴,阴中蕴涵有阳。宇宙中任何事物都蕴涵有阴和阳两种属性不同的成分或势力。根据阴阳互藏的道理,事物和现象的阴阳属性不是绝对的,属阳的事物不是纯阳无阴,属阴的事物也不是纯阴无阳,而是根据其所含属阴或属阳成分的比例大小而定。凡属阳的事物,所含属阳的成分多而阴的成分少,又称阳中含阴;凡属阴的事物,其所含属阴的成分多而属阳的成分少,又称阴中含阳。阴阳成分比例的大小,只是根据其模糊的隐显状态加以判断,如果事物属阳的成分大并呈显象状态,而属阴的成分小并呈隐匿状态,就可将该事物划分为属阳。反之若事物属阳的成分小并呈隐匿状态,而属阴的成分大并呈显象状态,就可将其属性判定为阴。阴阳互藏是阴阳双方相互依存、相互为用的基础。否则阴便成为"孤阴",阳便成为"独阳",阴阳之间互相为用的关系也会随之破坏。

2. 阴阳互根

阴阳互根是指阴和阳互为根据、互为前提的关系,任何一方都不能脱离另一方而单独存在,任何一方都是以对方的存在为己方存在的前提和条件。如上与下,上为阳,下为阴。没有上就无所谓下;没有下,也就无所谓上。

3. 阴阳互用

阴阳互用是指在阴阳相互依存的基础上,阴阳双方会出现相互促进、相互资助的关系。如云雨的形成过程就充分体现了自然界的阴阳互用关系。"地气(属阴的水湿)上为云"的过程,是借助阳热之气的蒸化,而"天气(空气中的水汽)下为雨"的过程,要有阴寒之气的凝聚。可见云与雨,天气与地气的往复循环过程,就是阴阳相互促进、相互为用的过程。

人体的兴奋(属阳)与抑制(属阴)过程也是如此。正常的兴奋是以充分的抑制作为前提的。这就是人们常说的充分睡眠才会有旺盛的精力;反之,只有充分的兴奋才能有效地诱导抑制,所以人们常说高效率的劳动才会有高质量的睡眠。

(四)阴阳的消长平衡

阴阳的消长平衡,是指阴阳之间不是静止的、不变的,而是在一定时间、一定范围之内,处于彼此不断的相互消长中,保持其动态的平衡。这一过程包括了阴阳的相互消长和阴阳的协调平衡两个方面。

阴阳的相互消长是指对立互根的阴阳双方,不是一成不变的,而是在一定时间、一定限度内存在着量的增减和比例大小的变化。所谓"消",就是减少、变弱、衰退;所谓"长",就是增多、亢进、加强。阴阳的消长只是阴阳运动变化的一种形式,引起阴阳消长变化的根本原因在于阴阳的对立制约和阴阳的互根互用。

1. 阴阳对立制约下的消长

在阴阳对立制约的基础上,阴阳双方可以产生此长彼消和此消彼长的两种消长过程。

此长彼消是以制约太过的"长"为主要过程,指阴或阳给予对方的制约、对抗的力量过强时,使对方的反向作用受到约束而减弱的过程。例如四季气候的变化,上半年的气候变化,由于属阳的温热之气渐长、增加,而属阴的寒凉之气渐减、变少,所以气温就由寒转暖变热,这一过程即属阳长阴消。下半年的气候变化,由于属阴的寒凉之气渐长、增加,而属阳的温热之气消减、变少,所以气候就由热转凉变寒,此属阴长阳消的过程。

此消彼长是以制约不足的"消"为主要过程,即阴或阳的力量减弱(即消),不能有效地制约对方,从而使对方的反向作用加强、亢进的过程(即长)。如季节气温变化中,盛夏之际是制约阳热的阴寒之气太少,故酷热。隆冬之时,热气太少,无力制约阴寒之气,故气候严寒。

2. 阴阳互根互用下的消长

在阴阳互根互用的前提下,如果阴阳之间相互促进、相互为用的作用增强时,就会产生此长彼长变化;如果相互为用的作用减弱时,就会产生此消彼消的变化。

此长彼长包括阳长阴亦长、阴长阳亦长两方面,是指阴阳双方处于正常的相互依存、相互为用的关系之中,当一方旺盛或增强时,可以促进另一方也随之增长。例如人在进食后,由于补充了营养物质(阴长),于是就产生了能量,增长了气力(阳长)。同样,胃肠功能强健,消化能力旺盛(阳长),就会有充足的营养物质转化并贮存(阴长)。在治疗阴阳两虚证时,常常补阳也可能使阴得到恢复,此为阳长阴亦长;同样道理,通过养阴使阴气充足,阳气也会随之而旺盛,此即阴长阳亦长。临床医学常用的补气生血法、补血养气法、阳中求阴法、阴中求阳法等,都是以这一理论为根据确立的治疗方法。

此消彼消包括阳消阴亦消、阴消阳亦消两方面。这是由于阴阳互根互用不足造成的,阴阳双方中的任何一方减少,或者虚弱不足,无力资助对方,会使对方也随之减少或虚弱。如人在饥饿时的疲乏无力,少气懒言,这是由于体内的营养物质已经匮乏(即阴消),不能释放充足的能量(即阳消)的缘故,这一现象就是阴消阳亦消。一个长期消化功能减退(即阳消)的病人,由于不能充分地摄取食物,使体内营养物质缺乏(即阴消),不能营养肌肉,故日见消瘦,此即阳消阴亦消的过程。临床上常见的气虚导致血虚、津亏导致气虚,以及阳损及阴、阴损及阳均属此例。

阴阳的协调平衡是指阴阳双方的消长稳定在一定限度内的和谐、匀平状态。这是万事万物自身运动所形成的最佳状态。

阴阳之间的消长变化是不间断的、无休止的、绝对的,但也是有序的。如果阴阳双方的消长变化是在一定范围、一定限度、一定时间内有序的进行,那么这种变化的结果就会使事物在总体上呈现出相对稳定的状态,即所谓阴阳平衡协调状态,又称为"阴阳自和",或曰"阴平阳秘"。阴阳协调平衡,阴阳之间一系列主要过程和变化就能得以顺利进行的前提。在于人体,就是正常的生理状态。

(五)阴阳的相互转化

阴阳的相互转化是指对立互根的阴阳双方,在一定条件下彼此可以向其各自相反的方面转化,即"阴可变为阳,阳可变为阴"(《类经附翼·医易》)。阴阳转化是阴阳消长运动发展到一定阶段,事物内部双方的本质属性发生了改变。阴阳的消长是事物的量变过程,而阴阳转化是事物的质变过程。

阴阳转化是事物发展的又一过程。任何事物都处在不断地运动变化之中,不可能是静止的、不变的。在变化过程中,其发展规律总是由小到大,然后又由盛到衰,即是说事物发展到极点时就会向其反面转化。"重阴必阳,重阳必阴","寒极生热,热极生寒","寒甚生热,热甚生寒"即是其例。阴阳的相互转化必须具备特定的条件。古人所说的"重"、"极"、"甚",都是事物内部阴阳相互转化的内在因素和必要条件,所以说:"阴阳之理,极则必变"(《类经·阴阳类》)。阴阳转化是一个复杂而重要的变化过程,因此在临证中必须掌握其规律,通过调整阴阳的对立制约和阴阳的消长过程,以达到调控阴阳转化之目的。

四、阴阳学说在中医学中的应用

阴阳学说是中医学的指导思想,又是中医学理论的根基,渗透于中医理论体系的各个层面,指导了历代医家的医学思维和诊疗实践。

(一)说明人体的组织机构

人是一个有机的整体,中医学根据阴阳对立统一的观点,把人体组织结构划分为相互对立又相互依存的若干部分,由于结构层次的不同,脏腑组织的阴阳属性也有区别。就大体部位而言,躯壳为阳,内脏为阴;上部为阳,下部为阴;体表为阳,体内为阴。就腹背而言,背部为阳,胸腹面为阴。就肢体的内外侧而言,四肢的外侧面为阳,内侧面为阴。就筋骨与皮肤而言,筋骨在深层为阴,皮肤居表为阳。就内脏而言,六腑传化物而不藏,故为阳;五脏化生和贮藏精气而不泻,故为阴。就五脏而言,心、肺位于身体的上部胸腔之中,故为阳;肝、脾、肾位于身体的膈下腹腔,故为阴。具体到每一脏腑,又有心阴、心阳,肝阴、肝阳,胃阴、胃阳,肾阴、肾阳等。可见人体结构中的上下、内外、表里、前后各部分之间,以及体内的脏腑之间,都存在着对立、互根的阴阳关系,都可以用阴阳学说加以分析和认识。因此说:"人生有形,不离阴阳"(《素问·宝命全形论》)。

(二)解释人体的生理活动

人体的生理活动,可以广泛地运用阴阳学说加以说明。就人体的寤寐而言,在白昼人体内属阳的兴奋作用制约了属阴的抑制作用而占主导地位,人就处于醒寐的兴奋状态;进入黑夜,体内属阴的抑制作用制约了属阳的兴奋作用而占主导地位,人就进入休眠状态。显然人的睡眠活动就是机体内部阴阳对立统一运动的结果。

体内物质的代谢过程,主要是以阴阳互根互用的消长平衡方式进行。人体生命活动所需的各种精微物质(属阴)的补充,是在不断消耗内脏能量(属阳)的情况下完成的;但属阴的精微物质产生以后,又在相关内脏器官中转换为种种不同的能量,在能量产生的同时,精微物质随之消耗。前者属于阴长阳消的过程,后者是阳长阴消的过程。生命活动就在这种阴阳彼此不断的消长过程中维持着动态平衡。所以说:"阴平阳秘,精神乃治"(《素问·生气通天论》)。

在属阴的物质中,气和血又可再分阴阳。属阳的气又具有生血、行血、摄血的功能;而属阴的血又具有载气、寓(藏)气、化生气的作用。可见气血之间又体现着阴阳关系的多个层面。此外诸如营卫关系、气与津液关系、脏腑关系、经络关系也是如此。因此说:"生之本,本于阴阳"(《素问·生气通天论》)。

(三)解释人体的病理变化

疾病是致病因素作用于人体而引起体内阴阳平衡失调、脏腑组织损伤,以及机能障碍的过程。阴阳学说不但可以对病理过程进行分析,还可以对引起病理过程的邪正双方加以说明。病邪可以分为阴邪和阳邪两大类。就六淫邪气而言,风、暑、热邪为阳邪,寒与湿邪为阴邪。人体的正气,又有阴精与阳气之别。在邪正斗争过程中,阳邪伤人,常易伤阴;阴邪侵袭,常先伤阳。在邪正斗争的胜负过程中,机体阴阳失调会产生偏盛、偏衰、互损、转化、格拒、亡失等种种病理变化。这是中医学认识和分析疾病基本病理的理论依据。

1. 阴阳偏盛

阴阳偏盛是指阴或阳的一方偏亢过盛,对另一方制约太过所导致的病理变化。

"阳胜则热",是指在阳邪作用下,机体呈现出机能亢奋,产热过剩的病机,临床表现为一系列实热征象的病证。

"阳胜则阴病",是指阳胜的状态下对阴的制约过度,使阴呈现功能减弱的病理状态,此即"阳长阴消"的过程,也是阳对阴的制约太过。在疾病过程中,由于阳热太盛,伤耗阴液,则会引起阴液相对不足。

"阴胜则寒",是指感受阴邪,体内机能受到阻滞而障碍,呈现出阴偏盛的病机,临床表现为一系列实寒征象的病证。

"阴胜则阳病",是指阴胜状态下对阳的抑制过度,使阳呈现功能减退的病理状态,此即"阴长阳消"过程,也是阴对阳的制约太过。在疾病过程中,由于阴寒太盛,损伤阳气,则会引起阳气相对不足。

2. 阴阳偏衰

阴阳偏衰是指阴气或阳气低于正常水平的病理状态。无论是阴或阳不足,无力制约对立的另一方,必然导致另一方相对偏亢。

阳偏衰是指体内的阳气虚损,推动和温煦等功能下降,以及阳对阴的制约能力减退,导致阴的一方相对偏盛的病理状态。临床上常表现出虚性的寒证,故曰"阳虚则寒"。

阴偏衰是指体内的阴气亏虚,滋润及抑制作用减退,以及阴对阳的制约作用下降,导致阳相对偏亢,产热相对过剩的病理状态。临床上常表现出虚性的热证,即所谓"阴虚则热"。

　　阴阳偏盛及阴阳偏衰是临床上寒热病证形成的基本病机,也是阴阳失调病机的最根本的病理状态。阴阳偏盛和阴阳偏衰的病机,是阴阳的对立制约,以及阴阳彼此消长的关系失调所致。阴阳偏盛,其矛盾的主要方面是阴或阳的绝对值增加,因而制约对方的力量太过,故所产生的寒证或热证均属于实性证候。阴阳偏衰,其矛盾的主要方面是阴或阳的绝对值减少,因而制约对方的力量减弱,使对方相对偏盛,故所产生的寒证或热证均属于虚性证候。

3. 阴阳互损

　　阴阳互损,是指阴或阳任何一方虚损到一定程度而引起另一方逐渐不足的病理变化。包括阳损及阴和阴损及阳两方面的病机。

　　阳损及阴,是指阳虚到一定程度时,无力促进阴的化生,使阴亦随之不足的病理过程。此即"无阳则阴无以化"。临证中常先有阳虚表现,继之又出现阴虚的症状。

　　阴损及阳,是指阴虚到一定程度时,不能滋养于阳,使阳亦随之化生不足的病理过程。此即"无阴则阳无以生"。临证中常先有阴虚的症状,继之又出现阳虚的临床表现。

　　阴阳互损是以阴阳互根互用为前提的。由于阴和阳互为其根、互为其用,所以当阴或阳虚衰不足时,就会发生"阳消阴亦消"的"阳损及阴",以及"阴消阳亦消"的"阴损及阳"的病理过程。

　　阴阳互损与阴阳偏衰不同。阴阳偏衰中的阴偏衰或者阳偏衰,是阴阳互损病理过程产生的前提,属于病理状态;而阴阳互损则是在阴偏衰或阳偏衰的病理状态基础上进一步发展的病理过程,这个病理过程所产生的结局则是阴阳两虚的病理状态。

4. 阴阳转化

　　阴阳转化是阴阳失调所表现的病理变化。在一定的条件下,阳证可以转化为阴证,阴证也可以转化为阳证。例如某病人因受凉感冒,症见恶寒、发热、头痛等,由于治不及时,二、三日后,上述症状消失,却又出现咳喘、胸闷、咯痰表现。前者病位在表,属阳证;后者病邪入里,属阴证。此即由阳证转化为阴证。再如某病人患咳喘日久,咳喘每于冬季加重,夜间发作极甚、怕冷、咯吐大量清稀痰。近日由于天气剧变,咳喘症状加剧,痰稠色黄、发热、体温39℃、面赤、口渴喜饮冷、舌红苔黄、脉滑数。此人原来的病证为肺寒,属阴证,现证为肺热,属阳证。此即由阴证转化为阳证的过程。此外,如表证与里证、虚证与实证的相互转化均属阴阳转化之理。

　　此外用阴阳学说解释病理时,还有阴阳格拒和阴阳亡失方面的内容,将在"病机"章中介绍。

（四）指导疾病的诊断

　　阴阳失调是疾病发生、发展、变化的根本原因,由此所产生的各种错综复杂的疾病临床表现都可以用阴阳加以说明。所以在诊察疾病时,用阴阳两分法归纳种种临床表现,有助于对病变的总体属性作出判断,从而把握疾病的关键。因此《素问·阴阳应象大论》说:"善诊者,察色按脉,先别阴阳。"

　　疾病的诊断,首先要用四诊的方法收集病史资料,然后用阴阳归类的方法,概括诸如色泽、声息、动静状态及脉象等的阴阳属性。

　　辨别色泽的阴阳:色泽鲜明者属阳,色泽晦暗者属阴。

　　辨别声息的阴阳:声音高亢洪亮、多言而躁动者,多属于实证、热证、阳证;声音低弱无力、少言而沉静者,多属于虚证、寒证、阴证。呼吸微弱者属阴;呼吸有力,声高气粗者属阳。

辨别脉象的阴阳：以脉位辨阴阳，寸脉为阳，尺脉为阴；据脉率辨阴阳，则数者为阳，迟者属阴；据脉力辨阴阳，则实脉为阳，虚脉属阴；以脉形辨阴阳，则浮、大、洪、滑属阳，沉、小、细、涩为阴。

在疾病的诊察过程中，对症状和体征的阴阳属性划分，大体可以概括其疾病的基本属性。如果从疾病的部位、性质等辨其阴阳属性，大凡表证、热证、实证者属于阳证；而里证、寒证、虚证者属阴证。只有在总体上把握了疾病的阴阳属性，才能沿着正确的思路对疾病进行更深层次的精细分析，抓住疾病的本质。因此张介宾指出："凡诊病施治，必须先审阴阳，乃为医道之纲领。阴阳无谬，治焉有差？医道虽繁，而可以一言蔽之者，曰阴阳而已"（《景岳全书·传忠录》）。

（五）指导疾病的防治

调理阴阳，使之保持或恢复相对平衡，达到"阴平阳秘"状态，是防病治病的根本原则，也是阴阳理论用于疾病防治的基本思路。

1. 指导养生防病

养生的目的在于延年益寿和防病除疾；养生的根本原则是要遵循自然界的阴阳变化规律来调理人体的阴阳，使人体阴阳与自然界的阴阳变化协调一致。

2. 确定治则治法

由于阴阳失调是疾病的基本病机，因而调理阴阳，补其不足，泻其有余，恢复阴阳的平衡协调，是治疗疾病的基本法则。

（1）阴阳偏盛的治疗原则　针对阴或阳偏盛所致的病证，要运用损其有余（即"实则泻之"）的原则进行治疗。阳偏盛所致的实热证，宜用寒凉药物抑制亢盛之阳，清除其热，此即"热者寒之"的方法；阴偏盛所致的实寒证，可用温热药物消除偏胜之阴，驱逐其寒，此即"寒者热之"。

（2）阴阳偏衰的治疗原则　针对阴偏衰或阳偏衰所致的病证，要运用补其不足（即"虚则补之"）的原则进行治疗。阳虚不能制约阴而致的虚寒证，不能用辛温散寒的药物，应当用补阳的药物，扶助不足之阳而达到制约相对偏盛之阴的目的。

阴虚不能制约阳而致的虚热证，不能用苦寒清热的药物，应当用滋阴之品，资助不足之阴，以达到抑制相对偏盛之阳的目的。

阴阳互损的病理过程，可导致阴阳两虚的病理状态。故治宜阴阳双补，但是应分清主次先后。由阳损及阴所导致的阴阳两虚证，是以阳虚为主，治宜在补阳的基础上兼补其阴；由阴损及阳所导致的阴阳两虚证，则是以阴虚为主，治宜在补阴的基础上兼以补阳。

（六）归纳药物的性能

治疗疾病，不但要有准确无误的诊断和正确的治疗方法，还必须熟练地掌握药物的性能。中医学对药物的性能，主要从性味和升降浮沉等方面加以分辨，而性味、升降浮沉都可以用阴阳学说加以归纳和认识。

药性：药性是指药物的寒、热、温、凉四种性质，又称为"四气"。其中寒、凉属阴，温、热属阳。凡能减轻或消除热证的药物，其性质属于凉性或寒性；凡能减轻或消除寒证的药物，其性质属于温性或热性。所以临床上治疗热证时，就要选用寒性或凉性药物；治疗寒证时，就要选用热性或温性药物。

药味：药味是指药物的酸、苦、甘、辛、咸五味。有些药物还具有涩味、淡味，但习惯上称为"五味"。其中辛、甘、淡味属阳，酸、苦、咸、涩味属阴。药味理论的形成，一是源于对药物品尝的味觉感受，如甘草之甜、桔梗之辛、乌梅之酸、黄连之苦、昆布之咸、茯苓之淡、五味子之涩等；二是根据药物效用的分析抽象，如《素问·至真要大论》所言："辛甘发散为阳，酸苦涌泄为阴；咸味涌泄为阴，淡味渗泄为阳。"

升降浮沉：药物的升、降、浮、沉，是指药物进入人体后的作用趋向。所谓升，是指药物具有上升及作用于人体上部的功效趋向；降，指药物具有下行并作用于人体下部的功效趋向；浮，是指药物具有向表浅部位发散的功效趋向；沉，是指药物具有向内镇敛的功效趋向。因此药物升、降、浮、沉的阴阳属性，凡具有升、浮作用的药物属阳，凡具有降、沉作用的药物属阴。

总之，无论是养生防病，还是治疗用药，都可以根据具体情况对阴阳学说的相关内容加以运用。

第二节　五行学说

五行学说是研究木、火、土、金、水五种物质的内涵、特性、归类方法以及调节机制，并用以解释自然界万物的发生、发展、变化及相互联系的一种古代哲学理论，是中国古代的唯物辩证观和方法论，含有原始质朴的系统论思想。五行学说认为，自然界的万事万物可以在不同层面上分为木、火、土、金、水五个方面，从而构成不同级别的系统结构。五行之间的生克制化，维系着系统内部和系统之间的相对稳定。因此五行学说是研究事物内部和事物之间最一般的功能及结构关系的理论。

一、五行的概念

五行，是对木、火、土、金、水五类事物及其变化规律的属性概括。五行起源于古代的"五方"观念。古人在长期的生产和生活过程中，对生活、生产资料经过长期认真的观察，认识到木、火、土、金、水是日常生产和生活中不可缺少的最基本物质，所以有"水火者，百姓之所饮食也；金木者，百姓之所兴作也；土者，万物之所资生也，是为人用"（《尚书大传·周传》）的认识。在此基础上提出了"五材"概念，后来古代哲学家进一步引申运用，认为世界一切事物都是由这五种基本物质的运动变化而生成。前人将五种物质之间制约关系总结为"木得金而伐，火得水而灭，土得木而达，金得火而缺，水得土而绝。万物尽然，不可胜竭"（《素问·宝命全形论》）。这是前人在生产生活过程中，对五种物质之间资助、制约关系认识、抽象的实录。

五行学说一方面认为世界万物是由这五种最基本的物质构成的，这是对世界的物质性所作出的正确认识；另一方面认为任何事物之间都不是孤立的、静止的，而是在不断资生、制约的运动变化之中，维持着协调、平衡的状态。

二、五行的特性

五行的特性是古人在长期生产、生活实践中，对木、火、土、金、水五种物质观察的基础上，通过归纳和抽象，逐渐形成的理性认识。古人根据五行的特性来演绎各种事物的属性，分析各类事物之间的相互联系。《尚书·洪范》将五行的特性概括为"水曰润下，火曰炎上，木曰曲直，金曰从革,土爱稼穑"。

"木曰曲直",指植物具有能曲能直的生长特性。引申为凡具有生长、升发、舒畅、条达等作用或特性的事物,其属性可归纳为"木"。

"火曰炎上","炎",有焚烧、灼热之意;"上",即向上。引申为凡是具有温热、向上、升腾等作用或特性的事物,其属性可归纳为"火"。

"土爱稼穑",指土地可供人类从事种植和收获的农事活动。引申为具有生化、承载、受纳等作用或特性的事物,其属性可归纳为"土"。

"金曰从革","从革",用以说明金属是通过对矿石的冶炼,顺从变革,去除杂质,从而纯净的过程。引申为凡是具有肃杀、收敛、清洁等作用或特性的事物,其属性可归纳为"金"。

"水曰润下","润",滋润,指水可使物体保持湿润而不干燥;"下",即向下,下行。引申为凡是具有寒凉、滋润、向下运动等作用或特性的事物,其属性可归纳为"水"。

五行的特性虽然源于人们对木、火、土、金、水五种物质特性的具体观察,但经归纳和抽象以后,具有更广泛、更抽象的涵义,成为表示事物五行属性的标志性符号。

三、事物五行属性的归类

事物的五行属性是以五行的特性为依据进行归类的。五行归类理论的构架,是将自然界万事万物纳入木、火、土、金、水五行框架之中。

五行学说对事物进行属性归类的方法主要有以下两种:

其一,直接的取象比类法。取象,是指通过观察而获取客观事物的感性形象、外在表象,尤其是事物的功能状态。比类,就是以五行的特性为依据,与所要认知的事物的特有征象进行比较,如果所要认知的事物征象与已知的五行中某一行的特性相同或相类似,就可将该事物归属于五行中的某一类。例如某事物的征象与木的特征相类似,就将其归于木类;某事物的征象与火的特征相类似,就将其归于火类,等等。以五方的五行属性归类为例,东方为日出之地,充满生机,与木的升发、生长特性相类似,故归于木类;南方的气候炎热,植被繁茂,与火的炎上特性相类似,故归于火类;西部高原是日落之处,气候凉燥,万物凋落,与金的肃杀之性相类似,故归于金类;北方的气候寒冷,无霜期短,虫类蛰伏时间长,与水的寒凉、向下和静藏特性相类似,故归于水类;中原地区气候寒温适中,有利于动植物的长养,与土的生化、承载特性相类似,故归于土类。显然这种取象比类的方法属于求同方法。

其二,间接的推演法。所谓间接的推演法,是根据已知事物的五行属性,推演至其他相关的事物,以求知其五行属性的认知方法。在对人体的五行归类中,大部分事物的属性归类都是根据这一方法求知的。例如已知肝具有疏泄、条达、主升发的特性,属性为木,肝所主的筋体柔和,屈伸自如,符合"木曰曲直"的特性,亦属木。与肝相表里的胆,具有贮藏胆汁、排泄胆汁的功能,亦有疏畅条达特性,其属性亦为木。可见肝、胆、筋的五行属性是属直接取象比类所求知的。但是肝在窍为目、在液为泪、在志为怒、其华在爪等,只能根据肝的属性为木,而爪、目、泪、怒为肝所主,故亦属于木。显然这是通过间接推理所得的结果。通过五行归类,将自然界以及人体许多复杂的事物和现象有机地联系在一起,形成了木、火、土、金、水五大系统。详见五行系统表(表2):

表 2   五行系统表

自然界							五行	人体						
五音	五味	五色	五化	五气	五方	五季		五脏	五腑	五官	五体	五志	五液	五脉	五华
角	酸	青	生	风	东	春	木	肝	胆	目	筋	怒	泪	弦	爪
徵	苦	赤	长	暑	南	夏	火	心	小肠	舌	脉	喜	汗	洪	面
宫	甘	黄	化	湿	中	长夏	土	脾	胃	口	肉	思	涎	缓	唇
商	辛	白	收	燥	西	秋	金	肺	大肠	鼻	皮	悲	涕	浮	毛
羽	咸	黑	藏	寒	北	冬	水	肾	膀胱	耳	骨	恐	唾	沉	发

四、五行学说的基本内容

五行学说运用相生、相克理论,解释事物之间的广泛联系,其中相生、相克、生克制化理论,用于分析事物一般状态下的调节机制;而母子相及、相乘、相侮理论,用于解释事物特殊状态时的相互关系。

(一)五行的生克制化

五行之间不是孤立的、静止不变的,而是存在着资生和制约的调节关系,从而维持着事物之间的动态平衡,这是事物正常状态下的调节。

1. 五行相生

相生,是指这一事物对另一事物具有促进、资助、协同作用。五行之间相互资生的次序是:木生火,火生土,土生金,金生水,水生木。在五行相生关系中,任何一行都存在着"生我"和"我生""母子"关系。"生我"者为"母","我生"者为"子"。例如水能生木,所以水是木之"母"("生我");木是水之"子"("我生")。其余类此。

2. 五行相克

相克,是指这一事物对另一事物具有抑制、约束、拮抗作用。五行之间相互制约的次序是:木克土,土克水,水克火,火克金,金克木。在五行相克关系中,任何一行都具有"克我"和"我克"的"所不胜"和"所胜"的关系。所谓"克我"者为"所不胜","我克"者为"所胜"。例如水克火的关系,水是火的"所不胜"(即"克我");火是水的"所胜"(即"我克")。其余类此。

3. 五行制化

五行制化,是指五行之间既有资助、促进,又存在着制约、拮抗的对立统一关系,从而维持事物间协调平衡的正常状态。制,是指五行的生与克之间的制约关系。化,即生化,指事物的正常状态。五行制化关系是指五行的相生和相克两种关系协调并存的状态,是维持五行之间动态平衡不可缺少的两种方式。没有相生,就没有事物的发生和成长;没有相克,事物就会产生过度的亢奋而失去协调。

五行生的关系和克的关系之间是不均衡的,有时是以生为主,克为次,此即为"生中有克";有时是以克为主,生为次,此即为"克中有生"。只有这种生与克相反相成的矛盾运动,才能维持事物的平衡状态,也才可能促进事物的发展变化。示意如图(见图 1):

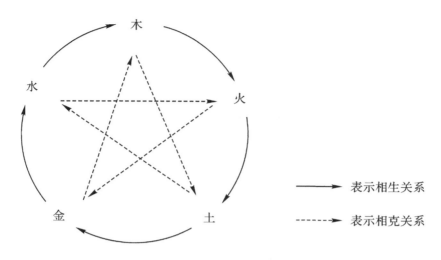

图1 五行生克制化图

从上述的生克制化关系可知,五行中的任何"一行",都存在着来自于其他事物的"生我""我生"和"克我"、"我克"的联系或者称为作用。

(二)五行的乘侮相及

五行的乘侮相及,是指五行的生克关系因某种因素的干扰而发生的失调状态。五行在失调状态下,相生、相克及生克制化关系要在异常状态下进行重新调整,于是就产生了母子相犯、相乘和相侮关系。

1. 母子相及

母子相及,又称为"母子相犯",是五行之间正常的相生关系遭到破坏后所产生的异常变化,包括母犯于子和子犯于母两个方面:母犯于子,是指母的一方异常时波及子的一方,导致母子两者皆异常。其顺序和方向与正常状态中的相生关系一致,如木发生异常时影响并波及于火,即属于母犯于子。子犯于母,是指子的一方异常时就会波及母的一方,导致母子两者皆异常。其顺序和方向与相生关系相反,如水的一方异常时,波及并影响于金,即属于子犯于母。

2. 相乘

相乘是指相克太过,即超过正常限度的制约,其顺序和方向与相克一致。之所以能发生相乘,是因为有"所不胜"的力量太强,或者"所胜"的力量太弱,或者既有"所不胜"的太过,也有"所胜"的不足。例如木克土,如果木太过,或者土不足,或者既有木太过,又有土不足,均可产生"木乘土"的关系(即相乘)。

3. 相侮

相侮是指反向的相克,又叫"反克",或者"反侮",其顺序和方向与相克相反。之所以发生相侮,是因为有"所不胜"一方不足,或者"所胜"一方太过,或者既有"所胜"一方的太过,又有"所不胜"一方的不足。例如金克木,无论是"所不胜"金的不足,或者"所胜"木的太过,或者既有金的不足,又有木的太过,均可引起木侮金的反向相克(即相侮)。

五行中的任何一方出现"太过"或"不足"的异常时,都可能对其他四者产生影响,现以"土"

太过为例示之(见图2):

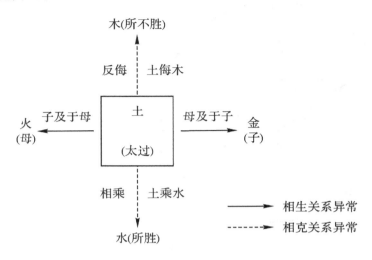

图2　五行生克制化关系失调图例

可见,五行学说不仅强调了客观世界的物质性,而且可以说明世界许多物质之间的广泛联系。这种相互联系的基本方式有二:一是在事物五行特性的基础上,对客观事物进行属性归类,从而加强对事物"横向"联系的认识;二是运用五行生克乘侮、母子相及的理论,对事物一般状态和特殊状态下的"纵向"多层面联系的认知。

五、五行学说在中医学中的应用

五行学说在医学领域中的应用,主要是运用五行的特性来分析和归纳人的形体结构功能特征,以及人体与外界环境各要素间的联系;运用五行的生克及制化关系,阐释人体五脏系统之间的局部与整体、局部与局部、整体与局部的相互联系;运用五行的母子相及、相乘相侮,解释疾病的发生、发展,以及自然界五运六气变化规律及其对人体五脏系统的影响等。五行学说的这些广泛应用,不但具有理论价值,而且还具有指导临床诊断、判断或预测疾病的发展转归、指导治疗和养生康复的实践意义。五行学说在医学中的应用,加强了中医学关于人体自身以及人与外界环境是一个统一整体的论证,使中医学的整体理论更具系统化。

(一)说明脏腑的生理及相互关系

为了深刻地认识人体是以五脏为中心的整体,人与自然息息相关的联系,古代医家很自然地借用了具有系统论思想的五行学说建构医学理论,解释脏腑的组织结构、生理功能及其联系。

1. 解释人体的组织结构

中医学在五脏配五行的基础上,以比类的方法,根据脏腑组织的性能特点,将人体的组织结构分属于五行,以五脏(肝、心、脾、肺、肾)为中心,与六腑(实为五腑:胆、小肠、胃、大肠、膀胱)相配合,联系五脏支配的五体(筋、脉、肉、皮、骨),所主的五官(目、舌、口、鼻、耳),以及外荣于体表的特定组织,即五华(爪、面、唇、毛、发)等,形成了以五脏为中心的脏腑结构系统,从而奠定了藏象学说的理论基础。

2. 说明脏腑的生理功能

用五行学说解释五脏的生理功能,是采用"取象比类"的思维方法,用五行的特性与五脏的某些功能特点加以"比类",归类于五行系统之中,以确定其五行属性。如木性曲直,畅顺条达,有升发的特征,用以类比肝脏喜条达而恶抑郁,疏泄气机的特性和功能,故规定肝的五行属性为木;金性清肃、收敛、清洁,以此类比肺及大肠、皮毛具有清除人体代谢产物,保持人体洁净的功能,故规定肺及大肠、皮毛的五行属性为金。

3. 说明脏腑之间的相互关系

中医学运用五行相生、相克,以及生克制化的理论,说明五脏间的相互协同、互相制约的关系,进一步阐释人体的整体联系。

一是应用五行相生理论说明五脏之间的协同关系。如用木生火关系,可以解释肝脏贮藏血液,调节血流量,参与生血,辅助心完成推动血液循环运行的功能;用金生水关系说明肺主行水,协助肾完成水液代谢;用水生木关系解释肾精化生阴血,滋养于肝的功能等等。

二是应用五行相克理论说明五脏之间的制约关系。五脏间不仅存在着相互协同的滋生关系,还存在着彼此制约关系。如肾阴制约心阳,防止心阳偏亢,即可体现水克火的关系;肝气条达疏畅,可疏通脾胃之壅滞,即可体现木克土的关系;脾运化水液,防止肾所主的水液泛滥为患,即可体现土克水的关系等。

4. 说明人体与自然环境的统一性

把人与自然环境之间的联系,进行了较合理的解释,反映了人体与外界环境的协调统一性。例如春应东方,风气主令,故气候温和,万物滋生,生机勃勃,人体的肝气与之相应,故肝气旺于春,这就把人体肝系统与自然界的春生风木之气统一了起来,从而反映了人体内外环境统一的整体观念。

(二)解释五脏系统疾病的传变规律

五脏之间在生理上的联系,决定了五脏可能在病理方面的互相影响(即为"传变"),这种病理传变可用五行母子相及、相乘相侮的理论进行解释。

1. 母子相及的病理传变

母子相及的病理传变是指五脏间的相生关系遭到破坏所导致的病理传变现象。临床上存在"母病及子"和"子病及母"两种类型。

(1)母病及子　母病及子是指疾病从母脏累及到子脏的传变。例如脾胃(土)虚衰日久,病人在长期食欲不振、脘腹疼痛不适、便溏或泄泻的基础上,反复感冒,进而出现咳嗽、咯痰、气喘等肺(金)病,即属于母(脾土)病及子(肺金)的病传过程。

(2)子病及母　子病及母是指疾病从子脏累及到母脏的传变,又称为"子盗母气",或"子病累母"。例如肝病日久,累及于肾,出现腰膝酸痛、头晕耳鸣、夜梦遗精,或月经不调等肾虚之症,这一病理传变过程即属于子(肝木)病及母(肾水)的病传过程。

2. 相乘相侮的病理传变

相乘相侮的病理传变是指五脏间相克关系失常时所导致的病理传变现象。临床可归纳为"相乘"传和"相侮"传两种类型。

（1）相乘   是指疾病从所不胜之脏累及到所胜之脏的传变。例如肝病患者,在有胁肋疼痛、口苦、黄疸等症的基础上,又出现了脘腹胀闷不适或疼痛、恶心呕吐、食欲减退的脾胃失健的症状,此即为肝木乘脾土的"相乘"病理传变过程。

（2）相侮   是指疾病从所胜之脏累及到所不胜之脏的传变,又称为"反侮"、"反克"致病。例如咳嗽、气喘、咯痰的肺病患者,日久常伴有心悸、怔忡、面舌色青紫之心病症状,此即为肺（金）反侮心（火）的病传过程。

五行学说认为,疾病是可以在五脏之间相互传变的。一脏有病可以通过不同的途径影响到其他四脏(见图3);反之,任何一脏均可感受来自于其他四脏的病理影响而发病。临床实践中应当从病人的实际情况出发,结合病证的具体特点和病人自身体质因素进行全面分析,把握不同疾病的具体传变规律,才能有效地预防疾病的传变并予以治疗。

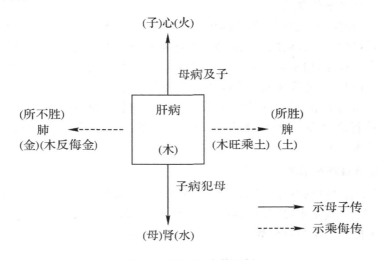

图 3   五脏之间病传图例

（三）指导五脏系统疾病的诊断

人体是一个有机的整体,内脏有病,其功能紊乱时,可以通过诸多途径反映于体表的相应组织器官,在色泽、声息、形态、脉象等诸多方面显现出异常的变化。医生可通过望、闻、问、切四诊搜集来的资料,运用五行学说的相关理论加以分析,作为诊断内脏病变的主要依据之一。

1. 指导疾病的定位诊断

临床根据五行归类的理论,对病人临证中所表现的五色、五脉、口腔所感觉的五味等,进行五脏定位诊断。如面见青色、喜食酸味或口泛酸水、脉见弦象,就可诊为肝病;若口苦、面赤、脉洪数,即为心火亢盛等等。

2. 判断疾病的传变趋势

临证中常根据五行生克理论,从脉象与面色的五行属性,判断疾病的传变趋势。如脾虚病人,面见青色,又见弦脉,是为肝木乘脾土(土虚木乘);肺阴不足之证,面见赤色,脉见洪象,是心病传肺(火乘金)等等。

3. 推测疾病的预后

转归临床实践中可以运用五行生克、乘侮理论,从病人的病色、病脉之间的生克关系,推测疾病的预后顺逆。如肝病面青,见弦脉,为色脉相符。如果不见弦脉,反见浮脉,则为"相胜之脉",即为克色之脉(金克木),为逆,预后不佳;若见沉脉,则属"相生之脉",即为生色之脉(水生木),为顺,预后较好。此处的顺、逆可以提示疾病的传变方向。

(四)指导五脏系统疾病的治疗

运用五行学说指导治疗,主要体现于控制疾病的传变,确定治疗原则,指导脏腑用药,以及针刺取穴等方面。

1. 控制五脏疾病的传变

在疾病过程中,一脏有病常会在不同程度上波及其他四脏(如前图2-4例所示)。因此在治疗时,除对所病之脏进行治疗外,还应考虑到其他相关的四脏,应根据五行生克乘侮理论,采取相应措施,以控制疾病的传变,防止因病传而病情加重。如肝脏有病时可通过相生途径影响到心、肾,也可通过乘侮途径波及于脾、肺。尤其肝气太旺之证,最常发生的病传是木旺乘土,或者木旺侮金,故在肝病未发生乘脾、侮肺之前,消除肝气偏盛的同时,还应兼补脾土,或扶助肺金。脾或肺气得以顾护,就阻断了来自于肝的乘袭或反侮之邪,故有"见肝之病,则知肝当传之与脾,故先实其脾气"(《难经·七十七难》)之论。对其他四脏之病也应循此思路控制病传,尽早消除疾病,防患(传)于未然。

2. 确定五脏疾病的治疗原则

所谓治疗原则,是指治疗疾病时的总体思路。运用五行学说的相关理论分析五脏间的关系,在确定治疗原则时有以下两个方面的内容:

(1)根据相生理论确定治疗原则运用五行相生理论指导治疗,主要针对五脏之间属于母子关系两脏失常的病证。就疾病性质而言,母子两脏关系失常,主要有虚证和实证两类,所以《难经·六十九难》为此制订了"虚则补其母,实则泻其子"的治疗原则。所谓"补母",是针对母子两脏,关系失调中虚证的治疗原则,此时当以补母脏之虚为主,如肝阴虚,可通过补肾阴(属水,为肝之母脏)以生肝木。所谓"泻子",是针对母子两脏关系失常中实性病证的治疗原则,此时应以泻子脏之实为主,如肝热证,可以通过清心泻火治之。

(2)根据相克理论确定治疗原则运用五行相克理论指导治疗,主要针对五脏间属于相克关系失常的病证。无论是相克关系失常中的"相乘"或者"相侮",都有一方太盛,或者另一方太弱。因此必需抑制太强的一方,扶助虚弱的一方,才能使其复归到正常的相克关系,此即为"抑强、扶弱"的治疗原则。例如肝气(木)太旺乘脾土,治疗时就当用疏肝之法,以泻肝木之强;同时用健脾补脾之法,扶助脾土之弱,方可使肝脾复归到正常的相克关系。

3. 制定五脏疾病的具体治法

在治疗原则确定之后,针对具体病证,还可根据五行理论制定出具体的治疗方法。

在"虚则补其母"的治则指导下,常用的治疗方法有:滋水涵木法,是滋肾阴以补养肝阴的治疗方法,适用于肝肾阴虚证,或肝阳上亢证;培土生金法,是健运脾土以补益肺金的方法,适用于肺脾气虚证;金水相生法,是滋肺养肾的方法,适用于肺肾阴虚证等。

在"抑强、扶弱"治则的指导下,常用的治疗方法有:抑木扶土法,适用于肝旺脾虚,或肝气犯胃证,即疏肝健脾法,或疏肝和胃之法;佐金平木法,适用于肝旺生热,热灼肺金的肝火犯肺证,即是清肝火以除肺热的方法;泻南补北法,适用于心火旺肾阴虚证,即是清心火、滋肾阴的方法等。

　　此外可根据五行学说的生克理论指导针刺选穴;运用"以情制情"的精神疗法,治疗因情志内伤所致的一些慢性疾病;运用五行归类理论指导脏腑用药。

 名词点击

　　阴阳　阴阳交感　阴阳互根　阴阳互用　阴阳互藏　阳损及阴　阴损及阳　阳中求阴　阴中求阳　阳病治阴　阴病治阳　五行　相生　相克　相乘　相侮　母病及子　子病犯母

目标检测

1. "阴阳互藏"关系体现了阴阳的( )特性
　　A. 相关性　　　　　　B. 普遍性
　　C. 可分性　　　　　　D. 转化性

2. 属于阳中之阴的时间段是( )
　　A. 上午　　　　　　　B. 前半夜
　　C. 下午　　　　　　　D. 后半夜

3. 言人身脏腑之阴阳,则肝为( )
　　A. 阳中之阳　　　　　B. 阳中之阴
　　C. 阴中之阳　　　　　D. 阴中之至阴

4. "益火之源,以消阴翳"的治法最适用于( )
　　A. 阴盛则寒之证　　　B. 阳虚则寒之证
　　C. 阴盛伤阳之证　　　D. 阴损及阳之证

5. "阴病治阳"的方法适用于( )
　　A. 实热证　　　　　　B. 虚寒证
　　C. 实寒证　　　　　　D. 虚热证

6. 五行学说中"木"的特性是( )
　　A. 炎上　　　　　　　B. 稼穑
　　C. 曲直　　　　　　　D. 从革

7. "肝火犯肺"属于( )
　　A. 子病犯母　　　　　B. 相克
　　C. 相乘　　　　　　　D. 相侮

8. 下列属于母子关系的是( )
　　A. 水和火　　　　　　B. 土和金
　　C. 金和木　　　　　　D. 木和土

9. 按五行生克乘侮的关系,肾病及脾者属于( )
　　A. 母病及子　　　　　B. 子病犯母
　　C. 相乘　　　　　　　D. 相侮

10. 金水相生法的适应证是( )
　　A. 肝脾不调证　　　　B. 肺肾阴虚证
　　C. 肺脾气虚证　　　　D. 脾肾阳虚证

 **想一想**

1. 简要论述阴阳的特性。

2. 举例简要说明阴阳的相对性及其意义。

3. 简述五行的生克及制化关系。

4. 简要论述五行学说在说明五脏病传方面的应用。

5. 试论五行学说在指导五脏系统疾病诊断方面的应用。

参考答案

1. C　2. C　3. C　4. B　5. B　6. C　7. D　8. B
　9. D　10. B

第三章　人体结构与功能

学习要点

1. 掌握五脏、六腑的生理功能、生理特性，理解脏与脏、脏与腑、腑与腑、脏与奇恒之腑之间的关系。

2. 掌握精、气、血、津液的基本概念、分类名称，理解精、气、血、津液在体内代谢过程及功能。

3. 掌握经络的概念、经络系统的组成，理解十二经脉的表里关系、奇经八脉的主要功能，了解十二经脉和奇经八脉的循行路线。

4. 掌握体质的概念，正常体质的分型和特征。

5. 了解藏象学说的形成和特点。

6. 了解精、气、血、津液、神之间的关系及其意义。

　　人体是一个极其复杂的有机整体，由脏腑等组织器官所构成。这些脏腑组织具有各自的形态结构、生理功能和物质基础，共同维持着整体的生命活动。研究人体的生命活动规律，就必须从人体的结构与功能及其所依赖的物质着手。脏腑是人体结构与功能的主体，尤以五脏为中心而进行着整体生命活动；精、气、血、津液为脏腑活动的产物，是构成人体的基本物质，又是人体功能活动的物质基础；经络则是人体运行气血、联络脏腑器官的通路；人类的体质既有相同的普遍性，又有个体的特异性，与人体的结构与功能密切相关；生命活动的整体联系则是脏腑、经络、精气血津液、体质等在整个生命活动中的综合表现。因此脏腑、经络、体质、精气血津液及生命活动的整体联系，是藏象学说研究的主要内容。

　　所谓"藏象"，是指藏于体内的内脏及其表现于外的生理病理现象及与自然界相通的事物和现象。藏象学说是研究人体脏腑器官的形态结构、物质基础和生理功能、病理变化、相互关系，以及与外环境相互联系的理论。它认为人体以五脏为中心，与六腑相配合，以精气血、津液为物质基础，通过经络的联系沟通，内而五脏六腑，外而形体官窍，构成了五个功能系统。这五个系统之间不仅紧密联系，而且受天地、四时、阴阳及社会因素的影响，从而使人体局部与局部、局部与整体、人体与外界环境成为密切相关的统一体。因此藏象学说的基本特点是以五脏为中心的整体观，它反映了人体结构与功能、物质与代谢、局部与整体、人体与环境的统一，体现了中医学由外知内，以象测脏的思维方法。

　　中医学从对人体结构与功能的系统认识，到逐步形成和发展成为脏腑学说、经络学说、精气血津液学说和体质学说等理论。其形成的条件主要有三：一是对尸体解剖的粗略分析。人们通过宰杀动物和战争，对动物和人体内部器官有了最早的观察和了解，从而获得了最简单的解剖学知识。随着社会的进步,特别是人类医学知识的发展,对动物和人类的解剖观察与认识,逐渐地演变为医疗服务的自觉活动,在解剖观察的基础上总结出脏腑的重要生理功能。二是长期对人体生理病理现象的观察。人们在日常生活中,逐步地通过观察而获得对某些组织器官的生理现象,如耳能闻声、目能视物、鼻能嗅气、舌能辨味等生理功能的粗浅认识。古代医家根据"脏居于内,形见于外"的思维方法,对人体脏腑活动所表现于外的现象进行了长期而细致的观察,逐渐积累了有关脏腑活动规律的知识。从而把这些生理、病理知识加以综合分析,在已知的有关脏腑组织解剖的基础上,将整个人体的功能活动按五行学说归纳为心、肺、肝、脾、肾五大系统,形成了特有的脏腑经络生理系统。三是医疗实践经验的总结。人体的生理活动是极其复杂的,要作深入全面地研究并升华为系统理论,必须依赖于医疗实践。加之有些生理机能在一般状态下不易显现,只有在医疗实践中才能被获取。古代医家是根据临床诊断和治疗效果来总结人体脏腑、精气血、津液、经络、体质等理论的,如脾胃虚弱的病人,常见食欲不振、腹胀便溏、肌肉消瘦、四肢乏力等症状,通过健脾药治疗后,症状随之得以改善或消除,从而推论出脾有主运化、主肌肉和四肢的理论。另如体质是治疗的重要依据,临床中常遇同一疾病,使用同一治法后,有的人获效,有的人不但无效,反而有害,究其原因多系病人体质不同使然,并由此逐渐地总结出有关体质的理论。

　　人类对人体自身结构与功能的认识是医学发展的重要基础。从某种意义上讲,人类生存的历史就是一部与疾病不断抗争的历史,只有认识了人体的正常结构与功能,才能准确地把握疾病的变化规律,也才能寻找到正确的防治疾病的方法,有效地提高人类的生存质量,以利于健康长寿。

第一节　脏　腑

　　脏腑是人体内脏的总称,是藏象理论的核心,按照脏腑不同的生理功能及其特征,分为五脏、六腑和奇恒之腑三类。

　　五脏,即心、肺、脾、肝、肾,其共同生理功能是化生和贮藏精气。精气,系指人体精、气、血、津液等一切精微物质,贮藏于五脏的精气是生命活动的重要物质,不能过度地耗散或失泻,故称"藏而不泻"。五脏除贮藏精气外,还能藏神,又有"五神脏"之称。六腑,即胆、胃、小肠、大肠、膀胱、三焦,其共同生理功能是受盛和传化水谷。由于六腑必须及时地把代谢后的糟粕排泄于体外,故称其"泻而不藏"。奇恒之腑,即脑、髓、骨、脉、胆、女子胞之总称,其共同生理功能也是贮藏精气,"藏而不泻",与五脏类似。

　　五脏与六腑的主要区别在于:一是功能不同。五脏主化生和贮藏精气,其特点是藏而不泻,满而不能实;六腑主受盛和传化水谷,其特点是泻而不藏,实而不能满。二是五脏藏神。神志活动归属于五脏,如心藏神、肺藏魄、脾藏意、肝藏魂、肾藏志;六腑除胆以外,均与神志活动无关。三是形态有别。五脏多为被精气充满的实体性器官,故贮藏精气;六腑多为中空性器官,故传化水谷。四是脏主腑从。脏腑学说以五脏为中心,六腑往往从属于五脏。在论述脏腑生理功能及病理变化时,多详于脏而略于腑,如肝之疏泄气机的功能决定着胆的贮藏和排泄胆汁作用。肾之气化作用控制着膀胱的贮尿和排尿功能等。

　　脏腑理论是研究人体各脏腑的部位和结构、生理功能、病理变化及其相互关系的知识,是藏象学说的核心内容,也是中医理论的重要组成部分。其主要特点:一是脏腑中具有气、血、阴、阳等。中医学对内脏形态与部位的记载较简略,着重用气、血、阴、阳等来概括内脏的物质结构,认为它们是构成脏腑和维持其功能活动的基本物质。各个脏腑中气血阴阳物质结构和多少不同,有的是气、血、阴、阳并重,有的是以气、阴为主,有的是以气、阳为主。气血阴阳各有不同的生理功能,故在脏腑的生理活动中,发挥着各自特殊的作用,使各个脏腑表现出不同的功能特征。二是注重功能而略于实体解剖。脏腑学说我国古代医学家在特定的历史条件下,对人体整体功能按照精气、阴阳、五行学说等哲学思想进行宏观思维的结果,其注重研究脏腑器官的生理功能,对解剖形态结构上的记载十分粗略,有的内脏甚至难以确定其位其形,更未能从微观研究脏腑器官的细微物质构成,如脾即是其例。说明中医学的每一脏腑不单纯是一个解剖学概念,更重要的是概括了人体某一系统或几个系统的生理和病理的综合概念。脏腑学说里的某一脏腑的功能,可能包括现代医学里多个脏器,而现代医学里的一个脏器功能,可能分解为脏腑学说的某几个脏腑之中。因此决不可将中医学的脏腑与现代解剖学的同名脏器相提并论,对此必须有一个正确的认识,才能全面地理解和掌握它。

脏腑理论是中医理论的基石,对临床各科都具有普遍的指导意义。因此历代医家对之高度重视,如清代名医王清任在其《医林改错》中指出:"著书不明脏腑,岂不是痴人说梦;治病不明脏腑,何异于盲子夜行。"

一、五脏

心、肺、脾、肝、肾五脏,形态上属于被精气充满的实体性器官,因此中医学注重用气、血、阴、阳等来概括五脏的物质结构,认为它们是构成五脏和维持五脏功能活动的基本物质。由于气血阴阳各有不同的生理功能,因而在五脏的生理活动中,各自发挥着特殊的作用。五脏各司其职,分别与六腑、形体、官窍、五液、情志等有着特定的联系,构成了以五脏为生命活动核心的五大系统,其中心脏发挥着主宰作用。

(一)心

心的主要功能:一是推动血液运行;二是主管生命和精神活动,前人对此概括为"主血脉"和"藏神"。这两方面的功能是由心气、心血、心阴、心阳的共同作用而完成的。心的系统联系是在体合脉,其华在面,开窍于舌,在液为汗,在志为喜。心通过经脉的相互络属,与小肠构成表里关系。心在脏腑中居于首要地位,起主宰作用,被喻为"君主之官",称为"五脏六腑之大主"。

1. 推动血液运行

心推动血液运行的功能又称心主血脉。人体的血液,运行于脉管之中,依赖心脏的搏动而循环不已,所以血液循环的动力在于心。

中医学还认为心与血液的生成有关,即脾胃化生的水谷精微上输于心肺,经心阳(火)的温煦变化而赤成为血液。

心脏的正常搏动要依靠心气、心阳的推动和温煦,以及心血、心阴的营养和滋润,才能维持正常的心力、心率和心律,从而保障血液在全身的正常循行。心脏推动血液运行功能正常,则心之阳气旺盛,阴血充盈,心搏匀调,血脉通利,血行周身,表现为面色红润光泽、舌色淡红荣润、脉象和缓有力、心胸畅达而无不适之感。若心血不足,血液亏少,则血脉空虚,表现为面色无华、舌质淡白、脉象细弱无力、心胸动悸等;若心气不足,行血无力,脉道不利,血行不畅,则血脉瘀阻,表现为面色晦暗、唇舌青紫、脉象涩滞或节律不齐、心胸憋闷或刺痛,轻者少顷即止,重者可痛至面青、唇舌俱紫、大汗淋漓、甚至可致暴亡。所以临床上常从面色、舌色、脉象和心胸部感觉等方面来观察心脏推动血液运行的功能正常与否。

2. 主管生命和精神活动

心脏具有主管生命和精神活动的功能,常称"心藏神",又称"心主神明"。神包括生理和心理活动,如人的形象、面色、眼神、言语、应答、肢体姿态和人的精神、意识、思维活动,这些活动都由心主宰。心之所以能主神明,是以心血为基础的。血是神的主要物质基础,神是血液的功能表现。

心脏主宰人体脏腑组织的一切生理活动,心之行血、肺之呼吸、脾之运化、肝之疏泄、肾之藏精、胃之受纳、小肠之化物、大肠之传导以及人的动、言、视、听、嗅等等,所有的生命活动均是在心的主宰下进行的。心神正常,人体脏腑组织的各项功能活动便有所主,并相互协调,彼此合作,保证了生命活动健康有序,身体安泰无恙。心脏主宰人体的心理活动,主要为人体的精神、意识、思维活动,"心之官则思"。说明心在思维活动中的重要作用,还能主宰情感活动。心主神明正常,则精神饱满、意识清楚、思维敏捷、反应灵敏、七情调和、寤寐正常。若心血不足,则心神失养,导致神志不宁,可见心悸失眠、多梦健忘以及精神萎靡、反应迟钝等;若血热扰心,则神失所主,导致神志失常,可见神昏、谵语、狂躁不安等,说明心主神明的功能正常与否,直接关系到全身脏腑的治与乱,决定着人体生命的存与亡。

心主血脉和心藏神的两种功能是密切相关的。心主血脉,为心藏神提供了物质基础。心藏神,则能主宰人体脏腑组织的功能和血的正常循行。所以在病理情况下两者常相互影响。如果心血不足,心神失养,则可出现精神恍惚、心悸烦躁、失眠多梦等心神失常之症;心神的异常,也可以影响到心主血脉的功能,如在精神过度紧张或惊恐等情况下,常见心跳和脉搏加快,每兼面红或面色苍白等血行异常的表现。

[附]:心包络

心包络,简称"心包",又称"膻中"。关于心包络的形态和部位,《医学正传》说:"心包络,实乃裹心之膜,包于心外,故曰心包络也。"心包络是心的外围,在经络学说中,属于心包络之手厥阴心包经与手少阳三焦经相为表里,故心包络亦称为脏。心包络具有保护心脏、"代心行令"的功能。病理上具有"代心受邪"的作用。中医脏腑理论认为心为"君主之官",精神之所舍,主五脏六腑,不能遭受邪气伤害,若外邪侵害于心,则由心包络替"君主"受邪。在临床上心包络受邪所出现的病证,多表现为心神病变,且多属热证、实证。如在外感热病中,因温热之邪内陷,出现高热、神昏、谵语、发狂等心神昏乱的病症,则多称为"热入心包"。由痰浊引起的神志异常,如神昏模糊、意识障碍等心神昏愦的病症,又常称为"痰蒙心包"。但治疗心包络的病证,则多是从心论治。

(二)肺

肺位胸腔,分居左右,上连气道,喉为门户。肺在人体脏腑中位置最高,覆盖于其他脏腑之上,故有"华盖"之称。肺脏是质地疏松的分叶状脏器,且肺叶娇嫩,通过鼻直接与外界相通,外合皮毛,与自然环境息息相通,易被外邪侵害,又不耐寒热,故又称为娇脏。由于"肺与心皆居膈上,位高近君,犹之宰辅"(《类经·藏象类》),故称之为"相傅之官"。肺的主要功能:一是主宣发和肃降;二是主管呼吸;三是助心行血;四是促进水液输布和排泄。肺的这些功能,主要依赖于肺气的推动、肺阴的濡养以及肺阳的温煦作用。肺的系统联系是在体合皮,其华在毛,开窍于鼻,在液为涕,在志为忧(悲)。其在五行中属金,为清肃之脏,喜润而恶燥,为阳中之少阴,通于秋气。肺通过经脉的相互络属而与大肠构成表里关系。

1. 主宣发和肃降

肺气宣发和肃降的运动特征,体现于肺的生理活动之中。宣发是指肺气具有向上的升宣和向外周布散的作用,主要体现在四个方面:一是排出体内代谢后产生的浊气,而完成气体交换;二是将脾上输于肺的津液和水谷精微布散到全身,外达于皮毛;三是宣发卫气于体表,以防御外邪,温养肌表,调节汗孔开合,控制汗液排泄,维持体温恒定;四是通过肺气的向外运动,将会聚于肺的血液经清浊之气交换后布散至全身。所谓肃降是指肺气具有向下、向内、清肃通降和使呼吸道保持洁净的作用。主要体现在五个方面:一是吸入自然界的清气,并向下布散;二是将脾转输于肺的津液和水谷精微向下布散,并把代谢后的水液下输至肾和膀胱;三是清除肺和呼吸道内的异物,保持其洁净和通畅;四是通过肺气的向内运动,使周身含有浊气的血液流经于肺并加以清除,使血液保持洁净;五是肺气的肃降还有利于大肠向下传导糟粕。宣发和肃降的关系是相互依存、互相制约、不能分割的,二者相反相成。肺气的宣发和肃降,常简称为肺主宣降,两者共同的生理效应简言之有五:一是维持呼吸运动正常,二是辅助心脏推动血行,三是输布水谷精微于全身,四是布散卫气于体表,五是促进水液输布排泄。可见肺气的宣发肃降运动是肺进行一切生理活动的基础,肺失宣降是肺脏功能障碍的基本病机,宣降肺气就成为治疗肺病的主要方法。

2. 主管呼吸

肺主管呼吸运动的功能,亦称"肺司呼吸",是指肺主管呼吸运动,是体内外清浊之气的交换场所。肺主呼吸主要表现为肺吸入自然界的清气,呼出体内的浊气,以实现体内外清浊之气的交换。肺的这一功能正常,则表现为呼吸运动均匀和调,气道畅通,清气吸入充分,宗气生成充足,脏腑组织之气旺盛,全身气机升降出入协调,从而维持人体生命活动的正常进行。若肺主管呼吸的功能减弱,影响宗气的生成和全身之气的升降出入运动,则表现为少气不足以息,声低气弱、疲倦乏力等症;若病邪犯肺,宣降失常,则表现为胸闷、咳嗽、喘促等呼吸不利的症状。一旦发展到肺的呼吸功能丧失,则清气不能吸入,浊气不能排出,人的生命活动就会终止。

肺主管呼吸运动的功能是维持人体生命活动的基本条件。通常所说肺主气的功能,包括主一身之气和主呼吸之气两个方面,均取决于肺主管呼吸的功能。所谓肺主一身之气是指肺具有主持全身之气的生成和运行两个方面的作用:一是气的生成。肺吸入自然界的清气是人体一身之气的主要来源之一,特别是宗气由肺所吸入的清气和水谷精气结合而生成。宗气上出喉咙,促进肺的呼吸运动;下贯心肺而行气血并布散全身,以温养脏腑组织和维持其正常活动。可见肺主要是通过生成宗气而起到主一身之气的作用。二是调节全身的气机。肺主管的呼吸运动,即表现为气的升降出入。通过肺有节律地、不停地一呼一吸,全身之气的升降出入才能协调平衡,保证机体处于正常的状态。

3. 助心行血

肺助心行血功能的结构基础是"肺朝百脉"。朝,即聚会、朝向;百脉,泛指人体全身的经脉(此指血管)。所谓肺朝百脉是指全身的血液都要通过经脉而聚会于肺,经过肺的吸清呼浊,气体交换,然后再将富含清气的血液输送至全身的功能。由此可知,一方面许多经脉汇聚到肺,另一方面肺又朝向全身的经脉,使心肺在结构上相互联系。肺助心行血的生理基础是"肺司呼吸"的功能,肺通过呼吸运动,调节全身气机,从而促进血液运行。

肺助心行血的生理作用主要表现在三个方面:一是全身血脉及脉中之血要不断地朝向和汇聚于肺。二是肺主管血之清浊转化。清血是指含有自然界大量清气的血液;浊血是指含有体内大量浊气的血液。肺通过朝百脉的途径,使心血不断地在肺中进行气体交换,确保心血的清浊转化,从而维持人体生命活动正常进行。三是肺通过生成宗气助心行血。心脏搏动是血液循行的基本动力,心搏又主要依赖心气的推动,而心气的盛衰与宗气密切相关,宗气影响着心搏的强弱和节律。宗气"贯心脉"而助心行血,正是通过肺朝百脉实现的,肺气旺盛,吸清呼浊平稳,气体交换协调,血中清气丰富,宗气生成充沛,助心推动血行,则血行正常;若肺气虚弱,吸清呼浊减弱,气体交换失调,血中浊气增加,清气减少,宗气生成不足,推动血行无力,则血行障碍,心率失常,可表现为胸中憋闷胀痛、咳喘无力、心悸、口唇发绀、舌质青紫等病症。

4. 促进水液输布和排泄

肺具有促进水液输布和排泄的功能,又叫做"肺主通调水道",是指肺通过宣发肃降对体内水液的输布和排泄起着疏通和调节的作用,以维持体内水液代谢平衡的功能。

肺通调水道的功能,是肺气的宣发和肃降在水液代谢方面的体现。肺气宣发可将津液输布于全身各脏腑器官与皮毛,以发挥其滋润濡养作用,部分津液经代谢后可依靠卫气"司开合"的作用,从汗孔排出体外。肺气肃降可使津液随气下行,上焦及全身代谢后的水液下输于肾和膀胱,经气化为尿,排出体外。正因肺气宣发和肃降能够推动水液的输布和排泄,维持水液代谢平衡,所以又称"肺主行水"。由于肺位最高,主肃降,不断地将上焦水液下输至肾和膀胱,以调节体内的水液代谢,故又有"肺为水之上源"之说。如果肺失宣降,行水无力,水道不通,水液输布排泄障碍,则汗、尿不能正常排泄,使多余的水液不能排出而停聚于体内,则可见咳喘、咯痰、浮肿、尿少等症。所以临床上常用宣肺利水的方法治疗水肿等病症,即是肺主通调水道理论的具体应用。这种宣肺利水消肿的治法被形象地喻为"提壶揭盖法"。

正因为肺气通过宣发、肃降的运动特征,完成了司呼吸而主宰一身之气,以及辅助心行血、促进水液代谢的重要功能,因此古人将肺的生理作用概括为"主治节"。

(三)脾

中医学所论的脾包括了脾和胰两者。脾的主要功能:一是主管消化饮食、吸收转输精微;二是统摄血液。这两方面的功能是气、血、阴、阳共同作用的结果,但其中以脾气、脾阳所发挥的作用为主,脾阴次之,脾血只是对脾的一般营养作用,故不提及脾血。脾的系统联系是在体合肉、主四肢,其华在唇,开窍于口,在液为涎,在志为思。其在五行中属土,为阴中之至阴,通于长夏。脾通过其经脉的相互络属与胃构成表里关系。脾和胃以膜相连,同属于消化系统的主要脏器,故常脾胃并称。由于人体出生后所需要的营养物质,均赖脾化生的水谷精微供养,故称脾为"后天之本"。脾化生的水谷精微是生成气血的主要物质,故又称脾为"气血生化之源"。脾的生理特性是喜燥恶湿,此与胃的喜湿恶燥相对而言。脾气的运动特点以上升为主,即脾气主升,主要通过脾主运化的生理功能得以体现。

1. 主管消化饮食、吸收转输精微

脾脏的这一主要功能常称为"脾主运化"。运,即转运、输送;化,即消化、吸收。所谓脾主运化是指脾具有消化饮食,吸收水谷精微并将其转输至全身的功能。饮食物的消化吸收是一个十分复杂的生理过程,肝、胆、胃、肠均参与其中,但脾起着主导作用。脾主运化体现在运化水谷和运化水液两个方面。

(1)运化水谷:是指脾对饮食物的消化吸收和转输精微物质的作用。饮食物虽受纳于胃,进行初步消化,通过幽门下输小肠,作进一步精细的消化吸收,但必须依赖脾,才能将饮食物化为精微(营养物质)。所化生的精微物质,必须依赖脾的运化才能输送至全身。脾吸收精微物质后,一方面上输于心肺,化生为气血,以营养全身;另一方面是通过脾的直接散精,将精微物质布散至脏腑组织而发挥其营养作用。脾主运化的功能强健,称为"脾气健运",则运化水谷的功能旺盛,精、气、血、津液的生化有源,常表现为精力充沛、肢体强壮有力、面容红润等生机旺盛状态。如果脾主运化的功能减退,常称为"脾失健运",一方面导致机体消化功能不良,常可表现为食少、腹胀、便溏之症。另一方面导致吸收不良,精微物质不足,精、气、血、津液生化乏源,可见精神萎靡、头晕眼花、形体消瘦、面色萎黄、体倦乏力、气短声低等虚弱之症。

(2)运化水液:是指脾在消化饮食物的基础上,对其中水液的吸收和输布的作用。脾一方面吸收水谷精微中的水液,气化为津液,输布至全身,以滋润脏腑组织器官;另一方面又将胃肠输送来的水分上输至肺,再通过肺的宣降和肾的气化作用,分别气化为汗和尿排出体外。因此脾气健运,既能使体内各脏腑组织得到水液的充分滋润,又能防止多余水液在体内停滞,从而维持体内水液代谢的平衡。如若脾失健运,则运化水液的作用减退,水液的吸收、输布出现障碍,必然导致水液停滞。若留滞的水液弥漫体内则生湿邪,水液凝聚体内则为痰饮,水液下注肠道则为泄泻,水液泛滥肌肤则为水肿。这就是脾虚生湿、脾虚生痰、脾虚泄泻、脾虚水肿的机理所在,而有"脾为生痰之源"、"诸湿肿满,皆属于脾"之说,故谓脾有"喜燥恶湿"的生理特性。健脾燥湿则是临床上治疗水、湿、痰、饮病证最常用的方法之一。

脾气主升的运动特点表现为升清和升举两个方面。"清",指水谷精微等营养物质。"升清"是指脾气将消化吸收的水谷精微从中焦上输于心肺及头面五官,通过心肺的作用化生为气血,营养全身。所谓"升举"是指脾气升托内脏,使之维持相对恒定位置而不游移或下垂。脾主升清是与胃主降浊相对而言,故常以脾升胃降来概括整个消化系统的生理活动。脾主管吸收、升散水谷精微,称为脾主升清;胃将初步消化的食糜向下传送,称为胃主降浊。脾升胃降正常,协调平衡,则营养物质的吸收、升散与食物中的糟粕下行、排出,就能各行其道,从而保障了脾胃纳运活动井然有序,因此有"脾宜升则健,胃宜降则和"之说。若脾气虚弱,上升无力,一则清气不升,气血生化无源,头目清窍失于滋养,可见头目眩晕、神疲乏力;清阳不升,而下行大肠,可见腹胀泄泻,甚则久泻不止等;二则是升举无力,反而下陷,称之脾气下陷,或称中气下陷,即见腹部坠胀、便意频繁、内脏下垂,如胃、肝、肾下垂、子宫脱垂和脱肛等,临证可用补益脾气,升提托举的方法治疗。

2. 统摄血液

是指脾气具有控制血液在脉管内流行而不逸出脉外的功能,又称"脾主统血"。脾统血的机制,主要是脾气的固摄作用。其次与脾主运化,为气血生化之源相关。因气血充足是血行正常的重要条件之一,因此脾气健运,水谷精微充足,气血生化有源,则气血充盈,阳气旺盛而统摄血液有力,能够控制血液在脉内的正常循行。脾气或脾阳亏虚则统摄血液失职,血液循行失控而逸出脉外,可见各种出血病症,常称为脾不统血,表现为长期慢性的皮下出血、便血、尿血、月经过多、崩漏等症,常用补脾摄血的方法治疗。

[附]:胰

胰位居上腹,在胃之后,与脾毗邻。胰的主要生理功能为主消化水谷。胰又称"膵",《难经》则称"散膏"。正如《医学衷中参西录》所说:"古人不名膵而名为散膏,散膏即膵也。为膵之质为胰子,形如膏……故曰散膏,为脾之副脏……散膏与脾为一脏,即膵与脾为一脏也。"对于胰主消化水谷的生理功能,藏象学说多将其归属于脾主运化之中,因此其病亦多从脾论治。

(四)肝

肝位居膈下,腹腔之右胁内。肝的主要功能:一是疏泄气机;二是贮藏血液和调节血流量。这两方面的功能是肝气、肝血、肝阴、肝阳的共同作用而产生的。肝的系统联系是在体合筋,其华在爪,开窍于目,在液为泪,在志为怒。肝在五行中属木,与春季相应,为阴中之少阳。肝通过经脉的相互络属而与胆构成表里关系。中医学采用类比的方法,以木性升发、柔和、条达来阐述肝脏疏通、升发的生理。肝的特性是主升主动,喜条达而恶抑郁,故称之为刚脏。

1. 疏泄气机

是指肝气疏通调畅全身气机的功能,又称"肝主疏泄"。疏泄功能正常则使全身气机、气血运行、情志反应、津液输布、脏腑组织功能活动均处于协调和畅的状态,因此肝对全身机能活动调节是通过疏泄气机实现的。具体表现在以下五个方面:

(1)调畅精神情志:人体精神情志活动以五脏的精气和功能活动为基础,而五脏的功能活动又有赖于气机的调畅和血液的正常运行,故人的精神情志活动必然与肝主疏泄功能密切相关。肝主疏泄功能正常则气机调畅,脏腑功能活动协调,表现为精神愉快、情志舒畅;肝失疏泄,精神情志即可出现异常变化。如肝之疏泄不及,则肝气郁结,又称为"肝郁",常表现为精神抑郁;若疏泄太过,则肝气上逆,常引起精神情志活动亢奋,表现为急躁易怒、心烦失眠等。反之,若在使人大怒的外界事物刺激下,又常损伤肝脏,导致肝主疏泄功能失常。亦可见肝气郁结,气机不畅。因此有"肝喜条达而恶抑郁"及"暴怒伤肝"的理论。

(2)维持气血运行:肝对全身气机的疏通和调畅,促使全身之气通而不滞,散而不郁。人体的气血相依相随,运行不息,气为血之帅,气行则血行,气止则血止。气血又为全身脏腑经络等组织器官功能活动的物质基础。所以肝主疏泄功能正常,则气机调畅,气血通达,经脉通利,脏腑功能和谐。若肝主疏泄功能不及,疏通升发无力,则气机郁滞,又称肝郁气滞,或简称"气滞"、"气郁",可表现为胸胁胀满、两乳及少腹胀痛不适等病症,可进一步发展为局部刺痛,或形成癥积等气滞致血瘀的病症;若疏泄太过,升发亢奋,则肝气上逆,血随气涌,可出现头目胀痛、面红目赤,或吐血、呕血等症,甚则可因肝阳暴张,阳亢风动,气血上冲,导致血溢于脑而卒然昏仆、不省人事等危症。

(3)促进脾胃消化吸收与输布:饮食物的消化、吸收、输布及排泄主要依赖于脾胃的运化功能,肝主疏泄又是保证脾胃运化功能正常的重要条件。肝主疏泄对脾胃运化功能的促进作用主要体现在两个方面:一是协助脾升胃降。肝主疏泄,调畅气机有助于脾胃之气升降,只有脾升胃降饮食物的消化、吸收及排泄才能得以正常进行。二是分泌及排泄胆汁。胆汁帮助食物的消化。若肝失疏泄,气机失调,累及脾胃,则引起消化吸收障碍。如肝气犯脾,导致脾气不升,可出现腹胀、肠鸣、腹泻、胁肋胀痛或痛泻频作等症;如肝气犯胃,导致胃失和降,可出现恶心呕吐、呃逆嗳气、泛酸、胃脘胀痛等症。若肝失疏泄,影响胆汁的分泌及排泄,可出现胁肋不适、口苦、纳食不化、厌油腻食物,甚至黄疸等病症。

（4）协助水液代谢：人体的水液代谢虽主要由肺、脾、肾三脏完成,但与肝主疏泄也有关联。水液的运行依赖于气的推动作用,只有气机调畅,水液才能维持正常的输布与排泄,即气行则水行。若肝失疏泄,气行阻滞,气不行水,则水液输布障碍。若水液凝聚而生痰,痰气交阻于咽喉,则可见梅核气；痰阻于经络,可见痰核；若水液停留于腹腔,则可见腹水胀满。

（5）调节生殖机能：人体生殖机能中,女子的月经和男子的排精与肝疏泄气机的功能密切相关。肝疏泄的气机调畅,冲、任二脉得其所助,则任脉通利,太冲脉盛,月经应时而至,孕育分娩顺利,所以有"女子以肝为先天"之说。男子的排精亦赖于肝,《格致余论》中说："主闭藏者肾也,司疏泄者肝也。"说明精液的封藏在肾,排泄在肝,气机调畅,则男子排精通畅。若肝疏泄失常,气机不畅,冲任二脉失和,女子可出现月经紊乱,或经行不畅,甚或痛经、闭经、不孕；男子可出现排精不畅或会阴胀痛不适、不育等病症。

2. 贮藏血液和调节血流量

是指肝具有贮藏血液,调节血流量及防止出血的功能,又称为"肝藏血"。这一功能体现在三个方面：一是贮藏血液。是指肝具有贮藏一定血液于肝内及冲脉之中,以供给机体各部生理活动之所需,故肝又有主"血海"之说。肝藏血,一方面可以濡养自身,防止肝气升发太过,从而使肝之阴血制约肝阳,勿使上亢,维持肝脏正常疏泄功能,以利冲和条达；另一方面,"肝藏血,血舍魂",魂为神之变,且随神而动。魂的活动以血为物质基础,肝血充足,则魂能安舍而不妄行游离。如若肝脏藏血不足,肝血亏虚,肝体失养,阴不制阳,肝阳上亢而升发太过,可出现眩晕、头目胀痛、面红目赤、头重足轻等症；肝血不足则魂不守舍,可出现惊骇恶梦、卧寐不安、梦游、呓语以及幻觉等症。

二是调节血流量。是指肝脏根据身体的不同生理状态,合理地分配和调节各部位所需血流量的多少。当机体处于安静休息状态时,外周对血液需要量相对减少,相对富余的血液就归藏于肝而蓄以备用；当机体处于活动状态时,血液的需求量相应增加,肝脏在升动之性的配合下,则将所储蓄的血液通过经脉按生理需求输送到相应部位。机体各脏腑组织器官得到了肝血的濡养才能发挥正常的生理功能,如两目得到肝血的濡养则视物清晰,筋脉得到肝血的滋养则强健有力而活动自如,子宫得到肝血的充养则月经正常。应当指出,肝调节血流量是以贮藏血液为前提的,若肝血不足,调节血流量失常,则会导致机体众多部位供血减少,脏腑组织失养而见各种病症,如血不养目,则两目干涩、视物昏花或夜盲；血不濡筋,则筋脉拘急、肢体麻木、屈伸不利；血海空虚,胞宫血亏,则月经量少,甚则经闭等症。

三是防止出血。指肝气能收摄约束血液,防止血液逸出脉外。这是气的固摄作用在肝脏的体现。肝气充足,收摄有力,藏血正常,表现为血行脉内而无出血之患。若肝气虚弱,藏血失常,收摄无力,或肝火旺盛,灼伤脉络,迫血妄行,临床上均可见吐血、呕血、衄血、咯血或月经过多、崩漏等出血病症。

肝疏泄气机,又主藏血,藏血是疏泄气机的物质基础,疏泄气机是藏血的具体表现。故常用"肝体阴而用阳"来表述二者的关系。"体阴"主要是指肝贮藏阴血之本体,"用阳"主要是指肝的气机主升主动之功能及特性。肝贮藏血液、调节血流量及防止出血有赖于肝疏泄气机得以实现。而肝藏血又能制约肝阳,疏而不亢,则有助于肝的疏泄。所以二者存在着互根互用、相互制约的关系。在病理情况下,肝的阴血常表现为不足的虚证,即"肝体常不足",而肝的疏泄功能失常则多为肝气郁结或升动太过,常表现为实证或本虚标实之证,即"肝阳常有余",这是肝的病理特点。

（五）肾

肾位居腰脊两旁,左右各一。肾的主要功能:一是主藏精;二是主管水液代谢;三是主管纳气。肾主管生长发育与生殖,主管一身阴阳,主管肾的功能是肾精、肾气、肾阴、肾阳共同作用的结果。但肾的精、气、阴、阳又各具特殊作用,因而在不同的功能中所发挥的作用各有侧重。肾的系统联系是在体合骨,生髓通脑,其华在发,开窍于耳及二阴,在液为唾,在志为恐。肾在五行中属水,为阴中之太阴(或阴中之阴),有闭藏的生理特征,通于冬气。通过经脉的络属与膀胱构成表里关系。肾藏有先天之精,为构成人体胚胎的原始物质,是脏腑阴阳之根,故称为"先天之本"。

1. 主藏精

肾主管生长发育与生殖的功能,是在"肾藏精"的基础上产生的。所谓肾藏精,是指肾具有封藏精气的功能。肾精包括"先天之精"和"后天之精"。先天之精禀受于父母,与生俱来,是构成人体胚胎的原始物质,具有繁衍后代的功能。此即"生之来,谓之精"之意。后天之精是指人体出生后,由脾胃从饮食物中摄取的营养成分和脏腑代谢化生的精微物质,具有培补先天之精和促进人体生长发育的功能。先天之精和后天之精关系密切,二者相互依存,相互促进。先天之精为生命之本原,发育成胎儿,依赖"后天之精"不断培育和充养,才能日渐充盈,充分发挥其生理效应;出生之后,后天之精又不断供养先天之精,使之逐渐充盛,促进人体不断地生长发育。"后天之精"又赖"先天之精"的活力资助,方能不断地摄入和化生。肾中的"先天之精"和"后天之精"是融为一体,无法分开的。肾主藏精的功能主要体现在以下几个方面:

(1)主管生长发育:肾具有主管生长发育与生殖的功能。机体生、长、壮、老、已的自然规律与肾中精气的盛衰密切相关。人体自幼年开始,肾中精气逐渐充盛则形体和智力同步发育,表现为齿更发长。进入青壮年,肾中精气已达充盛状态,则形体智力发育健壮,表现为真牙生长、体壮结实、骨骼强健、机智敏捷等。待到老年期,肾精逐渐衰减,则形体智力亦渐衰老,表现为骨骼活动不灵、发白齿松、腰弯背驼、反应迟钝,甚或健忘呆滞等老态龙钟之象。说明机体的齿、骨、发的生长状态是观察肾中精气的外候,是判断机体生长发育状况和衰老程度的客观标志。若肾中精气亏虚,必然影响人体的生长发育。小儿则表现为生长发育不良,可见身材矮小,或五迟(立、行、齿、发、语迟)、五软(头项、口、手、足、肌肉软),或头发稀疏、智力低下、动作缓慢;成人则表现为未老先衰,可见形体衰老、智力减退、牙齿松动易落、须发早白易脱、腰膝酸软、精神萎靡或健忘恍惚、耳鸣耳聋、足痿无力、反应迟钝等。肾主管生长发育的理论,对养生保健具有重要意义,保养肾中精气,是中医学防止早衰、延年益寿的核心内容。所以目前研制的抗衰老药品,亦以补肾药物为主。

(2)主管生殖繁衍:人体进入青春期,随着肾中精气的不断充盛,便产生了一种促进和维持生殖机能的精微物质——天癸,于是生殖器官发育成熟,女子则月经按时来潮,男子则能排泄精液,从而具备了生殖能力。此后由中年进入老年,肾中精气渐衰,天癸的生成随之减少,甚至耗竭,生殖机能也随之下降直至消失,生殖器官日趋萎缩,女子则绝经,男子则阳事难举,从而丧失生殖能力。说明肾中精气通过化生天癸而对生殖功能发挥着决定性的作用,若肾中精气亏虚,天癸化生减少,青少年则见生殖器官发育不良、性成熟迟缓;中年人则会导致生殖机能减退,表现为男性精少不育和女性不孕或小产滑胎等病症。因此中医在治疗生殖障碍性疾病时,往往从补肾着手。

（3）调节一身阴阳：所谓肾调节一身阴阳是指肾具有主宰和调节全身阴阳，以维持机体阴阳动态平衡的功能，它是通过肾所藏的肾精、肾气作用实现的。肾精，即肾脏所藏之精；肾气，即肾精所化之气。两者关系密切，即肾精弥散而为无形的肾气，肾气聚合而成有形的肾精。肾精和肾气合称为肾中精气，产生了肾阴和肾阳两种不同的生理效应，凡是对人体脏腑组织具有滋润和濡养作用者称为肾阴；凡是对人体脏腑组织具有温煦和推动作用者称为肾阳。肾阴为全身诸阴之本，肾阳为全身诸阳之根，在人体阴精和阳气中居于主宰地位，所以肾阴又称元阴、真阴、真水和命门之水；肾阳又称元阳、真阳、真火和命门之火。故将肾喻为"阴阳之根"、"水火之宅"，五脏六腑之阴精，非肾阴而不能滋生；五脏六腑之阳气，非肾阳而不能温养，故肾阴、肾阳为五脏六腑阴阳之根本。

如果肾阴和肾阳任何一方偏衰，都会导致整体阴阳的不平衡。若肾阴虚则全身之阴皆虚，阴不制阳，阳偏亢则各脏腑组织生理功能虚性亢奋，代谢机能相对亢盛，产热增加，因而出现一派虚热之象。若肾阳虚则全身之阳皆虚，阳不制阴，阴偏盛则各脏腑组织生理功能相对减弱，代谢机能相对降低，产热减少，因而出现一派虚寒之象。肾阴和肾阳调节全身阴阳，共同维持人体阴阳的动态平衡，使机体处于健康状态。肾阴肾阳相互制约，相互依存，相互为用，因此当肾阴虚到一定程度时可伤及肾阳，肾阳虚亦可累及肾阴，形成阴阳互损的病理状态。究其本质，是因为肾阴、肾阳均是以肾中精气为基础。

2. 主管水液代谢

所谓肾主管水液代谢是指肾中阳气具有主持和调节人体水液代谢平衡的功能，又称为"肾主水液"。人体的水液代谢，包括水液的生成、输布和排泄，是由多个脏腑参与的复杂过程，其中肾阳的功能最为重要，在此过程之中肾阳的作用表现有三：一是能温煦和推动参与水液代谢的肺、脾、三焦、膀胱等内脏，使其发挥各自的生理功能；二是能将被脏腑组织利用后归于肾的水液，经肾阳的蒸腾气化作用再升清降浊，将大量的浊中之清者，吸收输布周身重新被利用，少量的浊中之浊者经肾阳气化为尿液下输膀胱；三是控制膀胱的开合，排出尿液，维持机体水液代谢的平衡。若肾阳不足，则气化、推动和固摄作用失常，引起水液代谢障碍，一方面可造成水液停聚，出现痰饮、水肿等病症；另一方面可致膀胱开合失度，出现小便清长，或遗尿、尿失禁或小便余沥，或出现尿少、尿闭、水肿等病症。

3. 主管纳气

所谓肾主管纳气是指肾具有摄纳肺所吸入的清气以防止呼吸表浅，协助肺完成呼吸的功能。人体的呼吸运动虽为肺所主管，但必须依赖肾对清气的摄纳，才能使呼吸保持一定的深度，维持体内外气体正常的交换。所以正常的呼吸运动虽由肺所主，还需肾的配合才得以完成。肾纳气的功能，实质上是肾主藏精作用在呼吸运动中的体现。肾中精气充沛，摄纳有力，则纳气正常，助肺吸气，使清气下达于肾，表现为呼吸具有深度，均匀平稳，和调通畅。若肾中精气不足，摄纳无力，则肺气上浮而不能下行，吸入清气不得归藏于肾，就会出现久病咳喘、吸气困难、呼多吸少、动辄喘息益甚等肾不纳气的病症。因此临床对慢性咳喘的病人，常采取"发作时治肺，缓解时治肾"的治疗原则，从而提高这类疾病的远期疗效。

[附]命门

命门，即生命之门，含有生命的关键、根本的意思。命门一词，首见于《内经》，如

《灵枢·根结》中说"命门者,目也。"这是从诊断学的角度,强调察神望目重要性的情况下提出的。自《难经》提出"左肾右命门"后,命门就成了脏腑学说的内容之一,遂为后世医家所重视,并进行了深入的研究和阐述,形成了命门学说。近代医家对命门的部位、形态及生理功能,提出了众多不同的见解,归纳起来具有代表性的有以下几种,在此作简要介绍,以供参考。

(1)命门的部位　①左肾右命门说。此说始于《难经》,认为"肾两者,非皆肾也。其左者为肾,右者为命门"。这一理论是寸口脉脏腑定位的依据,至今仍以左尺脉候肾,右尺脉候命门。②两肾俱为命门说。即肾就是命门,命门亦是肾。③两肾之间为命门说。认为命门位于两肾之间,"且无形可见",主要是真火的作用,主持人体一身之阳气。④命门为肾间动气说。认为命门不是具体而有形质的脏器,只不过是肾间动气。

(2)命门的功能　①命门为元气所系,是人体生命活动的原动力。②命门藏精舍神,与生殖机能密切相关。③命门为水火之宅,内涵肾阴肾阳的功能。④命门内寓真火,为人身阳气的根本。是各脏腑功能活动的根本。

纵观历代医家对命门的认识,各自立论不同,争论颇多,如有形与无形之别,右肾与两肾间之争,主火与非火之异,但对命门的主要功能与肾息息相通的观点,历来还是趋于一致的。目前一般公认的观点是:命门之火相当于肾阳,命门之水相当于肾阴。肾阴和肾阳是人体阴阳的根本,又称真阴和真阳、元阴和元阳、真水和真火。历代医家之所以重视命门,无非是为了强调肾中阴阳在人体生命活动的重要性。

二、六腑

六腑是胆、胃、小肠、大肠、膀胱、三焦的合称。它们具有受盛和腐熟水谷,传化和排泄糟粕的功能,即所谓"传化物"。其共同生理特点是"泻而不藏"、"实而不能满",即每一腑既要适时排空其内容物,又要不停地向下传递,应该有虚有实,不能全部被水谷充塞,以保持六腑畅通无阻。因此六腑具有通降下行的生理特性,故有"六腑以降为顺"、"以通为用"之说。这一理论对临床具有较大的指导意义。近年来治疗急腹症,正是运用"六腑以通为用"的理论,采用通腑泄热解毒等方法进行保守治疗,取得了较好的疗效,使很多病人避免了手术之苦。由于六腑必须保持正常的"通"和"降",所以通降过度或不及均属于病理状态。

六腑在其饮食物的消化排泄过程中,要通过七个关键的部位,即七冲门。如《难经·四十四难》说:"七冲门何也? 然:唇为飞门,齿为户门,会厌为吸门,胃为贲门,太仓下口为幽门,大肠小肠会为阑门,下极为魄门,故曰七冲门也。""七冲门"的理论说明中医不仅对消化道作过比较详细的解剖观察,而且对其生理功能也进行了准确的概括。由于"七冲门"为消化道的关键部位,故其发生病变时,常会引起饮食物的受纳、消化、吸收和排泄异常。

(一)胆

胆附于肝之短叶间,位居右胁。胆与肝通过其经脉的络属而构成表里关系。肝为脏属阴木,而胆为腑属阳木。胆是一囊状脏器,有管道与小肠相通,胆内盛有胆汁,如《难经·四十二难》说:"胆在肝之短叶间……盛精汁三合。"胆汁,又称精汁、清汁,是一种精纯、清净、味苦而呈黄绿色的液体。所以又称胆为"中精之府"、"中清之府"、"清净之府"。胆的主要功能是贮藏和排泄胆汁,参与精神情志活动。

1. 贮藏排泄胆汁

胆汁由肝分泌而贮藏于胆,经浓缩再由胆排泄于小肠,有助于饮食物的消化,是脾胃消化吸收功能得以正常进行的重要条件。胆汁的生成和排泄受肝主疏泄功能的控制和调节,是肝疏泄功能的具体体现之一。肝的疏泄功能正常,则化生胆汁,贮藏于胆,泄于小肠,协助消化。肝的疏泄功能障碍,导致胆汁的化生和排泄障碍,不能正常地注入小肠则影响饮食水谷的消化,可表现为胁下胀满疼痛、厌食油腻、腹胀、泄泻等;若湿热浊邪,滞留胆系,久经煎熬,尚可形成砂石,阻闭气机,也可出现右胁腹胀痛,或痛引肩背不适,甚或局部剧烈绞痛等病症。

2. 参与精神情志活动

胆的这一功能,古称主决断。胆气充足,决断正常,则表现为遇事判断准确,临危不惧,勇敢果断。若胆气虚弱,决断失常,则可出现遇事胆小怯懦,犹豫不决,优柔寡断;或遇剧烈刺激,则魂魄不宁、惊骇失眠等病症。

胆在藏象学说中,既属六腑,又属奇恒之腑。

(二)胃

胃居膈下,上接食管,下通小肠,与脾以膜相连,同在中焦,胃与脾通过经脉的相互络属而构成表里关系。胃为燥土属阳,脾为湿土属阴。胃又称胃脘,脘,即管腔,可容纳饮食物。胃脘分上、中、下三部。胃上口的贲门部为上脘,下口幽门部为下脘,上下脘之间的胃体部为中脘,故合称胃脘。

胃的主要功能是接受、容纳和消化饮食,前人称其为主受纳腐熟水谷,是指胃具有容纳食物,并对其初步消化形成食糜的功能。由于饮食入口,经食管,过贲门,容纳于胃,故称胃为"太仓"、"水谷之海"。机体气血津液的化生,都需要以饮食物中的营养物质为基础,故又称胃为"水谷气血之海"。水谷(饮食和水分)进入胃后,依赖胃的腐熟作用,将水谷消磨变成食糜,在脾的运化功能主持下,化为精微,以生气血津液,供养全身。脾胃对饮食物的消化吸收功能常称为胃气。中医学特别重视人体"胃气"的作用,认为"人以胃气为本""有胃气则生,无胃气则死"。所以临床治病时,强调要时刻注意保护胃气,用药不可妄攻妄补,以免损伤胃气。若胃的受纳腐熟功能减退,则可表现为纳呆、厌食、胃脘胀满等症;胃的受纳腐熟功能亢进,则可表现为多食善饥等症。

胃的生理功能特点以畅通下降为主,又称胃主通降,"胃宜降则和"。只有胃腑通降,才能不断受纳饮食物。饮食物经过胃的腐熟,下行小肠,其食物残渣下移大肠,变成粪便排出体外。整个过程都是由胃气下行完成的。所以胃的通降还包括协助小肠将食物残渣下输大肠和帮助大肠传导糟粕的功能。胃失通降,一则饮食物停滞于胃,可见胃脘胀痛、纳呆厌食或嗳腐吞酸等症;二则胃气上逆,则可出现恶心、嗳气、呕吐、呃逆、口臭等症。临床上常以降胃、和胃的药物以治疗胃病。

胃主受纳腐熟和通降,其功能的正常进行,必须以胃津濡润为前提条件。反之胃津枯涸,饮食物势必无以消化腐熟形成食糜,也难以通降下行。因此胃有"喜润而恶燥"的重要生理特性。

(三)小肠

小肠位于腹中,是一个相当长的管道器官,包括十二指肠、空肠和回肠,上接幽门,与胃相通；下连阑门，与大肠连接。饮食物的消化吸收主要是在小肠内进行的。小肠通过经脉的相互络属而与心构成表里关系。小肠属火，为阳。其主要功能是消化食糜、吸收精微和传输糟粕，前人将其归纳为受盛化物和泌别清浊。

1. 受盛化物

所谓受盛化物是指小肠具有接受胃下降的食糜，并将食糜进一步消化，吸收精微的功能。受盛和化物为两个阶段，小肠一方面接受由胃腑下传来的食糜，起到容器的作用。另一方面使食糜在小肠内有相当长的停留时间，进行精细的消化，使之化为精微。前者为"受盛"，后者为"化物"。若小肠的受盛和化物功能失常，消化吸收障碍，可见腹胀、腹痛、泄泻等症。

2. 泌别清浊

所谓泌别清浊是指小肠具有将胃下降的食糜在进一步消化的同时，分别为水谷精微和食物残渣两个部分。一方面将水谷精微（清）吸收，经脾的升清散精作用输送到全身。另一方面将剩余的食物残渣（浊）经阑门传入大肠。此外小肠的吸收功能与尿量有着一定的关系，因为吸收的精微物质中包括大量的水液，故有"小肠主液"之说。小肠功能失常，清浊不分，水谷精微和食物残渣俱下于大肠，可见肠鸣泄泻；水液吸收障碍，尿的来源减少，则可见小便短少等病症。小肠泌别清浊的功能失常，既影响大便，也影响小便，故治疗泄泻常用"利小便即所以实大便"的分利方法。

应当指出，小肠的受盛化物和泌别清浊，乃人体整个消化吸收过程的重要阶段，但在中医藏象学说中，往往又将之归属于脾胃的纳运功能，所以临床上对于小肠的消化吸收不良之症也多从脾胃论治。

（四）大肠

大肠位居腹中，是一个管道样的器官，其上口在阑门处与小肠相接，其下端为肛门。大肠与肺通过经脉的相互络属构成表里关系。大肠的五行属性为金，阴阳属性为阳。

大肠的主要功能是吸收饮食残渣中的水分和排泄糟粕。大肠传化糟粕功能失常，主要表现为排便的异常，若大肠虚寒，无力吸收多余水分，则水粪俱下，可见肠鸣、泄泻等病症；大肠实热则消灼水津而肠道失润，可见腹痛、便秘等病症；大肠湿热则阻滞肠道而传导失司，可见下痢脓血、里急后重，或暴注下泻、肛门灼热等病症。

应该指出，大肠排泄糟粕还与肺气肃降、胃气降浊、脾主运化、肾中阴阳的滋润与温煦和肾气的封藏等功能均有关，这些脏腑发生病变也可以引起大肠传导功能的失常。所以临床上常通过调理他脏以治大肠之病。

（五）膀胱

膀胱，俗称"尿脬"，又称净腑、尿胞，位居小腹，为囊性器官，上有输尿管与肾相通，下与尿道相连，开口于前阴。其大小、形状随尿液的充盈程度而有改变。膀胱通过经脉的络属与肾构成表里关系，其五行属性为水，阴阳属性为阳。

膀胱的主要功能是贮尿、排尿。尿液为津液所化，即津液之浊在肾的气化作用下生成尿液，下输膀胱，尿液在膀胱内贮留到一定容量时即从尿道排出体外，膀胱的贮尿、排尿功能主要依赖肾的气化和固摄功能的控制。贮藏尿液赖肾气的固摄；排泄尿液赖肾阳的气化以及推动。肾气旺盛，固摄有权，气化正常，推动有力，则膀胱开合有度，表现为贮尿、排尿正常。若肾气不固,则膀胱不约,可见遗尿、尿频、尿失禁,或小便余沥不禁等病症;若气化失司,推动无力,则膀胱不利,可见尿少、水肿,或尿闭等病症。因此多从肾治疗膀胱的病变。

(六)三焦

三焦是上焦、中焦、下焦的合称。历代医家对三焦的形态和实质的认识不一,主要有二:有人认为三焦为六腑之一,和其他脏腑一样,是一个具有综合功能的器官,为分布于胸腹腔的一个大腑。因其与五脏无表里配合关系,故有"孤府"之称。也有人认为三焦为划分内脏的区域部位,即膈以上为上焦,膈至脐为中焦,脐以下为下焦。三焦通过经脉的络属与心包构成表里关系。

1. 三焦的主要功能

(1)通行元气:元气是人体生命活动的原动力,根源于肾,由肾中所藏的先天之精所化生,通过三焦布达五脏六腑,运行于全身,从而激发和推动各脏腑组织的功能活动。故三焦有主持诸气,总司全身气机和气化的功能。

(2)运行水液:人体的水液代谢虽由多个脏腑共同协调完成,但必须以三焦为通道,以三焦通行元气为动力,才能正常地升降出入。水液代谢的协调平衡,通过三焦的气化作用实现。若三焦气化功能障碍,水道不利,就会出现尿少、水肿、小便不利等病症。

2. 上、中、下三焦的部位划分以及功能特点

(1)上焦如雾:上焦是指头面至横膈之间,主要包括心肺。上焦以"开发"、"宣化"和"若雾露之溉"为其功能特征。治疗上焦病证时,用药量宜轻,药性须轻清上浮,使药力直达病所。

(2)中焦如沤:中焦是指横膈至脐之间,主要包括脾胃,具有消化水谷,吸收和输布水谷精微及化生气血的功能。若邪犯中焦,常见脘腹胀痛、呕吐、泄泻等症。治疗中焦病证,用药须着眼于调理脾胃的气机升降。

(3)下焦如渎:下焦是指脐以下至耻骨之间,主要包括小肠、大肠、肾和膀胱等。其主要功能是排泄糟粕和尿液。若邪犯下焦,常见二便异常的病症。治疗下焦病证,要用质地沉重下行的药物才能到达下焦病所而起到治疗作用。

三、奇恒之腑

奇恒之腑是脑、髓、骨、脉、胆、女子胞的合称。由于在形态上多中空有腔而似腑,在功能上贮藏精气而似脏,又不与饮食物直接接触,除胆以外都与五脏没有表里配合,又有别于六腑传化水谷,故称为奇恒之腑。由于胆在六腑中已作讨论,骨、脉、髓将在五体中介绍,所以此处仅论述脑、髓、女子胞的相关内容。

(一)脑

脑居颅内与脊髓相通,由髓汇集而成,故有"诸髓者皆属于脑","脑为髓之海"之说。

1. 脑的主要功能

脑具有主宰生命活动、主管精神思维和主持感觉运动的功能。

(1)主宰生命活动:脑系生命活动的中枢,统帅人体的一切生命活动,诸如心搏、呼吸、吞咽、排泄二便等生理活动,均由脑所主宰和调节。《素问·禁刺论》说:"刺头,中脑户,入脑,立死。"就足以说明中医学已经发现了脑在人体生命活动中的重要地位。脑能主宰全身,则脏腑组织得其所主,各司其职,协调配合,表现为生命力旺盛,健康无恙。若大脑有病,则脏腑组织失其所主,功能紊乱,生命活动障碍而诸病蜂起,甚则生命活动终止。

(2)主管精神思维:脑具有主管人体精神思维活动的功能。精髓充盛,脑海充盈,则精神饱满、意识清楚、思维敏捷、记忆力强、情志调和、寐寤正常。若精髓亏虚,脑海不足,可见精神萎靡、意识模糊、思维迟钝、健忘呆滞、情志异常、失眠多梦等病症;若痰火上扰于脑,可见精神错乱、意识昏愦或狂躁、骂詈等症。

(3)主持感觉运动:脑主管感觉和肢体运动的功能正常,则表现为视物明晰、听觉聪灵、嗅觉灵敏、感觉敏锐、语言流畅、肢体运动自如等。脑主管感觉及肢体运动的功能失常,则有视物不明、听觉失聪、嗅觉不灵、感觉呆滞、步履维艰、语言謇涩、运动障碍等病症。

2. 脑与五脏的关系

人体精神情志和意识思维活动属于大脑的功能。由于受古代五行学说的影响,重视五脏在人体生命活动中的重要作用,而且五脏精气又为精神活动的物质基础,因此将人体精神情志活动分别归属于五脏,形成了独特的脏腑精神活动系统。脏腑学说又将人的精神活动概括为二类:一是精神活动,包括神、魂、魄、意、志,分别由五脏所主,"心藏神,肺藏魄,肝藏魂,脾藏意,肾藏志"。这里的神,是指意识思维活动;魂,是指梦寐变幻;魄,是指动作、感觉;意,是指意念、想法;志,是指志向、记忆等。二是情感活动,包括喜、怒、忧、思、悲、恐、惊,多为表现于外的情感反应,也分属于五脏,即心在志为喜、肝在志为怒、脾在志为思、肺在志为悲、肾在志为恐。总之,脑的生理、病理总统于心而分属于五脏,其中与心、肝、肾三脏关系尤为密切,因此大脑的病变多从五脏论治。

(二)髓

髓是分布于骨骼腔内的精微物质。由于髓在人体的分布部位不同,名称亦异。藏于骨骼内者为骨髓,藏于脊柱内者为脊髓,藏于颅内者为脑髓。髓为肾所藏的先天之精所化生,并由后天之精不断地充养。当先天禀赋不足或后天调养失当时,均可影响髓的生成。髓的主要功能为:充养脑髓、滋养骨骼、化生血液。

1. 充养脑髓

脑为髓之海,髓充脑健,则精力充沛、耳聪目明、智力发达。若肾精不足,精不生髓,脑髓不足,在小儿可见发育迟缓、智力低下;在成人可见神疲倦怠、眩晕耳鸣、智力减退等症。

2. 滋养骨骼

骨髓位于骨腔之中。精能生髓,髓能养骨。肾精充足,骨髓充盈,骨骼得养,则生长发育正常,骨骼坚强有力,不易折损。若肾精亏虚,骨髓不充,骨骼失养,在小儿则骨骼生长发育迟缓,可见囟门迟闭、骨质萎软、牙齿稀疏等病症;在成人则可见腰膝酸软、行走无力,甚或骨质疏松易折。

3. 化生血液

液精与血可以互生,精可生髓,髓可化血。这一理论对中医临床有一定指导意义,在治疗某些血虚证时,如果单用补血养血疗效不佳,可加入一些填补肾精的药物以提高疗效。

(三)女子胞

女子胞,又称胞宫、胞脏、子宫、子脏,位居小腹部,在膀胱后,直肠之前,下口与阴道相连,是女性的生殖器官。

1. 女子胞的主要功能

（1）主持月经：女子胞为女子月经发生的器官。生殖期妇女在多种因素的共同作用下，子宫会发生周期性变化，约一月左右周期性出血一次，称作"月经"或"月事"、"月信"、"经水"等。中医学认为当女子到了 14 岁左右，肾中精气旺盛，产生了天癸，子宫等生殖器官发育成熟，冲、任二脉气血通盛，月经按时来潮，并具备了生殖能力。这种生理状态一直持续到更年期。此后肾气渐衰，天癸竭绝，冲、任二脉气血衰少，则出现月经紊乱，直至绝经。

（2）孕育胎儿：女子在其受孕后，女子胞即成为孕育胎儿的场所。此时月经停止，大量气血输送到胞宫以养育胎儿，促进胎儿发育直至分娩。

2. 女子胞与脏腑经络的关系

女子的月经来潮及孕育胎儿，是一个由多因素参与的复杂生理过程，主要与下列脏腑经络有关：

（1）肾中精气的作用：女子生殖器官及生殖机能的维持，全赖肾中精气的作用。青春期女子，在天癸的作用下生殖器官日渐发育成熟而有月经来潮，从而具备生殖能力；老年妇女肾中精气不充，天癸随之衰少，直至衰竭，从而由更年期进入绝经期，生殖机能随之丧失。可见肾中精气的盛衰直接影响天癸的产生与衰竭，对生殖器官的发育和生殖机能具有决定性作用。肾中精气不足导致生殖器官发育异常而患不孕症时，当用填补肾中精气的治法。由肾中精气虚衰而引起的月经紊乱，可用填补肾精的方法治疗。

（2）冲、任二脉的作用：冲脉和任脉，同起于胞中。冲脉与足少阴肾经并行又与足阳明胃经相通，能调节十二经气血，与月经来潮相关，故言"冲为血海"；任脉与足三阴经相会，调节全身阴经，为"阴脉之海"，主胎儿的孕育，故言"任主胞胎"。冲、任气血旺盛，注入胞宫而发生月经。冲、任二脉气血衰少，则可出现月经不调或绝经，影响生殖机能，所以常把女性生殖功能障碍诊为"冲任不调"，并通过调理冲、任以治疗。

（3）心肝脾三脏的作用：女子胞的功能还与心、肝、脾的关系密切。由于月经的来潮，胎儿的孕育，均依赖于血液，而心主血，肝藏血，脾生血统血，故当心、肝、脾功能失调时，均可引起子宫的机能异常，出现相应的病理变化。肝失疏泄，气机不利，可出现月经不调，痛经等症；若肝血亏虚或脾虚气血生化乏源，胞宫失养，可出现经少、经闭、不孕等病症；若脾不统血或肝不藏血，可引起月经过多或崩漏等病症。因此治疗妇科经孕异常的病症，当分别从心、肝、脾辨治。

四、脏腑之间的关系

人体是一个有机的整体，构成人体的各脏腑组织以五脏为中心，与六腑相配合，以精气血津液为物质基础，通过经络的联络沟通，形成了一个协调统一的整体，任何一个脏腑的功能活动，都是机体整体活动的组成部分。中医理论不仅注重每一个脏腑各自的生理功能，而且非常重视脏腑之间的功能联系与协调，强调脏腑之间功能的制约、依存和协同关系，因此脏腑之间的关系也是藏象学说的重要内容，主要有脏与脏的关系、脏与腑的关系、腑与腑的关系。

（一）脏与脏的关系

心、肺、脾、肝、肾五脏，不仅有各自的生理功能和相应的病理变化，而且彼此之间又存在着普遍而复杂的生理联系和病理影响。五行学说虽然在藏象学说的理论建构中发挥了重要作用,但五脏之间的关系已超越了五行生克乘侮理论的认识范围。因此本节以各脏的生理功能及特性为依据,阐述脏与脏之间的密切联系,揭示机体内在的自我调节机制。

1. 心与肺

心与肺之间的关系主要体现为气和血之间的相互依存和互根互用关系,即心主血液运行和肺主呼吸吐纳之间的协同调节关系。

气为血帅,气行则血行。肺主呼吸,朝百脉,助心行血,肺气的推动和敷布是确保心血正常运行的必要条件。只有肺气充沛,宣降适度,心才能发挥其推动血液运行的功能;血为气母,血是气的载体。心推动血液运行,气附于血而运行全身,只有心的功能正常,血行通利,肺才能有效地呼吸而主气。另外积于胸中的宗气,是连结心肺两脏功能的主要环节。宗气在肺的气化作用下形成,既能贯心脉而行气血,又可走息道而司呼吸,从而加强了血液循行和呼吸运动之间的协调平衡关系。

在病理情况下心与肺的病变常相互影响。若肺气虚弱,宗气生成不足,行血无力,或肺气壅滞,气机不畅,均可影响心的行血功能,使血行受阻,出现胸闷、心悸、面唇青紫、舌质紫暗等血瘀症状;若心气不足,阴阳不振,致使血行不畅,瘀阻心脉,也会影响肺的宣发肃降,出现咳嗽、气喘、胸闷等症,甚至咯出泡沫样血痰。

2. 心与脾

心与脾的关系主要表现在血液方面,体现为血液的生成及血液运行的相互协同关系。

在血液生成方面,心主血脉而又生血,血液环流转输脾运化生成的精微物质,维持和促进脾的正常运化;同时脾化生的水谷精微进入心脉,受心阳的温化而生成血液;脾主运化为气血生成之源,脾气健旺则血液化源充足,可保证心血充盈。

在血液运行方面,心气推动血液运行不息,心神调节气血正常有序地运行;脾气固摄血液在脉中运行而不外逸。心脾两脏相辅相成,共同维持血液的正常循行。若心血不足,不能荣养于脾;或思虑过度,劳伤心神,气行结滞,均可使脾失健运;若脾气虚弱,运化失职,气血生化不足,或脾不统血,失血过多,均可导致心血不足。心脾两脏病变相互影响,最终导致心脾两虚之证,表现为心血不足,心神失养的面色无华、失眠多梦等症;同时可见脾气虚弱,运化失健的食少腹胀、便溏、体倦等症。

3. 心与肝

心与肝的关系主要表现为血液运行与神志活动方面的相互依存、协同关系。在血液运行方面,心血充盈,心气旺盛,血运正常,则肝有所藏;肝藏血充足,疏泄有度,随人体动静的不同而进行血流量的调节,使脉道充盈,有利于心推动血液在体内循环运行,则心有所主。心肝相互协同,共同维护血液的正常循环。

在神志活动方面,肝主疏泄,调节情志,又藏血舍魂。心神正常,则有利于肝主疏泄;两者配合则气血平和,心情舒畅,则有利于心主神志,共同维护正常的神志活动。

在病理情况下,心肝两脏血液和神志方面的病变常常相互影响。一是心血不足与肝血亏虚之间常互为因果,最终导致心肝血虚,出现面色无华、心悸、头晕、目眩、妇女月经量少等症。由于血虚不能养神舍魂,又可见失眠、健忘、多梦易惊等神志症状。二是心神不安,可致肝失疏泄,而肝的疏泄功能失常,也可引起心神不安。情志过极,化火伤阴,常导致心肝火旺或心肝阴虚之证,表现为心烦失眠、急躁易怒,甚则登高而歌、弃衣而走、骂詈不休等神志失常的症状。

4. 心与肾

心与肾的关系主要表现在两个方面:一是心肾阴阳水火的互制互济;二是精血互化,精、神互用。

心肾水火既济,阴阳互补。就阴阳水火升降理论而言,在上者宜降,心火必须下降于肾,温煦肾阳,使肾水不寒;在下者宜升,肾水必须上济于心,滋助心阴,制约心阳,使心阳不亢;肾阴也赖心阴的资助,心阳也赖肾阳的温煦。这种心肾水火既济,阴阳互补,维持着心肾两脏生理功能协调平衡的关系,被称为"心肾相交"、"水火既济"。

心肾精血互化,精、神互用。心血可充养肾精,肾精又能化生心血,心肾精血之间,相互资生,相互转化,为心肾相交奠定了物质基础;心藏神,主宰人体的生命活动,神全可以御精。肾藏精,精化髓充脑,脑为元神之府,积精可以全神。心神肾精互用,体现了"心肾相交"的又一层内涵。若肾阴不足,不能上济于心;或心火亢盛,下劫肾阴,常表现为心烦、失眠、心悸怔忡、眩晕耳鸣、腰膝酸软、或男子梦遗、女子梦交的心肾阴虚火旺的"心肾不交"证。若心阳不振,不能下温肾水;或肾阳虚衰,不能温化水液,可表现为水肿、尿少、畏寒肢冷、面色淡白、心悸怔忡、甚则咳喘不得卧等症,称之为"水气凌心"。此外肾精亏虚,精不化髓,或心血不足,血不化精,均可导致脑髓亏虚,心神失养,出现健忘、失眠、多梦、头昏、耳鸣等症。

5. 肺与脾

肺与脾的关系表现在气和津液方面,主要体现为气的生成和水液代谢过程中两脏之间的协同关系。

气的生成方面,肺主呼吸,吸入自然界之清气;脾主运化,化生水谷之精,清气和谷气是生成宗气的主要物质。肺的功能活动需脾运化的水谷精微作为物质基础,脾运化的水谷精微靠肺气的宣降敷布全身。只有在肺脾两脏的协同作用下,才能保证气的正常生成与敷布。

水液代谢方面,肺脾两脏的协调是保证津液正常生成、输布和排泄的重要环节。脾主要参与水液的生成和输布;肺主通调水道,使水液正常地敷布与排泄。肺的通调水道,有助于脾运化水液的功能,从而防止内湿的产生;脾转输津液于肺,不仅是肺通调水道的前提,也为肺的生理活动提供了必要的营养,两脏在水液代谢方面相互为用,密切配合。

在病理情况下肺脾两脏常相互影响,主要在于气的生成不足和水液代谢失常两个方面。如脾气虚弱,生气不足,常导致肺气虚;或肺病日久,肺气虚弱,又常影响脾的运化,最终表现为肺脾气虚之证,出现食少、腹胀、便溏、体倦乏力、咳嗽气喘、少气懒言等症状。又如脾气虚弱,水湿内停,聚而为痰为饮,则可影响肺的宣发肃降;肺气虚弱,宣降失常,水道不能通调,水湿内聚困脾,又可影响脾的运化,最终表现为肺脾气虚之证,出现食少、倦怠、腹胀便溏、气短、咳嗽痰多,甚则水肿等症。故有"脾为生痰之源,肺为贮痰之器"之说。

6. 肺与肝

肺与肝的关系主要表现为气机升降调节方面的对立制约关系。

肺主气,保证一身之气的充足与调节;肝疏泄气机,促使全身气机调畅。肺主肃降,其气以下降为顺;肝主升发,其气以上升为宜。肺气充足,肃降正常,制约并反向调节肝气的升发;肝气疏泄,升发条达,制约并反向调节肺气的肃降。肝升肺降,相互制约又互相协调配合,不但维持肝肺之间的气机活动,同时对全身气机的调畅也起着重要的调节作用。

在病理情况下,肝肺气机的升降失调常相互影响,互为因果。如肝郁化火,可灼伤肺阴,出现面红目赤、急躁易怒、咳嗽胸痛,甚则咯血等症,称作"肝火犯肺"或"木火刑金";反之燥热伤肺,肺失清肃,也可累及于肝,使肝失疏泄,此类病人常在咳嗽的同时,出现气机升降失常之头痛头晕、口苦咽干、面红目赤、烦躁易怒、胸胁胀痛等症。

7. 肺与肾

肺与肾的关系主要表现在水液代谢、呼吸运动和阴液互资三方面。

水液代谢方面,肺为水之上源,肾为主水之脏,主管全身的水液代谢。肺通调水道的功能有赖于肾阳的蒸腾气化,而肾主水功能的正常,也需借助肺的宣降。两者相互配合在水液的输布和排泄过程中发挥着重要作用。

呼吸运动方面,肺主呼吸,肾主纳气,共同完成呼吸功能。呼吸虽为肺脏所主,但需肾主纳气的协助以维持呼吸的深度。肾气充盛,不但吸入之气能经肺之肃降而下纳于肾,而且有助于肺气的肃降,同时肺在主司呼吸运动中,其气肃降也有利于肾之纳气。故有"肺为气之主,肾为气之根"之说。

阴液互资方面,肺肾两脏的阴液可以互相资生,肾阴为一身阴液之根本,肾阴充盛,上润于肺,则使肺阴不虚,肺气清宁,宣降正常,故水能润金;肺阴充足,输精于肾,则肾阴充盛,故金能生水。

肺肾两脏在病理上的相互影响,也主要表现在水液代谢、呼吸运动和阴液互资三方面。如肺失宣降,水道不得通调,必累及于肾;肾阳不足,气化失司,水液内停,又可上泛于肺,肺肾同病,水液代谢障碍,可表现为咳嗽气喘、咳逆倚息而不得平卧、尿少水肿等症状。又如肺气久虚,肃降失司,久病及肾;或肾气不足,摄纳无权,均可出现呼多吸少、气短喘促、气不得续、呼吸表浅、动则气喘益甚的肾不纳气证,或称肺肾气虚证。再如肺阴虚损,久则必及于肾而致肾阴不足;肾阴不足,不能滋养肺阴,亦可致肺阴虚损,故肺肾阴虚常同时并见,表现为两颧潮红、骨蒸潮热、盗汗、干咳音哑、腰膝酸软、夜梦遗精等症状。

8. 肝与脾

肝与脾的关系主要表现为血液生成、运行的协同关系和消化功能方面的依存关系。

在血液的生成、运行方面,肝贮藏血液并调节血流量,又疏泄气机,使血行通畅,能促进脾之运化;脾主运化,生血统血,使肝血能有所贮藏。肝脾两脏相互协同配合,共同维持血液的生成和运行。

在消化功能方面,肝疏泄气机并分泌胆汁,有助于脾之运化;脾气健运,气血化源充足,肝体得以滋养而有助于肝之疏泄。此外脾胃为气机升降之枢纽,脾升胃降,也有利于肝之升发;肝气升发条达,又促进了脾升胃降。肝脾互用,消化功能才能正常。

肝脾两脏的病变相互影响,主要表现为血液和消化方面。肝不藏血,与脾不统血可同时并见,导致一系列出血病症;脾气虚弱,血液化生不足,或统摄无权而出血过多,均可导致肝血不足,表现为纳少、倦怠、眩晕、视物模糊、肢体麻木,或妇女月经量少、色淡等症;若肝气郁结,肝失疏泄,则易致脾失健运,形成精神抑郁,或急躁易怒、胸闷太息、两胁胀痛、纳少腹胀、便溏等肝脾不调之候,称为"木不疏土"或肝脾不调;若脾失健运,水湿内停,湿热内生,熏蒸肝胆,而致疏泄失常,则可见纳呆、腹胀便溏、胸胁胀痛、呕恶,甚或黄疸等症。

9. 肝与肾

肝与肾的关系主要表现在精血同源、藏泄互用及阴阳承制等方面。

在精血同源方面,肾精的充盛,有赖于肝血的滋养;肝血的充盈,有赖于肾精的化生。精与血之间可以相互滋生和转化,故有"肝肾同源"、"精血同源"或"乙癸同源"之说。

在藏泄互用方面,肝气疏泄,可使肾之开合有度;肾之封藏则可制约肝之疏泄太过。封藏与疏泄,相互为用,相互制约,共同调节女子月经来潮、排卵和男子泄精功能。

在阴阳承制方面,由于肝肾同源,肝肾的阴阳之间又息息相通,相互制约,相互滋生。肾阴充盛则能滋养肝阴,并制约肝阳不致偏亢;肝阴充足,疏泄功能正常,则能促进肾阴充盛。

在病理情况下,肝血不足与肾精亏虚多相互影响,从而出现头昏目眩、耳鸣耳聋、腰膝酸软等肝肾精血两亏之证;若肝肾藏泄互用失常,女子可见月经周期紊乱、经量过多或闭经,男子可见遗精、滑精或阳强不泄等症;若肾阴不足,可致肝阴不足,而肝阴不足,日久也可损及肾阴,最终导致肝肾阴虚,肝阳上亢之证,表现为头晕目眩、面红目赤、急躁易怒、失眠、烦热盗汗、耳鸣、腰膝酸软,或梦遗滑精等症,称之为"水不涵木"。

10. 脾与肾

脾与肾的关系主要体现在先后天相互滋生和水液代谢过程中的相互协同等方面。

先后天相互资生,脾运化水谷精微,化生气血,为后天之本;肾藏精主生殖繁衍,为先天之本。先天促后天,脾的运化必须依赖肾阳的温煦蒸化,方能健运;后天养先天,肾中精气必赖脾运化的水谷精微营养,才能不断充盛。

水液代谢方面,脾运化水液,有赖肾阳的温煦蒸化,脾阳根于肾阳;肾为主水之脏,通过肾气、肾阳的气化作用,水液的吸收、排泄正常,开合有度,但又须脾土的制约。脾肾两脏相互配合,共同维持人体的水液代谢平衡。

脾肾病变常相互影响,互为因果。如脾气虚弱,水谷精气生成不足,可致肾精不足,表现为腹胀便溏、消瘦、耳鸣、腰膝酸软、骨痿无力,或青少年生长发育迟缓等病症。若肾阳不足,火不暖土,或脾阳久虚,损及肾阳,可致脾肾阳虚之证,表现为腹部冷痛、下利清谷、五更泄泻、腰膝酸冷等症;脾肾阳虚,脾不能运化水液,肾气化失司,还可导致水液代谢障碍,出现尿少、水肿、痰饮等病症。

(二)脏与腑的关系

脏与腑的关系主要表现为脏腑阴阳表里的配合关系。脏属阴主里,腑属阳主表。脏与腑的经脉相互络属,结构上常相连通,功能上相互配合,病理上相互影响,从而构成心与小肠、肺与大肠、脾与胃、肝与胆、肾与膀胱等"脏腑相合"关系。此外脏与腑的关系还表现为一脏和多个腑相关,而每一腑又可能受到多个脏影响的复杂关系。

1. 心与小肠

心与小肠经脉相互络属,构成表里相合关系。心阳温煦,则小肠功能得以正常发挥;小肠吸收水谷精微,上输于心肺则可以化生心血。如果心火亢盛,通过经脉可下移于小肠,使小肠泌别清浊功能失常,出现尿少、尿黄、尿痛等症;小肠有热,亦可循经上扰于心,使心火亢盛,而出现心烦、失眠、舌红、口舌生疮等病症。

此外心与胆、胃也有密切关系。心、胆均与心理活动有关,胆在心神的主导下,行使其决断功能。心胆有病常相互影响,如心胆气虚,神失守持,则见惊悸不宁、胆怯善恐、失眠多梦等症;若胆郁痰热内扰,心神不宁,则见胸闷不舒、精神抑郁、眩晕呕恶、烦躁失眠等症。胃之大络,贯于心中,胃失和降,常致心神被扰,可见失眠心烦之症,正所谓"胃不和则卧不安"。

2. 肺与大肠

肺与大肠经脉上相互络属而成表里相合关系。肺气肃降与大肠传导功能相辅相成,相互为用。肺气清肃下行,气机调畅,津液布散,则可促进大肠传导下行;大肠传导正常,糟粕下行,则有助于肺的肃降和呼吸功能。如果肺失肃降,气不下行,津液不布,可见肠燥便秘、咳逆气喘;肺气虚弱,气虚推动无力,可见大便艰涩难行,即为气虚便秘;肺气虚弱并大肠气虚,固摄失职,可见大便溏泄或失禁;若大肠实热内结,腑气不通,则可影响肺的肃降,在出现便秘的同时可见胸满、咳喘等症。

此外肺与胃经脉相连,均主降而喜润恶燥,生理上相互依赖,相辅相成。肺宣发肃降,布散精微以养胃;胃与脾配合受纳腐熟,运化水谷精微以养肺。故肺胃病变常相互影响,如肺气肺阴亏虚,肃降失常,可致胃气胃阴不足,胃失和降;肺中邪气壅盛,宣降失常,可影响胃气上逆,均可出现呕吐、呃逆等症;胃气胃阴不足,也可致肺气肺阴亏虚,宣降失常,出现咳喘等症;若胃中寒冷,邪气上逆犯肺,也可见咳嗽之症,故有咳"皆聚于胃,关于肺"之说。

3. 脾与胃

脾与胃以膜相连,经脉相互络属,构成表里相合关系。脾与胃的关系在生理上主要体现在纳运相得、升降相因、燥湿相济三个方面:

其一,纳运相得。胃主受纳,腐熟水谷,是脾主运化的前提,没有胃的受纳腐熟,则脾无谷可运,无食可化;脾主运化,消化、吸收、转输水谷精微,为胃继续受纳腐熟提供了条件和能源,没有脾的运化,胃就不能继续受纳。脾胃纳运相互配合,共同完成对饮食物的消化、精微物质的吸收、转输,同为后天之本,气血化生之源。其二,升降相因。脾胃同居中焦,脾主升清,将水谷精微上输于心肺,乃至全身,胃才能继续受纳腐熟和通降;胃主降浊,水谷下行无停聚之患,则有助于脾气之升运。脾胃之气,一升一降,相反相成,共同构成人体气机升降的枢纽,从而保证纳运功能的正常进行,并维持着内脏位置的相对恒定。其三,燥湿相济。脾脏属阴,主运化升清,以阳气用事,脾阳健旺则能运化升清,故喜燥恶湿;胃腑属阳,主受纳腐熟而降浊,赖阴液的滋润,故喜润恶燥。脾易湿,得胃阳以济之,胃易燥,得脾阴以润之。脾胃燥湿喜恶之性不同,但又相互制约,相互为用。燥湿相济,阴阳相合,才能保证脾胃的正常纳运及升降。脾胃病变常相互影响,如脾虚运化失常,清阳不升,可影响胃的受纳与降浊;胃失和降,也可影响脾的运化与升清,最终均可出现纳少脘痞、腹胀、便溏、泄泻、嗳气、呕吐等脾胃纳运失调等症。若脾虚气陷,可致胃失和降,而胃失和降,又可影响脾气升运,均可出现脘腹坠胀、头晕目眩、泄泻不止、呕吐呃逆、内脏下垂等脾胃升降失常等症;脾湿太过,湿浊中阻,可致纳呆、嗳气、呕恶、胃脘胀痛等胃气不降之症;胃燥阴伤,又可损及脾阴,出现不思饮食、食人不化、腹胀便秘、消瘦、口渴等症。

脾主运化,胃主受纳的功能,在藏象理论中涵盖了大肠和小肠的功能。大肠的传导、小肠的化物,赖脾气的推动、固摄,脾阳的温煦和脾胃之阴的滋润。若脾虚推动无力,或阴虚肠寒气滞,或阴虚肠失滋润,均可见便秘之症;若脾阳不足,肠道虚寒,则可见泄泻、下利清谷等症;大肠、小肠通降失常,又可使浊气上逆,致胃失和降,脾失健运,出现腹胀、呕吐等症。

脾与胆也有着密切的关系。脾主运化,须胆汁的消化;而胆则有赖于脾之精气的培植,脾气健旺,则胆气充足。病理情况下,胆汁排泄异常,木不疏土,可见消化不良、厌油腻、泄泻等症;湿热困脾,土壅木郁,胆汁上溢外泛,可见口苦、黄疸等症;脾气虚久可致胆气亏虚,见胸胁隐痛不适、乏力神疲、少气、惊悸虚怯、失眠多梦等症。

4. 肝与胆

胆附于肝叶之间,肝与胆经脉相互络属,构成表里相合关系。主要体现在消化和情志方面的密切配合。

消化方面,肝胆同主疏泄,共同发挥协助消化的作用。肝一方面分泌胆汁,贮存于胆;另一方面调畅胆腑气机,促进胆汁的排泄。胆主疏泄,使胆汁排泄通畅,有利于肝主疏泄作用的发挥。情志方面,肝为将军之官,主谋虑;胆为中正之官,主决断。肝之谋虑需要胆之决断,而决断来自于谋虑。肝胆相互配合则思维活跃,遇事果断。肝胆病变常相互影响,肝胆之气虚、气郁、湿热、火旺等病变多为两者并见,表现为胆怯易惊、失眠多梦、气短乏力,或精神抑郁、胸胁胀痛、口苦眩晕、胁痛黄疸,或烦躁易怒等症状。

肝与胃、大肠、膀胱也有着密切的关系。气的升发条达,有助于胃气的和降,若肝气郁结,横逆犯胃,致胃失和降,可见胸胁及胃脘胀痛或窜痛、呕吐、嗳气、呃逆等肝气犯胃之证;肝疏泄气机,可促进大肠传导和膀胱的排尿功能,若肝气郁滞,可使大肠气滞,传导失司而见气滞便秘症;可使膀胱气化不利,排尿功能失常,而见小便不利,或癃闭之症。

5. 肾与膀胱

肾与膀胱有"系"(输尿管)相通,经脉相互络属,构成表里相合关系。在生理上主要表现在主尿液方面。肾为水脏,膀胱为水腑。水液经肾的气化作用,浊者下降贮存于膀胱,而膀胱的贮尿和排尿功能,又依赖于肾的气化与固摄,才能开合有度。肾与膀胱相互协作,共同主司尿液的生成、贮存和排泄。若肾之阳气不足,气化失常,固摄无权,则膀胱开合失度,可出现癃闭,或尿频、多尿、尿后余沥、遗尿,甚至尿失禁等症;若膀胱湿热,开合不利,亦可影响于肾,在出现尿频、尿急、尿黄、尿痛的同时伴有腰痛等肾伤的症状。

肾与胃的关系也十分密切。肾阴肾阳为脏腑阴阳的根本,胃主受纳腐熟水谷,赖肾阴之滋助而濡润不燥,赖肾阳的充盛而蒸化腐熟;而肾主藏精,有赖于胃土精气的资助。肾主二阴,又与胃之降浊有关,因胃主降浊,使水谷浊气下达大肠、小肠,从便、尿而排泄。病理情况下,肾气不足,累及于胃,可见食欲不振、恶心呕吐等症;真阳暴脱,致使胃气败绝,可见呃逆不止、呃声低微等症;而胃气虚弱,化源不足,则可致肾精亏虚,出现头晕耳鸣、腰膝酸软等症。

(三)腑与腑的关系

六腑的主要生理功能是受盛和传化水谷,故六腑之间的关系主要表现为各腑在饮食物的消化、吸收和糟粕排泄过程中的相互联系和密切配合。

饮食物进入人体,首先纳入胃中,经胃的腐熟进行初步消化,然后下传于小肠。胆贮藏排泄胆汁,助小肠的消化。小肠受盛化物,对饮食物进行进一步消化,并泌别清浊,吸收精微,以营养全身,同时在胃的通降作用下将饮食残渣下传大肠。大肠传导变化,进一步吸收饮食残渣中的部分水分,成形粪便经肛门排出体外。膀胱贮存尿液,经气化作用而使尿液排出体外。三焦通行元气,达于脏腑,从而推动了整个传化功能的正常进行。可见六腑在传化水谷的过程中,其消化功能主要是胃、胆、小肠的作用;其吸收功能关系到小肠、大肠;其排泄功能关系到大肠、膀胱。既有分工,又密切配合,共同完成对饮食物的消化、精微的吸收和糟粕的排泄。

由于六腑传化水谷,需要不断地受纳、消化、传导和排泄,虚实更替,宜通而不宜滞,故六腑的共同生理特点是:泻而不藏,实而不满,以通为用,以降为顺。

病理情况下六腑的病变以壅塞不通为多见,且常相互影响,互为因果。如胃有实热,消灼津液,则可致大肠传导不利,大便秘结不通;大肠燥结也可导致胃失和降,胃气上逆而见恶心、呕吐等症;胆失疏泄,常可犯胃,出现胁痛、黄疸、恶心、呕吐苦水、食欲不振等胆胃同病之症;若再影响到小肠,可见腹胀、泄泻等症;脾胃湿热,熏蒸于胆,胆汁外溢,则可致口苦、黄疸等症。

第二节　形体官窍

形体官窍,是人体躯干、四肢、头面部等组织结构或器官的统称,是人体结构的组成部分,主要包括五体和五官九窍,以及五脏外华等内容。脏象学说认为,形体官窍虽为相对独立的组织或器官,各具不同的生理功能,但它们又都从属于五脏,分别为某一脏腑功能系统的组成部分。形体器官依赖脏腑经络的正常生理活动为之提供气血津液等营养物质,而发挥正常的生理作用,其中与五脏的关系尤为密切。形体官窍的状态,能准确地反映着人体脏腑、经络、气血的健康情况,犹枝叶之与根本。所以从形体官窍外部表征的异常变化,可以把握人体内部脏腑经络气血阴阳盛衰,从而测知病变之所在,而确定适当的治疗方法。

一、形体

形体,有广义与狭义之分。广义的形体,泛指人体的身形和体质。狭义的形体,指脉、筋、肌肉、皮肤、骨五种组织结构,称之为五体。五体既与脏腑经络的机能状态密切相关,又与五脏有着特定的联系。五体与五脏这种对应关系称为"五脏所主"。即所谓"心主脉,肺主皮,肝主筋,脾主肉,肾主骨"。

(一)脉

在中医学中,脉有多种含义,一指脉管,又称血脉、血腑,是气血运行的通道,属五体范畴。二指脉象、脉搏,属四诊范畴。三指诊脉法,属切诊、脉诊范畴。四指疾病名称,属五不女之一,即螺、纹、鼓、角、脉中之脉。在体中,脉即脉管,又称血脉、血府,主要指血管,为气血运行的通道。脉是相对密闭的管道系统,它遍布全身,无处不到,环周不休,外而肌肤皮毛,内而脏腑体腔,形成一个密布全身上下内外的网络。脉与心肺有着密切的联系,心与脉在结构上直接相连,而血在脉中运行,赖气之推动。心主血,肺主气,脉运载气血,三者相互为用,既分工又合作,才能完成气血的循环运行。因此,脉遍布周身内外,而与心肺的关系尤为密切。

脉与经络、经脉的关系:经络是经脉和络脉的统称,其中纵行的主要干线称为经脉,由经脉分出网络全身的分支为络脉,经络是人体气血运行的通道,而经脉则是人体气血运行的主要通道。经络、经脉的含义较脉为广。实际上,言经络、经脉,则脉亦在其中。

1. 生理功能

(1)运行气血:气血在人体的血脉之中运行不息,而循环贯注周身。血脉能约束和促进气血,使之循着一定的轨道和方向运行。饮食物经中焦脾胃的消化吸收,产生水谷精微,通过血脉输送到全身,为全身各脏腑的生理活动提供充足的营养。如果脉中气血数量减少,营养亏乏,就会导致全身气血不足。若脉中气血运行速度异常,运行迟缓则血瘀,血行加速、血液妄行则出血。

（2）传递信息:脉为气血运行的通道,人体各脏腑组织与血脉息息相通。脉与心密切相连。心脏推动血液在脉管中流动时产生的搏动,谓之脉搏。脉搏是生命活动的标志,也是形成脉象的动力。脉象是脉动应指的形象。脉象的形成,不仅与血、心、脉有关,而且与全身脏腑机能活动也有密切关系。因此,脉象成为反映全身脏腑功能、气血、阴阳的综合信息,是全身信息的反映。人体气血之多寡,脏腑功能之盛衰,均可通过脉象反映出来。所以,通过切脉来推断病理变化,可以诊断疾病。

2. 脉与脏腑的关系

脉由心所生,是血液运行的通道,它能约束和促进血液沿着一定的轨道和方向循行。脉为血之府,血液通过脉能将营养物质输送到全身各个部分。所以,脉间接地起着将水谷精微输送到全身的作用。

脉与肺、肝、脾三脏的关系也十分密切。肺朝百脉;肝主藏血,调节血量,防止出血;脾主统血,使血液不溢于脉外。所以,脉的生理功能与肺、肝、脾等亦有密切关系。若肺、脾、肝的功能失常,则可导致脉络损伤,使血液不循常道,或上溢于口鼻诸窍,或下泄于前后二阴,或渗出于肌肤而形成出血、血瘀之候。

（二）皮

皮,皮肤的简称,又称为"皮腠"、"肤腠"。皮毛是皮肤和附着于皮肤的毫毛的合称,包括皮肤、汗孔和毫毛等组织。皮肤有分泌汗液、润泽皮肤、调节呼吸和抵御外邪等功能。在五体中所说的皮,实指皮毛而言。一般习惯上常常将皮与皮毛混称。皮肤是覆盖在人体表面,直接与外界环境相接触的部分。皮肤的纹理及皮肤与肌肉间隙处的结缔组织称之为皮腠,为腠理的组成部分。

1. 生理功能

皮肤是保护身体第一道防线。表皮的角质层能耐受摩擦。角质层和黑色素能阻挡紫外线的伤害。完整的皮肤,微生物不易侵入。

皮肤有散热和保温功能。皮膨胀散热是通过辐射、传导、对流和蒸发四种方式来完成的。体内产热增多而体温上升时,皮肤内血管扩张而温度升高,使辐射、传导、对流增加,同时汗腺分泌汗液增加而促进蒸发。体温下降时,则皮肤血管收缩、汗腺分泌停止,散热减少,以保持体温。一般的汗腺开口于表皮,也有一些汗腺开口于毛根附近。这些汗腺分布于腋窝、阴部,其分泌物有一定气味。

皮肤内有感受器和感觉神经,具有触觉、压觉、温度感觉。皮肤的皮脂腺分泌皮脂,如分泌过多而阻塞毛囊孔时,可发生粉刺。

正常皮肤不吸收水和水溶性物质,但皮肤破损时,水和水溶性物质可以侵入。所以皮肤破损时要注意外用药物的浓度和敷药面积,以防止吸收过多而中毒。某些有毒物质（如某些农药）可经皮肤吸收而中毒。

中医学将皮肤的功能总结为以下四个方面:

（1）护卫机体:皮肤是体表防御外邪的屏障。卫气行于皮毛,助皮肤以保护机体,使皮肤发挥抵御外邪的屏障作用。若卫气虚弱,皮肤疏缓,皮腠开,则外邪易于侵袭而致病。

(2)调节津液代谢:汗为津液所化。汗是津液代谢的产物。汗主要通过皮肤的汗孔(玄府、气门)而排泄,以维持体内津液代谢的平衡。卫气功能之强弱,皮肤腠理的疏密,汗孔之开合,可影响汗液的排泄,从而影响机体的津液代谢。如汗出过多,必损伤津液,轻则伤津,甚则伤阴、脱津。

(3)调节体温:腑腑在气化过程中产生的少火,是正常的具有生气的火,是维持人体生命活动的阳气。少火达于皮肤,使皮肤温和,保持一定的温度。汗孔(又称鬼门、气门)是阳气藏泄的门户。正常的出汗有调和营卫,滋润皮肤的作用。皮肤通过排泄汗液,以调节体温并使之保持相对恒定。

(4)调节呼吸:肺合皮毛,皮毛上的汗孔有呼吸吐纳之功,故又称汗孔为“气门”。

2. 皮肤与脏腑的关系

肺主皮毛。肺与皮肤、汗腺、毫毛的关系:其一,肺气宣发,输精于皮毛。肺主气,肺气宣发,使卫气和气血津液输布到全身,以温养皮毛。皮毛的营养,虽然与脾胃的运化有关,但必须赖肺气的宣发,才能使精微津液达于体表。若肺气虚弱,其宣发卫气和输精于皮毛的生理功能减弱,则卫表不固,抵御外邪分侵袭的能力低下而易于感冒,或出现皮毛憔悴枯槁等现象。由于肺与皮毛相合,外邪侵袭皮毛,腠理闭塞,卫气郁滞的同时也常常影响及肺,导致肺气不宣;而外邪袭肺,肺气失宣时,也同样能引起腠理闭塞,卫气郁滞等病变。其二,皮毛汗孔的开合与肺司呼吸相关。肺司呼吸,而皮毛上汗孔的开合,有散气或闭气以调节体温,配合呼吸运动的作用。汗孔不仅排泄由津液所化之汗液,实际上也随着肺的宣发和肃降进行着体内外气体的交换。因此,肺卫气虚,肌表不固,则常自汗出而呼吸微弱;外邪袭表,毛窍闭塞,又常见无汗而呼吸气喘的症状。

(三)肉

肉,肌肉的简称,泛指解剖学的肌肉、脂肪和皮下组织。肌肉具有主司全身运动之功。肌肉的纹理称为肌腠,又称肉腠、分理。人体肌肉较丰厚处称之为腘或肉腘。肌肉之间互相接触的缝隙或凹陷部位称为溪谷,为体内气血汇聚之所,亦是经气所在之处。肌肉与皮肤统称为肌肤,肌肉与皮肤之间的部位称为肌皮。

1. 生理功能

(1)主司运动:人体各种形式的运动,均需肌肉、筋膜和骨节的协调合作,但主要靠肌肉的舒缩活动来完成。

(2)保护脏器:肌肉既可保护内在脏器,缓冲外力的损伤,又可抗拒外邪的侵袭。

2. 肌肉与脏腑的关系

脾主肌肉:是指肌肉的营养来自脾所吸收转输的水谷精微。脾胃为气血生化之源,全身的肌肉,依靠脾所运化的水谷精微来营养。营养充足则肌肉发达丰满。因此,人体肌肉壮实与否,与脾的运化功能有关。如脾气虚弱,营养亏乏,必致肌肉瘦削,软弱无力,甚至痿废不用。

四肢,又称四末,是肌肉比较集中的部位。所谓“脾主四肢”,是说人体的四肢需要脾气输送营养才能维持其正常的功能活动。脾气健运,营养充足,则四肢轻劲,灵活有力;脾失健运,营养不足,则四肢倦息乏力,甚或痿弱不用。在临床上,中医学有“治痿取阳明”之说,意即调理脾胃是治疗痿证的重要方法之一。

（四）筋

筋,在五体中指肌腱和韧带。筋性坚韧刚劲,对骨节肌肉等运动器官有约束和保护作用。附于骨节者为筋,包于肌腱外者称为筋膜。诸筋会聚所成的大筋又称宗筋。宗筋的另一含义特指阴茎,宗筋聚于前阴,故常以宗筋代指阴茎或睾丸。

1. 生理功能

（1）连结骨节:筋附于骨而聚于关节。筋连结骨节肌肉,不仅加强了关节的稳固性,而且还有保护和辅助肌肉活动的作用。

（2）协助运动:人体的运动系统是由骨、骨连结和骨骼肌三部分组成的。筋附着于骨节间,起到了骨连结的作用,维持着肢体关节的屈伸转侧,运动自如。肢体关节的运动,除肌肉的舒缩外,筋在肌肉、骨节之间的协同作用也是很重要的。

2. 筋与脏腑的关系

"肝主筋","肝主身之筋膜"。肝血充盛,使肢体的筋膜得到充分的濡养,维持其坚韧刚强之性,肢体关节才能运动灵活,强健有力。若肝的阴血亏损,不能供给筋膜以充足的营养,则筋的活动能力就会减退。当年老体衰,肝血衰少时,筋膜失其所养,故动作迟钝、运动失灵。在病理情况下,许多筋的病变都与肝的功能有关。如肝血不足,血不养筋,则可出现肢体麻木、屈伸不利、筋脉拘急、手足震颤等症状。若热邪炽盛,燔灼肝之阴血,则可发生四肢抽搐、手足震颤、牙关紧闭、角弓反张等肝风内动之证。

脾胃为水谷之海,气血生化之源。脾胃健旺,化源充足,气血充盈,则肝有所滋,筋有所养。所以,筋与脾胃也有密切关系。若脾为湿困,或脾胃虚弱,化源不足,筋失所养,可致肢体软弱无力,甚则痿废不用。

（五）骨

骨,泛指人体的骨骼。骨具有贮藏骨髓,支持形体和保护内脏的功能。中医学远在《内经》时代,就对骨骼的解剖和功能有比较详细的记载。如《灵枢·骨度》对人体骨骼的长短、大小、广狭等均有较为正确的描述。

1. 生理功能

（1）贮藏骨髓:骨为髓府,髓藏骨中,所以说骨有贮藏骨髓的作用,而骨髓又能充养骨骼。骨的生长、发育和骨质的坚脆等都与髓的盈亏相关。骨髓充盈,骨骼得养,则骨骼刚健。反之,会出现骨的生长发育和骨质的异常变化。

（2）支持形体:骨具坚刚之性,为人身之支架,能支持形体,保护脏腑。人体以骨骼为主干,骨支撑身形,使人体维持一定的形态,并防卫外力对内脏的损伤,从而发挥保护作用。骨所以能支持形体,实赖于骨髓之营养,骨得髓养,才能维持其坚韧刚强之性。若精髓亏损,骨失所养,则会出现不能久立和行走。

（3）主管运动:骨是人体运动系统的重要组成部分。肌肉和筋的收缩弛张,促使关节屈伸或旋转,从而表现为躯体的运动。在运动过程中,骨及由骨组成的关节起到了支点和支撑并具体实施动作等重要作用,所以一切运动都离不开骨骼的作用。

2．骨与脏腑的关系

肾主骨为中医学的基本观点。因为肾藏精，精生髓而髓又能养骨，所以骨骼的生理功能与肾精有密切关系。髓藏于骨骼之中，称为骨髓。肾精充足，则骨髓充盈，骨骼得到骨髓的滋养，才能强劲坚固。肾精具有促进骨骼的生长、发育、修复的作用，故称"肾主骨"。如果肾精虚少，骨髓空虚，就出现骨骼软弱无力，甚至骨骼发育障碍。所以小儿囟门迟闭、骨软无力，以及老年人的骨质脆弱、易于骨折等均与肾精不足有关。

齿为骨之余，齿与骨同出一源，也是由肾精所充养。牙齿的生长、脱落与肾精的盛衰有密切关系。所以，小儿牙齿生长迟缓，成人牙齿松动或早期脱落，都是肾精不足的表现，常用补益肾精的方法治疗，每多获效。

二、官窍

官窍是五官和九窍的统称。官指舌、鼻、口、目、耳等五个器官，简称五官。五官分属于五脏，为五脏之外候。"鼻者，肺之官也；目者，肝之官也；口唇者，脾之官也；舌者，心之官也；耳者，肾之官也"（《灵枢·五阅五使》）。头面部的五官（眼二、耳二、鼻孔二和口一）有七个又称上窍、清窍、阳窍。"下窍"指前后二阴，在男子指肛门和尿窍（排尿、排精二窍合一）女子则指肛门、阴门（阴道口，又称为"廷孔"）和尿窍。

（一）舌

舌内应于心，司味觉，与吞咽、发音有密切关系。舌象（舌质和舌苔）是望诊的重要内容。舌位于口腔底部，舌之根部称为舌本、舌根；舌之中部称为舌中；舌之尖部称为舌尖；舌之两侧称为舌旁。舌之肌肉脉络组织称为舌体、舌质。舌分上下两面，上面称为舌背、舌面，其上有丝状乳头、菌状乳和轮廓乳头，附着在舌面上的一层苔状物称为舌苔，又名舌垢。舌的下面称为舌底、舌腹，舌的下面正中有一黏膜皱襞为舌系带。舌下静脉丛及舌系带称为舌系。舌系带两侧静脉上有两个奇穴，左为金津，右为玉液。

1．生理功能

舌有感觉味觉、协助咀嚼、吞咽食物和辅助发音的功能。舌为司味之窍声音之机。舌的主要功能是主司味觉和辅助发音而表达语言。舌的味觉和语言功能，有赖于心主血脉和心主神志的生理功能。如心的生理功能异常，便可导致味觉的改变和舌强语謇等病理现象。

2．与脏腑的经络的关系

心开窍于舌是中医学的主要观点。心的气血通过经脉的流注而上通于舌，以保持舌体的正常色泽形态和发挥其正常的生理功能。舌不仅为心之窍，而且通过经脉与五脏六腑皆有密切联系，其中尤以与心和脾胃的关系更为密切。五脏六腑的病变均可显现于舌，所以，舌诊成为一种独特的中医诊断方法。舌诊脏腑部位的分属为：舌尖属心肺，舌边属肝胆（左边属肝，右边属胆），中心属脾胃，舌根属肾。

阴之别系舌本，足少阴之脉挟舌本，足厥阴之脉络舌本，足太阴之脉连舌本，散舌下，足太阳之筋结于舌本，足少阳之筋入系舌本。五脏六腑直接或间接地通过经络、经筋与舌相连。因此，脏腑有病，可影响舌的变化。

（二）鼻

鼻，又名明堂，为肺之窍，是呼吸清浊之气出入的门户。鼻与嗅觉有关，也是外邪入侵之门户。鼻，隆起面部中央，上端狭窄，突于两眶之间，连于额部，名为頞（即鼻根）。前下端尖部高处，名为鼻准，又名鼻尖。鼻准两旁隆起部分，名为鼻翼。

鼻之下部有两孔，名为鼻孔。鼻孔内有鼻毛（又名鼻须），鼻孔深处称为鼻隧。頞以下至鼻准，有鼻柱骨突起，名为鼻梁。

1. 生理功能

（1）气体出入的门户：呼吸系统是由鼻、喉、气管及肺等器官共同组成的。其中，鼻、喉、气管及其分支构成气体出入于肺的通道，称为呼吸道。通过气管而直贯于肺，助肺而行呼吸，是气体出入之门户。

（2）主司嗅觉：鼻子辨别气味谓之嗅。鼻为司臭之窍。鼻窍通利，则能知香臭。因肺气通于鼻，故鼻之嗅觉灵每与否，与肺气通利与否有关。所以，肺的病变，可见鼻塞、鼻煽、流涕等症状。

（3）协助发音：喉上通于鼻，司气息出入而行呼吸，为肺之系。鼻具有呼吸和发音的辅助功能。鼻与喉相通，同属肺系，故鼻有助喉以发音的作用。

2. 与脏腑经络的关系

肺开窍于鼻是中医学的主要观点，鼻的嗅觉和通气功能均须依赖于肺气的作用。肺气和利，则呼吸通畅，嗅觉灵敏。鼻为肺窍，故鼻又为邪气侵犯肺脏的通路。所以在病理上，外邪袭肺，肺气不利，常常是鼻塞、流涕、嗅觉不灵，甚则鼻翼翕动与咳嗽喘促并见，故临床上可把鼻的异常表现作为推断肺脏病变的依据之一。

鼻不仅为肺之窍，而且通过经络与脾、胆、肾、心等也有密切的关系。

（三）口

口，指整个口腔，包括口唇、舌、齿、腭、咽等。口为脾之外窍，胃之所系，具有进水谷、辨五味、泌津液、磨谷食、助消化及出语言等功能。口，下连气管、食道，为消化管的起始部分，是饮食物摄入的门户。口唇，又名飞门，位于口之前端，分上唇、下唇两部分。上唇表现正中线上有一浅沟称为"人中"，其中上 1/3 交界处为人中穴。唇为脾之外候。

1. 生理功能

口腔具有吮、咀嚼食物、辨别味道、吞咽和辅助发声等功能。牙齿是咀嚼食物的利器，也帮助发声。出生后 6 个月左右开始出乳牙，到 2 岁左右出齐，共 20 个；到 6～7 岁时，乳牙开始脱落，并逐渐长出恒牙，恒牙有 28～32 个。切牙的功能是切断食物，尖牙可撕裂食物，前磨牙用来捣碎食物，磨牙则能磨碎食物。舌由肌肉组成，在咀嚼、吞咽过程中有重要作用。舌的表面有味蕾感受器，能感受味觉；舌尖对甜味较敏感，舌两侧对酸味较敏感，舌两侧前部对咸味较敏感，而舌根部对苦味较敏感。正常的舌表面有一层很薄的白色舌苔。患病时，舌质和舌苔可发生变化。唾液腺有腮腺（在耳前下方）、颌下腺（在下颌骨的内面）和舌下腺（在口底）三对；它们分泌唾液，经导管流入口腔。唾液能湿润食物便于吞咽；唾液的淀粉酶能使食物中的淀粉水解为麦芽糖。因此中医学将口的功能概括为进水谷、辨滋味、助呼吸、辅发音等几个方面。

2. 口与脏腑的关系

脾开窍于口，饮食、口味等与脾之运化功能有关。脾主运化，脾气健旺，津液上注口腔，唇红而润泽,舌下金津、玉液二穴得以泌津液助消化,则食欲旺盛,口味正常。口唇与脾在生理功能上互相配合,才能完成腐熟水谷、输布精微的功能。脾主肌肉,口唇为脾之外候,故脾的生理病理常常从口唇的变化反映出来。

口与五脏六腑相联系,不仅为脾之窍,而且还与心、胃、肾、肝等有密切关系。舌为心之苗;肾主骨,齿为骨之余;胃经食道,咽而直通于口齿,为胃系之所属;肝脉环唇内,络舌本,其气上通舌唇。所以,口腔的生理病理与心、肾、胃、肝等脏腑也有密切关系。

[附]咽喉

咽喉,一是咽和喉的总称;二指口咽部。中医古代医籍常咽、喉并称。咽喉是司饮食,行呼吸,发声音的器官。

(1)解剖形态:咽喉上连口腔而通于鼻,下通肺胃,又是经脉循行之要冲。喉在前,连于气道,通于肺脏,为肺之系。咽在后,接于食道,直贯胃腑,为胃之系。咽,一指口腔后部,是饮食和呼吸的共同通道,可分为鼻咽部(包括鼻后至软腭上部)、口咽部(包括软腭以下至舌骨平面处)、喉咽部(包括舌骨平面以下至环状软骨下缘)。二指食道。

(2)生理功能:①行呼吸,发声音:喉为清浊之气,呼吸出入的要道。喉既是呼吸道,又是发声器官。声音的发出是在肺气的推动下,由喉咙、会厌、舌、口唇、悬雍垂等器官共同作用的结果。②通利水谷:咽是消化管从口腔到食道的必经之路,也是呼吸道中联系鼻与喉的要道。咽是消化和呼吸共用的器官,通利水谷为其主要生理功能。

(3)喉与脏腑的关系:喉是呼吸的门户和发音器官。肺主声,声音出于肺而根于肾。肺的经脉过喉,故喉的通气和发音与肺有关。肺主气,声由气发,所以声音的产生与肺的生理功能有关。又肾脉挟舌本,肾精充足,上承会厌(会厌为声音之门户,肺的经脉亦通会厌),鼓动声道而出声。所以说,肺为声音之门,肾为声音之根。如果肺有病变,不仅可使喉咙通气不利,而且还可使声音发生变化,如声音嘶哑或失音。客邪壅肺者,为"金实不鸣"。肺气虚弱,肺阴不足,为"金破不鸣"。咽亦为胃系之所属,与胃相通,是水谷之通道。若胃腑蕴热,则咽部出现红、肿、痛的病理变化。由于脾胃疾病多反映于咽喉,故有"喉咙者,脾胃之候"的说法。此外,咽喉还与肝、肾亦有密切的关系。

(四)目

目,即眼、眼睛,又称精明、命门。眼又是望诊察神的重要器官。眼的生理功能与全身脏腑经络均有关系。中医学认为,目主要由白睛、黑睛、瞳仁、两睑、两眦五个部分组成,将其称为"五轮"。

1. 生理功能

眼之活动灵敏,精彩内含,炯炯有神,谓之有神。活动迟钝,目无精彩,目暗睛迷,谓之无神;中医学认为目的功能是主视觉,为心灵之窗,因此若目光突然转亮,为假神,乃"回光返照"之危象。因此,望眼神成为望诊中望神之重要内容。

2. 目与脏腑的关系

中医学认为,目与五脏都有密切的关系。所谓轮,是比喻眼球形圆,转动灵活,宛如车轮之意。根据五轮学说,内眦及外眦的血络属心,称为"血轮"黑珠属肝,称为"风轮",白珠属肺,称为"气轮";瞳仁属肾,称为"水轮";眼胞属脾,称为"肉轮"。

虽然五脏六腑都与目有着内在联系,但其中尤以肝为密切。因为"肝气通于目,肝和则能辨五色矣"(《灵枢·脉度》)。肝主藏血,"肝受血而能视"(《素问·五脏生成》),肝的经脉上连于目系(目系又称眼系、目本,为眼球内连于脑的脉络)。眼为肝之外候,肝开窍于目。肝的功能正常与否,常常在目上反映出来。例如,肝火上炎,则目赤肿痛;肝风内动可见两目斜视、天吊等。眼睛的视觉功能,既依赖于全身脏腑经络气血的充养,又需要肝之阴血的濡养,所以许多眼科疾患在治疗上既照顾整体,又突出强调治肝,体现了局部和整体的统一。

(五)耳

耳位于头面部之两侧,属清窍。为听觉和位觉(平衡觉)器官。耳的生理功能与五脏皆相关,而与肾中精气盛衰的关系尤为密切。

1. 生理功能

耳的主要功能为主司听觉。另外,耳也是人体的平衡器官。耳的功能靠精、髓、气、血的充养,尤其与肾的关系较为密切。肾精充盈,髓海得养,则听觉灵敏,分辨力高。反之,肾精虚衰,髓海失养,则听力减退,耳鸣耳聋。

2. 耳与脏腑的关系

肾开窍于耳是中医学的主要观点,肾藏精,精生髓,髓聚于脑,精髓充盛,髓海得养,则听觉灵敏。故临床上常常把耳的听觉变化,作为推断肾气盛衰的一个标志。人到老年,肾中精气逐渐衰退,故听力每多减退。

耳与五脏六腑均有密切的联系,其中,与肾、心、胆、肝、脾等脏腑关系较为密切,因此五脏有病都可能引起耳的听力障碍。此外耳通过经脉与脏腑和全身广泛地联系,因此有将耳廓分区隶属于人体各部,并以此作为耳穴诊断疾病和治疗疾病的依据。

(六)前阴

前阴,又称下阴,指男女外生殖器(又名阴器)及尿道的总称。前阴与排尿和生殖有关。男性的前阴,即男性外生殖器,包括阴囊(内有睾丸、附睾和精索等)和阴茎(简称茎,又名玉茎、阳物)。女性外生殖器,称为阴户、子户(包括阴道等)。阴道名为廷孔、庭孔、阴户,阴道外口称为阴门(也称阴户)。女性的前阴包括阴道和尿道。

1. 生理功能

前阴具有排尿和生殖功能。女性的阴道还是排泄月经和娩出胎儿的通道。

2. 前阴与脏腑的关系

肾的主要观点前阴。关于肾与人的生殖机能的关系,已如前述,不再重复。尿液的贮存和排泄虽属于膀胱的功能,但须依赖肾的气化才能完成。因此,尿频、遗尿、尿失禁以及尿少或尿闭,均与肾的气化功能有关。

前阴与其他脏腑的关系很密切。肝主疏泄,为筋之主,前阴为宗筋之所聚,肝经入阴毛,绕阴器。肝气条达,疏泄以时,宗筋得养,前阴功能正常,则精、经疏泄以时,尿液排泄正常。脾胃为后天之本,气血生化之源。冲脉隶属于阳明,阳明总宗筋之会,脾胃健旺,化源充足,则精血充盈,前阴功能健旺,若脾失健运,或湿热下注,或气不摄精。心为君火,主神志,相火寄于肝肾,心肾相交,君火以明,相火以位,则肾能封藏。若君火动摇于上,相火应之于下,则肾失封藏,而阳痿、遗精、不孕、月经不调、小便失常诸证丛生。

(七)后阴

后阴即肛门,为大肠的下口,又称魄(通"粕")门、谷道,简称肛。后阴是排泄粪便的通道。

粪便的排泄本是大肠的传异功能,但藏象学说常把大肠的功能统属于脾的运化功能范畴。脾之运化赖肾以温煦和滋润,所以大便的排泄与肾的功能有关。肾的阴阳失调可出现泄泻、便秘等大便异常。饮食之受纳在于胃,排泄关乎肾。

饮食糟粕的排泄不仅关乎于肾,而且与脾之运化、肺之肃降,以及肝之疏泄均有密切关系,并受心神的调节和控制。

三、五脏外华

五脏与面、毛、唇、爪、发相关,故面、毛、唇、爪、发的色泽,可以反映五脏气血的盛衰。五脏外华,即"心其华在面","肺其华在毛","脾其华在唇四白","肝其华在爪","肾其华在发"。

(一)心其华在面

心其华在面,是说心的功能正常与否,常可从面部的色泽反映出来。心主血脉,面部血脉极为丰富,全身气血皆可上注于面,所以面部的色泽能反映出心气的盛衰,心血的多少。心功能健全,血脉充盈,循环通畅,则面色红润光泽;反之,心脏功能失调,可引起面部色泽异常。如心气不足,心血亏少,则面白无华;心脉瘀阻,则面色青紫。

(二)肺其华在毛

毛为附在皮肤上的毫毛。肺主皮毛,肺宣发卫气和津液于毫毛,则毫毛光彩润泽。若肺气失调,不能行气与津液以温养毫毛,毫毛之营养不足,就会憔悴枯槁。

(三)脾其华在唇

唇指口唇,位于口之前端,有上唇下唇之分。唇四周的白肉称为唇四白。口唇的肌肉由脾所主。因此,口唇的色泽形态可以反映脾的功能正常与否。脾气健运,气血充足,营养良好,则口唇红润而有光泽。如果脾的功能失调,口唇的色泽形态就会出现异常的变化。脾失健运,气血虚少,营养不良,则口唇淡白不华,甚则萎黄不泽;口唇糜烂为脾胃积热;环口黧黑,口唇卷缩不能覆齿是脾气将绝之兆。总之,口唇的形色,不但是全身气血状况的反映,而且也是脾胃功能状态的反映。

(四)肝其华在爪

爪指爪甲,包括指甲和趾甲。爪甲的营养来源与筋相同,故称"爪为筋之余"。爪甲赖肝血以滋养,肝血的盛衰,可以影响爪甲的荣枯。肝血充足,则爪甲坚韧明亮,红润光泽。若肝血不足,则爪甲软薄,枯而色夭,甚则变形或脆裂。爪甲色泽形态的变化,对于判断肝的生理病理有参考价值。所以见到上述病变,治疗多从肝入手。

(五)肾其华在发

发,即头发,又名血余。发之营养来源于血,故称"发为血之余"。但发的生机根源于肾。因为肾藏精,精能化血,精血旺盛,则毛发壮而润泽,故又说肾"其华在发"。由于发为肾之外候,所以发的生长与脱落、润泽与枯槁,与肾精的关系极为密切。

第三节　精、气、血、津液

精、气、血、津液是构成人体和维持人体生命活动的基本物质。中医学有关精、气、血、津液的理论，早在《黄帝内经》中已有较全面的论述。这一理论的形成和发展，不仅受到古代哲学思想中朴素唯物论的影响，且与藏象学说的形成和发展有着更密切的关系。

精、气、血、津液的生成及其在体内的代谢，有赖于脏腑经络等组织器官的生理活动，脏腑经络等组织器官功能的正常行使，也离不开精、气、血、津液的营养。因此精、气、血、津液既是人体脏腑经络生理活动的产物，又是脏腑经络进行生理活动所必需的物质和能量基础。由于精、气、血、津液在生理上与脏腑经络等组织器官之间存在着密切联系，因而在病理上亦存在着互为因果的关系，故对临床辨证论治起着十分重要的指导作用。

一、精

（一）精的概念

精，又称精气。在中国古代哲学中，精是充斥宇宙，无形而运动不息的极细微物质，是构成宇宙万物的本原。也专指气中精粹的部分，是构成人类的本原。

精的概念源于古代的"水地说"。认为自然界的水、地是万物赖以生长发育之根源，在此基础上引申出"精"的概念，并逐渐演变为"精为万物之源"的观点。人类自身的繁衍也不例外，是由"男女精气相合"（《管子·水地》）而成。这种"精"为宇宙万物本源的古代哲学思想渗透到医学领域后，对中医学精气理论的形成起到了极重要的作用。

"精"有广义与狭义之分：广义之"精"，泛指一切与生俱来的生命物质，以及后天获得的对人体有用的精粹物质，包括气、血、津液、髓以及从饮食物中摄取的营养物质等一切精微物质；狭义之"精"，是指肾中所藏的具有生殖功能的精微物质，即肾精，又称为生殖之精。可见中医学的精，既包括父母遗传的生命物质，又包括后天获得的水谷之精。

（二）精的生成

精的生成禀受于父母，充实于水谷。从来源而言有先天与后天两个方面，故精又分为先天之精与后天之精两类。

先天之精一方面禀受于父母的生殖之精；另一方面来源于水谷精气，在胚胎形成以后，直至胎儿发育成熟娩出，这一过程中又必须依赖于从母体吸取来的水谷之精以养育之。因此先天之精，实际上是概括了禀受于父母而构成各组织器官的原始生命物质，以及母体从饮食物中吸取的各种营养物质。这种先天之精主要藏于肾，即所谓肾中藏有先天之精。

后天之精来源于水谷，又称"水谷之精"。人体生命的维持，不仅以肾中先天之精为基础，还需不断得到饮食水谷之精的充养。这种由水谷所化生的，输布于五脏六腑等组织器官，最后归藏于肾中的精就是肾中所藏的后天之精。所以有肾"受五脏六腑之精而藏之"的说法。

由此可见，人体的精主要藏于肾，其来源以先天之精为本，并得以后天之精的不断充养，先、后天之精相互依存，相互为用。先天之精依赖后天之精的培育和充养；后天之精的化生又需得到先天之精活力的资助，从而始终保持肾中之精的充满状态。

（三）精的主要功能

人体的精具有多种功能，归纳起来主要有以下几方面：

1. 生殖繁衍

生殖之精是生命的原始物质，具有繁衍后代的作用。精能形成胚胎，没有精就没有新的生命。这种生殖作用既体现于父母之精的结合，产生新生命而形成自身，又体现于自身发育成熟。肾精充盛而生成天癸，具有生殖能力而产生新生命，可见精是繁衍后代的物质基础。精不仅产生了生命个体，而且是维系生命与健康活动的原动力。因此肾精充足与否，对生殖功能及体质的强弱起着重要的作用。

2. 促进生长发育

人生各个时期的生长发育过程，都是以精为其主要物质基础的。在胚胎至胎儿生长成熟时期，精既是构成形体各组织器官的主要物质基础，又是促进胎儿生长发育的重要物质。正如《灵枢·经脉》所说："人始生，先成精，精成而脑髓生，骨为干，脉为营，筋为刚，肉为墙，皮肤坚而毛发长。"可见人的脑、髓、骨、脉、筋、肉、皮肤、毛发皆由肾精生成。在出生后的婴儿至青年生长成熟时期，精是促进其生长发育的主要物质，如果肾精不足，人体的生长发育就会迟缓或出现障碍。

3. 生髓充脑、养骨、化血

髓，有骨髓、脊髓和脑髓之分，三者均由肾精所化。精足则脑得髓养，元神的生理功能得以正常发挥。

骨骼的生长发育，有赖于骨髓的充盈及其所提供的营养，精能生髓，所以说精能养骨。精充则骨骼健壮，牙齿坚固。

精也是生成血液的主要物质。一方面水谷之精通过心肺的气化作用而化生为血液；另一方面肾精在肝的配合下化生骨髓后而生成血液。因此精可以转化为血，是血液生成的来源之一，精充则血旺。

4. 滋养濡润

精是人体脏腑组织赖以滋润濡养的精华。饮食入胃，经脾胃消化吸收转化为精，不断地供给周身各组织器官的营养，其富余部分则归藏于肾，储以备用。肾中之精，一方面不断贮藏，另一方面又不断地向全身输泄，如此生生不息。只有先天之精与后天之精充盛，才能使脏腑组织得以充养，从而发挥正常的生理作用。

5. 防御卫外

精具有保卫机体，防御外邪入侵的作用。如《素问·金匮真言论》说："夫精者，身之本也，故藏于精者，春不病温。"可见精足则正气旺盛，抗病力强，不易受外邪的侵袭。

二、气

（一）气的基本概念

气是中华民族文化中使用频率极高的概念之一，这一概念在中医理论中所指有四：一指人们常识中的气，即指极细小的物质微粒，如空气、水气、雾气、烟气、火气、香气等；二是指哲学层面的气,即指宇宙万物形成的本原;三指自然科学医学中的气,即指构成人体,维持人体正常生命活动最基本的物质,如元气、营气、卫气、宗气等;四是人文社科所言的气,即指人们可感知的状态,如傲气、娇气、霸气、神气、气色,以及药物的"四气"(即寒、热、温、凉四种性质)。本节重点围绕着自然科学中医学的气予以介绍。

(二)气的生成

人体的气,来源于禀受父母的先天之精、饮食物中的营养物质(即水谷之精气)和存在于自然界的清气,通过肺、脾胃和肾等脏腑的综合作用,将三者结合而成。

先天之精气,先身而生,来源于父母生殖之精,是构成生命形体的物质基础,是人体气的重要组成部分,依赖于肾藏精气的生理功能才能充分发挥其生理效应。

水谷之精,又称谷气,是人赖以生存的基本物质。胃为水谷之海,人摄取饮食物之后,经过胃的腐熟,脾的运化,将饮食物中的营养成分化生为能被人体利用的水谷精微,输布于全身,滋养脏腑,化生气血,成为人体生命活动的主要物质。存在于自然界的清气,又称天气,依赖肺的呼吸功能而进入人体,并同体内之气在肺内不断地交换,吐故纳新,参与人体气的生成。因此气的生成与先天禀赋、后天饮食营养,以及自然环境等因素有关,是肾、脾胃、肺等脏腑综合作用的结果。

肺能生成宗气。自然界的清气通过肺的呼吸运动进入人体,与脾胃所运化的水谷精气,在肺的气化作用下生成宗气,聚积于胸中的上气海(膻中)。

在气的生成过程中,脾胃的运化功能是不可忽视的。人在出生后,依赖脾胃的受纳和运化功能,对饮食物进行消化、吸收,把其中营养物质化为水谷精气,维持生命活动;另外先天之精气必须依赖于水谷精气的充养,才能发挥其生理效应。

肾主藏先天之精气和后天之精气。先天之精气是构成人体的原始物质,为生命的基础。后天之精气,主要来源于自然界的清气和谷气,化生于肺和脾胃,灌溉五脏六腑,供给脏腑代谢消耗,剩余部分藏于肾,与先天之精共称为肾中精气。

总之,人体气生成的基本条件有二:一是物质来源丰富,即先天精气、水谷精气和自然界清气供应充足;二是肺、脾胃、肾等脏腑的生理功能正常。

(三)气的主要功能

气对于人体具有十分重要的生理功能,主要有以下几个方面:

1. 推动作用

气是活力很强的精微物质,能促进人体的生长、发育,激发和推动各脏腑、经络等组织器官的生理活动;能推动血液的生成、运行,以及津液的生成、输布和排泄等。如元气能促进人体的生长发育,激发和推动各脏腑的生理活动;气行则血行,气行则水行,所以人体的血液循行和水液代谢也都赖气之推动而完成,如心气推动血行,肺气推动津液输布等。当气的推动作用减弱时,可影响人体的生长、发育,导致发育迟缓,或早衰,亦可使脏腑、经络等组织器官的生理活动减退,出现血液和津液的运行迟缓,输布、排泄障碍等病理变化。

2. 温煦作用

气的温煦作用是指气通过运动变化能够产生热量,温煦人体。即是说气是人体热量的来源,依靠气的温煦来维持相应的体温;各脏腑、经络等组织器官,也要在气的温煦下才能进行正常的生理活动；血和津液等液态物质，需要有相应的体温，才能确保正常的循环运行，故有"血得温而行，遇寒而凝"之说。如果气的温煦作用失常，不仅出现畏寒喜热、四肢不温、体温低下、血和津液运行迟缓等寒象；还可因某些原因，引起气聚而不散，郁而化热，出现恶热喜冷、发热等热象。

3. 防御作用

气的防御作用是指气有护卫肌肤，抗御邪气的功能。气一方面可以抵御外邪的入侵，另一方面还可驱邪外出。所以气的防御功能正常时，邪气不易侵入，或虽有邪气侵入，但不易发病，即使发病，也易于治愈。气的防御功能减弱时，机体的抵御邪气的能力就要下降，不但易染疾病，而且患病后也难以痊愈。气的防御作用减弱，外邪才得以侵入机体而致病。气的防御作用还体现在病后脏腑组织的自我修复。所以气的防御功能与疾病的发生、发展、转归都有着密切的关系。

4. 固摄作用

气的固摄作用主要是指气对血、津液等液态物质具有固护统摄和控制，防止其无故流失的功能。具体表现在以下四个方面：一是固摄血液，可使血液循脉而行，防止其逸出脉外；二是控制汗液、尿液、唾液、胃液、肠液的分泌、排出，以防止其无故流失；三是固摄精液，防止精液妄泄；四可固摄冲任。若气的固摄作用减弱，则可导致体内液态物质大量流失，如气不摄血，可致各种出血；气不摄津，可致自汗、多尿或小便失禁、流涎、泛吐清水、泄泻滑脱；气不固精，可出现遗精、滑精和早泄；气虚而冲任不固，可出现小产、滑胎等病症。

气的固摄作用与推动作用是相反相成的两个方面。气既能推动血液的运行和津液的输布、排泄，使其保持应有的流速，又可固摄体内的液态物质，防止其无故流失。由于这两个方面作用的相互协调，构成了气对体内液态物质的运行、分泌、排泄的双向调控，这是维持人体血液的正常循行和水液代谢必不可少的重要环节。

5. 气化作用

气化是指通过气的运动而产生的各种变化，具体而言指气具有促进精、气、血、津液各自的新陈代谢及其相互转化的功能。例如气、血、津液的生成，都需要将饮食物转化成水谷精气，然后再化生成气、血、津液等；津液经过代谢，转化成汗液和尿液；饮食物经过消化和吸收后，其残渣转化成糟粕等等，都是气化作用的具体表现。人体的气化运动存在于生命过程的始终，气化就是体内物质的新陈代谢、物质的转化和能量的转换，是生命活动的基本方式，因此没有气化活动就没有生命过程。如果气化功能失常，即可影响气、血、津液的新陈代谢，影响饮食物的消化吸收，影响汗液、尿液和粪便等的排泄，从而形成各种代谢异常的病变。因此气化理论是中医学对体内复杂的物质代谢过程的基本认识。

6. 营养作用

人体之气分布于全身各脏腑组织中，为各脏腑器官提供必需的营养成分。具有营养作用的气主要来自两部分：一部分是源于饮食物所化生水谷精气中的营气与津液，在脏腑的气化作用下化为赤色的、具有营养作用的血液，滋养着全身各组织器官。另一部分是经肺吸入的自然界新鲜空气。在气虚不足，营养作用减退时，可导致各组织器官因营养不良而机能减弱的种种病症。

7. 中介作用

气具有感应传导信息以维系机体整体联系的介导作用。气充斥于人体各个脏腑组织间，人体内各种生命信息，都可以通过气的运动来感应和传递，从而实现了人体各脏腑组织之间的密切联系。

上述气的推动、温煦、防御、固摄、气化、营养及中介等功能虽然各不相同，但在人体生命活动中缺一不可，它们互相促进，彼此协调配合，共同维持着正常的生命活动。

（四）气的运动

人体的气是不断运动着的具有很强活力的精微物质。它布散于全身各脏腑、经络等组织器官之中，无处不到，时刻发挥着推动、气化、营养等多种作用，从而产生和维持各种生命活动。

气的运动一旦停止，生命活动也随之终止。

1. 气机的概念

气机，是指气的运动。"机"，即事物的关键。之所以把气的运动称为"气机"，是因为气只有在运动之中才能体现其存在，发挥其效能，所以"运动"才是气存在的关键。

2. 气的运动形式

升、降、出、入是气运动的基本形式，是宇宙万物运动的普遍规律，人体气的运动，也毫无例外地遵循着升、降、出、入这一基本规律和形式。

人体之气运动的升与降、出与入是对立统一的矛盾运动，互相促进，又相互制约，保持着协调状态。只有如此人体之气才能正常运行，各脏腑组织才能发挥正常生理功能。气机正常，也就是气的运行畅通协调，升降出入和谐平衡，通常称之为"气机调畅"。如果气机失常，也就是气的运行受阻，或升降出入关系紊乱，便称之为"气机失调"。"气机失调"常有气滞（指气的运行不畅，或在局部发生阻滞不通）、气逆（指气的上升太过，或者下行不及，或横行逆乱）、气陷（指气的上升不及或下行太过）、气脱（指气不能内守而突然大量外逸）、气闭（指气不能外达而郁闭于内）等病理状态。

3. 气的运动与脏腑关系

气的升、降、出、入运动，是人体生命活动的根本方式，是脏腑活动的基本特征，故脏腑组织的功能体现着气机活动。人体各脏腑组织之间的气机活动，共处于升与降、出与入的对立统一矛盾运动之中，共同完成整个机体的新陈代谢，保障生命活动的物质基础不断地自我更新。既不断地从外界摄取食物，通过气化作用，升清降浊，摄取其精微而充养自身；同时又将代谢产物排出体外，以维持物质代谢和能量转换的动态平衡。因此脏腑气机升降运动的这种动态平衡是维持正常生命活动的关键，气的升、降、出、入运动，是维持机体生命活动的必要条件。只有升、降、出、入运动正常，才能确保生理活动的正常进行，若有失常，轻则为病，重则危及生命。

（五）气的分类

人体的气是多种多样的，由于其生成来源、分布部位和功能特点不同，而有许多不同的分类，主要有元气、宗气、营气和卫气四种。

1. 元气

元气又名"原气"、"真气"，是人体最基本、最重要的气，是人体生命活动的原动力。元气是由肾所藏的先天精气化生,依赖脾胃运化水谷精气的充养和培育。所以元气的盛衰,既取决于先天禀赋,又与后天脾胃运化水谷精气的功能密切相关。元气根源于肾,通过三焦而布散全身,内至五脏六腑,外达肌肤腠理,无处不到,以发挥其生理功能。

元气的主要功能,一是促进人体的生长发育和生殖;二是激发和推动脏腑、经络等组织器官的生理功能活动。所以说元气为人体生命活动的原动力,是维持生命活动的最基本物质。元气充沛,则各脏腑、经络等组织器官的功能旺盛,机体强健而少病。若因先天禀赋不足,或后天失调,或久病损耗,导致元气的生成不足或耗损太过时,就会导致元气虚衰而产生种种虚性的病变。

2. 宗气

宗气是积于胸中之气,宗气在胸中积聚之处,称作"气海",又称"膻中"。宗气是肺吸入的自然界清气和饮食物中的水谷精气在肺的气化作用下生成的。因此肺和脾胃的功能正常与否,直接影响着宗气的盛衰。宗气积聚于胸中,贯注于心肺。其向上出于肺,循喉咙而走息道;向下注于丹田(下气海),并注入足阳明之气街而下行于足。其贯入心者,经心脏入脉,在脉中推动气血的运行。

宗气主要有三个方面的功能:一是走息道以行呼吸,呼吸的强弱与宗气的盛衰有关;二是贯心脉以行气血,凡气血的运行、心搏的强弱及其节律等,皆与宗气的盛衰有关。所以在临床上常常以"虚里"处的搏动状况和脉象来测知宗气的盛衰;三是与人的视、听、言、动等相关。

3. 营气

营气是与血共行于脉中的气。营气富于营养,故又称"荣气"。营与血关系极为密切,可分而不可离,故常常"营血"并称。营气与卫气相对而言,属性为阴,故又称营阴。营气主要来自脾胃运化的水谷精气,由水谷精气中的精华部分所化生。营气分布于血脉之中,作为血液的组成部分而循脉上下,贯五脏络六腑,营运于全身。

营气的主要生理功能有两个方面:一是营养全身;二是化生血液。水谷精微中的精专部分是营气的主要成分,是脏腑、经络等生理活动所必需的营养物质,同时又是血液的组成部分。

4. 卫气

卫气是运行于脉外之气。卫气与营气相对而言,属性为阳,故又称为"卫阳"。

卫气同营气都来自于脾胃化生的水谷精气,是水谷精气中性质慓悍、运行滑利、反应迅速的部分。慓悍是指卫气在抗邪斗争中所具有的强悍、勇猛特性。运行速度快,当人体受到邪气侵袭时,卫气能迅速地作出反应。

卫气产生于中焦,借助肺气的宣发作用而行于脉外,布散于全身。卫气在全身的循行有三种方式:一是在脉外与营气同步相谐运行,协调平衡,"营卫和调"即是指此;二是白昼布散于阳分、肌表,夜间入于内脏、阴分;三是根据机体生理需要而散行全身。

卫气的生理功能主要有四方面:一是护卫肌表,防御外邪。肌肤腠理是机体抗御外邪的屏障,卫气温养肌肤腠理,司汗孔之开合,使皮肤柔润,肌肉壮实,腠理致密,构成抵抗外邪入侵的防线,使外邪不能侵入机体;二是温养脏腑、肌肉、皮毛等。在正常状态下,体温相对恒定,是维持机体正常生命活动的重要条件之一,卫气是产生热量的主要来源,体温的维持,有赖于卫气的温煦作用;三是开合汗孔,调节体温。卫气司汗孔之开合,调节汗液的排泄,能维持体温的相对恒定,调和气血,从而维持机体内外环境的阴阳平衡;四是影响睡眠。卫气的运行与睡眠活动有关,当卫气行于内脏时,人便入睡;当卫气出于体表时,人便醒寤。

营气与卫气同源而异流,均以水谷精气为其主要的生成来源,皆出入脏腑,流布经络,但在性质、分布和功能上又有区别。营气,其性柔顺精粹,主内守而属阴,具有营养周身,化生血液之功。卫气,其性慓疾滑利,主外卫而属阳,具有温养脏腑,护卫肌表之能。一般而言,营行脉中,卫行脉外。但是营中有卫,卫中有营。营卫之气的运行,阴阳相随,外内相贯,并行不悖。分而言之则营卫不同道,合而言之则营卫同一气。二者之间的运行必须协调,不失其常,才能维持腠理的开合、体温的恒定、"昼精而夜暝",以及正常的防御外邪能力。若营卫不和,可出现恶寒发热、无汗或多汗、"昼不精而夜不暝",以及抗御外邪能力低下等病症。

人体的气除了上述最重要的四种气之外,还有"脏腑之气"、"经络之气"等。所谓"脏腑之气"和"经络之气",实际上都是元气所派生的,是元气分布于某一脏腑或某一经络,而成为该脏腑或该经络的气,是构成各脏腑、经络的最基本物质,又是推动和维持各脏腑、经络进行生理活动的物质基础。

三、血

(一)血的概念

血是运行于脉中、循环流注全身的富有营养和滋润作用的红色液体,是构成人体和维持人体生命活动的基本物质之一。

脉是血液运行的管道,又称"血府",有约束血液运行的作用。血液在脉中循环于全身,内至脏腑,外达肢节,为生命活动提供营养,发挥濡养和滋润作用。在某些因素的作用下,血液不能在脉内循行而溢出脉外则形成出血,即离经之血。由于离经之血离开了脉道,失去了其发挥作用的条件,所以也就丧失了应有的生理功能。

(二)血的生成

营气和津液是生成血的最基本物质。营气和津液来源于饮食水谷,中焦脾胃在消化活动中,将其中的水谷精微分别转化为人体所需的水谷精气和津液,水谷精气中的精专部分就是营气。营气和津液进入脉内,经肺的气化和心阳的温煦便化生为血液。

精和血之间还存在着资生和转化的关系,因此肾中所藏之精也是生血的物质基础。

血液的生成过程与脏腑的功能活动密切相关。营气和津液是血液化生的主要物质基础,而营气和津液都是由脾胃消化饮食吸收水谷精微所产生的,因此脾胃是气血生化之源。脾胃运化功能的强健与否,饮食水谷营养的充足与否,均直接影响着血液的化生。

心肺的生理功能在血液的生成过程中起着重要作用。脾胃运化水谷精微所化生的营气和津液,由脾向上输于心肺,与肺吸入的清气相结合,贯注心脉,在心阳的温煦作用下变化成为红色的血液。

肝在生血过程中所发生的作用可从三方面认识:一是肝能疏泄气机,影响脾胃运化,促进血液生成所需的营气和津液的充分化生;二是肝有贮藏血液和调节血流量的功能,可以调济充足的血流量营养与血液生成有关的脏腑,使诸脏腑在生血过程中功能活跃;三是配合肾精化血。

肾对血液生成的作用主要体现在两个方面:一是通过肾精生骨髓,骨髓生血。肾中精气充足,则血液化生有源;二是肾精所化生的元气对全身各脏腑功能均有激发和推动作用,间接促进了血的生成。肾精充足,元气旺盛,则血液因之而充盈。

综上所述,血液生成的基本条件在于物质基础和相关脏腑的综合作用两个方面。在物质基础方面是以营气、津液为主,还与肺吸入清气及肾精有关;在相关脏腑中以脾胃最为重要,还与心、肺、肝、肾有着密不可分的联系。由此可见,血液的生成是脏腑整体功能活动的综合体现。

(三)血的主要功能

血是生命活动的主要物质之一,对人体有濡养、运载的作用,是精神活动的主要物质基础。

1. 濡养作用

血具有营养和濡润全身的生理功能。血由水谷精微所化生,在脉中循行,如环无端,运行不息,内至脏腑,外达皮肉筋骨,不断地对全身各脏腑等组织器官发挥着营养作用,以维持其生理活动。血中有大量的津液,所谓血液的濡润作用,是指血液对于脏腑组织、皮毛孔窍、关节筋肉产生的滋濡滑润作用。

血的营养和滋润作用正常,表现为面色红润,肌肉丰满、壮实,皮肤、毛发、孔窍润泽,感觉和肢体运动灵活自如,关节滑利等。如果血的生成不足或持久地过度耗损,或血的营养和滋润作用减弱,均可引起全身或局部产生血虚的病理变化,可见头昏目花、面色不华或萎黄、毛发干枯、肌肤干燥、孔窍干涩、肢体关节屈伸不利或肢端麻木、尿少便干等临床表现。

2. 运载作用

血的运载作用包括两方面内容:一是吸入体内的清气与脾转输至肺的水谷精微,在肺的气化作用下渗注于肺脉之中,由血液将两者运载于全身,以发挥其营养作用。此即血能藏气、寓气、载气。弥散飘逸的气,必须依附于有形之血,形成"气血复合体",才能在体内输布;二是脏腑组织代谢后所产生的浊气浊物,必须通过血液的运载才能到达于肺,在肺中进行清浊交换,呼出体外。因此血的运载作用失常,人身之气的新陈代谢就会受到影响,甚至危及生命。

3. 血是精神活动的基本物质基础

神是人体生命活动外在表现的总称。神不仅是脏腑生理功能的综合反映,而且对脏腑生理活动起着主宰和调节作用,神之功能的正常发挥离不开血液对脏腑的充分濡养,因此血是神的主要物质基础。人的精力充沛、神志清晰、思维敏捷、情志活动正常等,均有赖于血气的充盛,血脉的调和与畅利。机体的感觉灵敏,肢体活动自如也必须依赖于血液的营养和滋润作用,因此不论何种原因形成的血虚、血热或血行失常,均可以出现精神衰退、健忘、多梦、失眠、烦躁、感觉和肢体运动失常,甚则可见神志恍惚、惊悸不安,以及谵狂、昏迷等多种病症。

(四)血的运行

血液的正常运行,受着多种因素的影响,是多个脏腑功能共同作用的结果。血的循行依赖于气的推动和固摄作用的协调平衡,这是维持血液正常循行的基本条件。气的推动作用能促使血液运行不息,保持一定的流速;气的固摄作用能使其在脉管中运行而不至逸出脉外。

气对血的推动、固摄作用是通过各脏腑的生理活动实现的。心为血液循行的动力,脉为血之府,是血液循行的通道,血在心气的推动下在脉中环周不休,运行不息。心脏、脉管和血液构成了一个相对独立的系统。全身的血液,依赖心气的推动,通过经脉而输送到全身,发挥其濡养作用。心气的推动正常与否,在血液循环中起着十分重要的作用。肺主呼吸,朝百脉而调节着全身的气机,辅助心脏推动和调节血液的运行。脾统摄血液,五脏六腑之血全赖脾气的约束,脾气健旺,气血旺盛,则气之固摄作用健全,血液就不会逸出脉外。肝具有贮藏血液和调节血流量的功能,既可防止失血,又可根据人体的动静,调节脉管中的血流量,使脉中循环血量维持一定的水平;肝又能疏泄气机,有利于血液的畅行。此外脉道是否通利,血的或寒或热等因素,亦直接地影响着血液的运行。总之,血液的正常运行必须具备三个条件:其一,血液充盈,寒温适度;其二,脉管系统通畅完好;其三,心、肺、肝、脾等脏功能正常,特别是心脏的作用尤为重要。

四、津液

(一)津液的概念

津液是机体一切正常水液的总称,包括各脏腑组织的内在体液及其正常的分泌物,如胃液、肠液和涕、泪等。在机体内除血液之外的其他所有正常液体都属于津液。

津液广泛地存在于脏腑、形体、官窍等器官的组织之内和组织之间,不但是组成人体的基本物质,也是维持人体生命活动的重要物质。

津与液虽同属水液,但在性状、功能及其分布部位等方面有一定的区别。质地清稀,流动性大,主要布散于体表皮肤、肌肉和孔窍等部位,并渗入血脉,有滋润作用者称为津;质地较为稠厚,流动性较小,灌注于骨节、脏腑、脑、髓等组织,有濡养作用者称为液。津和液本届一体,同源于饮食水谷,均赖脾胃的运化而生成。两者在运行、代谢过程中可相互补充、互相转化,在病变过程中又可以相互影响,故津与液常并称,一般不予严格区别,只是在"伤津"和"脱液"的病理变化时,因有津伤易补而脱液难复之殊,而在临床辨证论治中加以区别对待。

(二)津液的代谢

津液的代谢是指津液的生成、输布和排泄过程。这一过程是多个脏腑相互配合的结果。

1. 津液的生成

津液来源于水谷,主要通过脾胃以及大、小肠等脏腑的消化吸收功能而生成。其基本过程是:饮食入胃,经过胃的腐熟消化,小肠的泌别清浊,吸收水谷中的营养物质和水分,赖脾气之升清,将胃肠吸收的津液上输于肺,而后输布全身,代谢后的水液经肾送入膀胱。另外大肠也能吸收糟粕中的水分,故曰"大肠主津"。可见津液的生成过程是在脾的主导作用下,胃、小肠、大肠共同参与完成的。

2. 津液的输布

津液生成之后,凭借脾、肺、肾、肝和三焦的作用,完成在体内的输布。

脾对津液的输布通过两个途径:一是将胃、小肠、大肠吸收的津液凭借其升清之力,"上归于肺";二是"脾气散精",直接将津液布散于全身,濡养脏腑组织。所谓"脾气散精",是指脾气推动和调节津液的输送、布散,防止水液在体内停滞的功能。

肺为水之上源,有促进水液输布与排泄的作用。肺凭借着宣发、肃降和气化活动实现这一功能:其一,在肺气的宣发作用下,将脾转输而来的津液布散于人体上部及体表,部分水液经卫气的作用,化为汗液排出体外,另有部分津液化为水气,从口鼻呼出。其二,在肺气的肃降作用下,将津液经水道下输于肾及人体下部。可见肺气的宣发、肃降在维持水液代谢平衡方面发挥重要作用。《内经》将肺的这一主要功能概称为肺主"通调水道"。

肾对津液的输布表现在两个方面:一是直接作用,即肾阳的蒸腾气化,对津液进行加工处理,将其中之清者吸收后复归于肺,重新参与体内津液的循行输布,剩余的浊者化为尿液,下注于膀胱。肾对津液的蒸化作用,是根据体内津液的多少和机体的需求,通过尿量的增减来调节体内津液总量的平衡。二是间接作用,即肾阳通过对脾、肺、肝、胃、小肠、大肠等脏腑发挥推动和温煦作用,促进人体对津液的吸收和输布。可见肾在津液的输布过程中发挥着关键性的作用,故《素问·逆调论》说:"肾者水脏,主津液。"

肝主疏泄气机,津液的输布赖气机的升降出入运动,气行则津布,若肝失疏泄,气机郁滞日久,就会形成气滞津停的病理变化。

三焦是津液在体内输布、运行的通道,具有运行津液的功能。三焦气化正常,水道通利,津液就能畅通协调地在体内布散。

3. 津液的排泄

津液的排泄与津液的输布一样,主要依赖于肺、脾、肾等脏腑的综合作用。肺气宣发,将津液输布到体表皮毛,津液经阳气蒸腾气化而形成汗液,由汗孔排出体外;肺在呼气时也带走部分津液(水分)。尿液为津液代谢的最终产物,其形成虽与肺、脾、肾、大肠、小肠等脏腑密切相关,但以肾为关键。在肾的气化作用下,将人体多余的水分化为尿液,注流于膀胱,排出体外。大肠接受来自小肠的食物残渣,吸收其中的水液,残余的水液和食物残渣由大肠以粪便的形式排出体外。

综上所述,津液的生成、输布、排泄,依赖于气和许多脏腑的综合作用。其中肺、脾、肾三脏的生理功能起着主要的调节平衡作用,津液在体内的升、降、出、入是在肾的气化蒸腾作用下,以三焦为通道,随着气的运动布散于全身而环流不息的。因此不论是气的病变还是肺、脾、肾等脏腑的病变,均可影响津液的生成、输布、排泄,破坏津液的代谢平衡,从而形成伤津、脱液等津液不足的病理变化,或者形成水、湿、痰、饮等津液环流障碍,水液停滞积聚的病变。

(三)津液的主要功能

津液主要有滋润营养、化生血液及运载的功能。

1. 滋润营养作用

津液含有丰富的营养物质,有滋润和濡养的功能。津的质地清稀,其滋润作用较为明显;液的质地较为稠厚,其营养作用较为突出。人体各脏腑组织在其活动的始终均离不开津液的滋润和营养作用,如津液布散于肌表,则滋养肌肤毛发;流注于孔窍,则滋养和保护眼、鼻、口等;灌注于脏腑,则滋养内脏;渗入于骨腔,则充养骨髓、补充脑髓和脊髓等;流注关节,则对关节屈伸起着润滑作用等。

2. 化生血液作用

津液是血的主要组成部分,是血液生成的重要物质。脉外津液经孙络渗入血脉之中,即成为血液的基本成分,如《灵枢·痈疽》说:"中焦出气如露,上注溪谷,而渗孙脉,津液和调,变化而赤为血。"

3. 运载作用

津液是气的载体之一。津液属阴,气属阳,脉外的无形之气必须依附于有形的津液,才能运行于体内各处。人体之气依附于津液,形成"气津(液)复合体"而存在,运动、变化于津液之中。当汗、吐、下而丢失大量津液时,气便会随之脱失,即谓气随津脱或气随液脱,故有"大汗亡阳"、"吐下之余,定无完气"之说。

在津液的代谢过程中,不仅运载着无形之气,发挥其滋润和营养作用,而且也将机体代谢后的废物运输到有关排泄器官,以汗、尿形式及时地排出体外,以保障各组织器官生理活动的正常进行。如经皮肤汗孔排出的汗,经肾与膀胱排出的尿,其中除大量的水分外,就包含有许多代谢废物,从而净化机体的内环境。若津液的运载作用失常,则排泄功能障碍,废物就会潴留于体内而产生多种病理变化。

五、精、气、血、津液之间的关系

人体的精、气、血、津液在性状、功能及分布上虽然各有不同的功能和特点,但四者均为构成人体和维持人体生命活动的基本物质,其组成均赖脾胃化生水谷精微的不断补充,在脏腑的功能活动和神的主导下,又存在着相互依存、相互促进、相互转化的密切关系。

(一)精与气的关系

1. 精能化气

藏于肾中的精可以化生元气,水谷之精也可以化生营气。精为气化生的本源,精足则人体之气得以充盛,从而布达全身,促进脏腑组织的生理活动。同时在精的滋养作用下,脏腑功能强健,也就促进了气的生成。故精足则气旺,精亏则气衰,精虚及失精的病人常常同时伴有气虚的症状。

2. 气能生精

气生精是指气的运行不息能促进精的化生。脏腑之气充足,功能旺盛,不断地吸收运化水谷之精,则脏腑之精充盈。因此精的化生依赖于气的充盛。气不但能促进精的化生,而且又能固摄肾精,使精聚而充盈,不致无故耗散外泄。若气虚则精的化生不足,或精不固聚,均可导致精亏、失精的病症。

(二)精与血的关系

精与血之间,存在着相互资生、互相转化的关系,二者都来源于水谷,均经过有关脏腑的一系列生理活动而生成,故称为"精血同源"。

1. 精能化血

精是化生血液的主要物质,其中包括水谷之精与肾精,故称"血即精之属","精足则血足"。如果水谷之精不足或肾精亏损,血液生成乏源,均可导致血虚的病变。

2. 血能生精

人体的精主要贮藏于肾,来源于水谷,在其生成与转输过程中,血液是其重要的环节。所以血虚也可导致精亏。

(三)精与津液的关系

精与津液的关系,主要是指水谷之精与津液而言。水谷之精与津液同源于水谷,生成于脾胃。水谷经脾胃的消化吸收而生成水谷精微,其中既有水谷之精,又有津液在内,两者是同生同化的。在病变情况下有精亏而伴有津液不足者,有津液不足而致精虚者。

(四)气与血的关系

气与血是两类物质,在生命活动中均占有重要的地位,故曰:"人之所有者,血与气耳。"

气属于阳,主动,主温煦;血属阴,主静,主濡润,这是气与血在属性和生理功能上的区别。但两者都源于脾胃化生的水谷精微和肾中精气,故在生理上又是密切联系的,气与血相辅相成,相互依存,相互资生,共同维系并促进生命活动。气与血的这种关系可以用"气为血之帅,血为气之母"概括。具体地说有气能生血、行血、摄血和血能化气、载气五个方面的关系。

1. 气能生血

气生血是指气参与并促进血液的生成。体现在三个方面:一是营气直接参与血的生成,是血液的主要组成部分;二是气的间接作用。因为气的气化功能是血液生成的动力,可促进脾胃从饮食物中吸收水谷精微,转化为血液;三是脏腑之气的直接参与。从水谷精微的化生,到心肺将精微物质转化为血液,都不能离开脾、胃、心、肺之气的参与,"血不独生,赖气以生"。气能生血,气旺则血充,气虚则血少,所以气虚日久常可导致血液生成不足而成血虚证。临床治疗血虚证或气血两虚证时,根据这一理论,在补血的同时加用益气之品,以达到益气生血的目的。

2. 气能行血

气行血是指气的推动作用是血液循行的动力。气一方面可以直接推动血行,如宗气;另一方面通过脏腑之气推动血液运行,如心气的推动、肺气的宣发布散、肝气的疏泄条达等,均有促进血液循行的重要作用。如果气虚推动无力,或气滞血行不利,均可导致血行迟缓,甚至形成瘀血;气机逆乱,血行亦随气的升降出入异常而逆乱,从而出现血随气升的病证。故临床治疗血行失常的病证时常加用补气、行气、降气之药。

3. 气能摄血

血在脉中运行而不逸出脉外,主要依赖于气的固摄作用。统领固摄血液之气,主要为脾气,故称"脾统血"。若脾气虚不能统摄血液,则血不行常道而外逸,从而导致多种慢性出血的病证,治疗时宜用补气摄血的药物。

4. 血能化气

血能化气体现于两方面:一是在机体对气的需求量增加时,血中蕴涵的清气和水谷精气(主要是营气)便从血中释放,以供机体之所需;二是血营养着与气生成的相关内脏(即肺、脾胃、肾),使之化气的功能活跃,不断地化生机体所需之气。所以说血能化气,血盛则气旺。临证常见久病血虚之人,有气虚之症。

5. 血能载气

血液具有运载水谷精气、自然清气的功能,故称"血能载气"。由于气的活力很强,易于弥散,所以气必须依附于血,形成"气血复合体"而存在于体内。"血能载气"即是指气附于血中,赖血之运载而布达全身,故大失血者,则气无所附,可见气随血脱之证,宜速以大剂独参汤峻补脱失之气。

(五)气与津液的关系

气属阳,津液属阴,这是气和津液在属性上的区别,但两者均源于脾胃所运化的水谷之精,在生成和输布过程中密切相关。津液的代谢,离不开气的升降出入运动和气的温煦、气化、推动及固摄作用;气在体内的存在,既依附于血,亦依附于津液,故津液亦是气的载体。

1. 气能生津

气生津液是指气是津液生成的主要物质和动力。气推动和激发脾胃的功能活动,使中焦之气旺盛,运化正常,则津液化生充足,因此津液的生成离不开气的作用。临床上对于津亏而口干咽燥的病症常以西洋参含服,即是气能生津的具体应用。

2. 气能行(化)津

气行津液是指气的运动是津液输布排泄的动力。津液的输布及其化为汗、尿等排出体外,全赖于气的升降出入运动,这一过程主要是通过脾气的"散精"转输、肺气的宣发肃降、肾气的蒸腾气化,促使津液输布于全身而流行不止,并使经过代谢的多余津液转化为汗液和尿液排出体外,从而使津液的代谢维持生理平衡。若气的升降出入运动不利时,津液的输布和排泄亦随之受阻;或由于某种原因,津液的输布和排泄受阻而发生停聚时,则气的升降出入运动,亦随之而不利。因此气虚、气滞可致津液停滞,即气不行(化)水;津液停聚可致气机不利,即水停气滞(阻)。从而出现气滞与水湿、痰、饮并存的复杂病理变化,故临床上常有行气与利水、健脾益气与祛湿并用的治疗方法。

3. 气能摄津液

气摄津液是指气的固摄作用控制着津液的排泄。津液经过机体利用后剩余水分的排泄,既不能潴留于体内,又不能排泄太过。这一过程除有赖于气的推动和气化作用外,还必须依赖气的固摄,才能维持津液代谢的正常平衡。气对汗、尿的固摄,主要是肺、肾、膀胱之气的功能。如果气虚而固摄无力,可见多汗、遗尿等病症。故临床上常用益气固摄之法,以奏止汗、止遗之效。

4. 津液载气

津液载气指津液是气在体内运行的载体,气必须依附于津液,形成"气津(液)复合体"而流布全身。血能运载营气,津液能运载卫气。若津液载气作用失常,既可因痰饮、水湿内停,阻碍气机而出现局部胀满的"津停气阻"之证,也可因大吐、大泻、大汗等津液大量流失而气随之外脱,形成"气随津脱"之证。前者以利水、祛湿、化痰之法为主治之则气行胀满自除,后者常以益气养阴之法调理。

5. 津液化气

津液能化气是指津液能促进气的生成,为气的生成提供充分的营养。一方面津液能滋养与气生成的相关内脏(如肺、脾胃、肾),使其化气的功能活跃,不断地产生人体所需之气。另一方面脉外之津液能载气,当机体对气的需求量增加时,蕴涵于津液之中的气(尤其是卫气)便从津液之中游离出来,补充机体所需。由于肺能行津液,又是气生成的重要部位,所以津液化气与肺的功能密切相关,在病理上,多汗、多尿以及吐泻太过等使津液不足的病症,都能导致气虚。

(六)血与津液的关系

血与津液均是属阴的液态物质,都有营养和滋润作用,二者密切相关。

血与津液的生理关系主要表现为"同源"和"互化"。所谓"津血同源"是指血和津液都是由中焦脾胃消化吸收的水谷精微生成。所谓"津血互化"(又称"津血互生")是指血和津液在全身循行、输布的过程中,血中的津液渗出于脉外,成为经脉之外的津液,流布于全身各组织器官之中,起着滋润和营养的作用,此即血能化生津液;脉外的津液在濡养组织器官的同时,有一部分通过孙络渗入脉内,又成为血液的组成部分,此即津液能化血。

以上津液和血液的生成、血液的贯注与回流、津液出入于脉管内外等生理过程,充分体现了血与津液之间相互依存、相互转化、同源互根的关系。在病理情况下,血与津液的病变可相互影响,如在失血过多时,脉外之津液大量渗注于脉内,以补偿血容量的不足,因而导致脉外津液的亏损,出现口渴、尿少、皮肤干燥等病理现象。反之在津液大量耗损时,不仅渗入脉内之津液减少,甚至脉内之津液亦可较多地渗出于脉外,这样就形成了血脉空虚,津枯血燥的病变。因此对于失血的病人,临床上不宜采用汗法;对于多汗夺津或津液大亏的病人,亦不可妄用破血、逐血之峻剂。此即"津血同源"理论在临床上的实际应用。

人体生命活动的基本物质,主要包括精、气、血和津液(或称气血阴阳),都是构成人体和维持人体生命活动的物质基础。

精气血津液学说是中医基础理论的重要内容之一,是研究人体生命活动基本物质的生成、输布、生理功能及其相互关系的理论,与脏腑、经络、形体官窍等共同组成了中医正常人体学的内容,系统地阐述了人体的结构、功能及其相互关系。因此在中医学理论体系中,其与脏腑、经络、体质等学说具有同等重要的地位。

第三节　经　络

经络是人体结构的重要组成部分,其与脏腑、形体官窍等组织器官,共同构成了完整的人体。经络是经脉和络脉的总称。经脉是经络系统中的主干部分,多行于人体的深部,有一定的循行路径;络脉是经脉小的分支,多行于较浅的部位,纵横交错,网络全身。经络遍布周身,彼此相贯,通过有规律的循行和复杂的网络交汇,把人体脏腑、肢体、官窍等紧密地连结成统一的有机整体,从而保障了人体生命活动的有序进行。

一、经络的意义和经络学说的主要内容

(一)经络的意义

经络是运行全身气血,联络脏腑肢节,沟通上下内外的通路。经,有路径的意思,是经络系统的主干;络,有网络的意思,是经脉的分支,纵横交错,网络全身。经脉大多循行于深部,有一定的循行路径。络脉循行于较浅的部位,有的络脉还显现于体表。经络把人体所有的五脏六腑、四肢百骸、五官九窍、皮肉筋脉等组织器官联结成一个统一的有机整体,使人体内的机能活动保持相对的协调和平衡。

(二)经络学说的主要内容

经络系统是由经脉和络脉组成,在内连属于脏腑,在外连属于筋肉、肢节和皮肤。

经脉分为正经和奇经两类。正经有十二条,即手足三阴经和手足三阳经,合称"十二经脉",是气血运行的主要通道,十二经脉有一定的起止、一定的循行部位和交接顺序,在肢体的分布和走向有一定的规律,同脏腑有直接的络属关系。奇经有八条,即督、任、冲、带、阴跷、阳跷、阴维、阳维,合称"奇经八脉",有统率、联络和调节十二经脉的作用。十二经别是从十二经脉别出的经脉,具有加强十二经脉中相为表里的两经之间在体内的联系,并通达某些正经未循行到的器官和形体部位,以补正经之不足。此外,尚有十二经筋、十二皮部。十二经筋是十二经脉之气结、聚、散、络于筋肉、关节的体系,有约束骨骼,主司关节屈伸运动的作用;十二皮部是十二经脉的功能活动反映于体表的部位。

　　络脉有别络、浮络和孙络之分。别络是较大的和主要的络脉,共 15 条,其中十二经脉与督脉、任脉各有一条别络,再加上脾之大络,合为"十五别络"。别络的主要功能是加强相为表里的两条经脉之间在体表的联系。浮络是浮现于体表的络脉,孙络是最细小的络脉,两者难以计数,遍布全身。

二、经络的功能与作用

(一)经络的生理功能

　　经络的功能活动,称之为"经气"。其生理功能主要在如下四个方面。

1. 沟通表里上下,联系脏腑器官

　　由于十二经脉及其分支纵横交错,通达上下,入里出表,相互络属于脏腑,奇经对十二正经的贯通联络,以及其他诸经对全身各组织的联系,从而使机体五脏六腑、四肢百骸、五官九窍、皮肉筋骨等组织器官有机地联系起来,构成一个彼此之间紧密联系的统一整体。

2. 通行气血,濡养脏腑组织

　　人体各个组织器官均需气血濡养,才能维持其正常的生理活动,而气血之所以能通达全身,发挥其营养脏腑组织器官,抗御外邪,保卫机体的作用,则必须赖于经络的传注。所以《灵枢·本脏》说:"经脉者,所以行血气而营阴阳,濡筋骨,利关节者也。"

3. 调节机能

　　人体各脏腑组织器官之间,通过经络相互沟通,以维持机体活动的协调平衡。在患病时,出现气血不和及阴阳偏胜偏衰的证候,可通过针灸等治疗手段,激发经络的调节作用,"泻其有余,补其不足",促使机体恢复到正常状态。

4. 感应传导作用

　　感应传导是指经络系统对于针刺或其他刺激的感觉传递和通导作用。针刺中的"得气"现象和"行气"现象就是经络传导感应作用的表现。

(二)阐释病理变化

　　在正常生理状态下,经络具有运行气血和感应传导的作用,而在发生病变时,经络就成为传递病邪和反映病变的途径。这就指出了经络是外邪从皮毛腠理内传于脏腑的传注途径。由于脏腑之间通过经脉沟通联系,所以经络还可成为脏腑之间病变相互影响的途径。如肝经挟胃入肺,肝病则可侵犯肺、胃。至于相为表里的两经,更因络属关系,而使互为表里的脏和腑在病理上相互影响。如心火可循经下移于小肠,而小肠有热亦可上熏于心。经络也是脏腑与体表组织之间病变相互影响的途径,通过经络的传导,内脏的病变可以反映于体表,表现出某些或特定部位的异常。如足厥阴肝经抵小腹,布胁肋,故肝气郁结,常见两胁及小腹胀痛等。

(三)指导疾病的诊断

　　由于经络有一定的循行部位和络属脏腑,可以反映所属脏腑的病证,因而在临床上,就可根据疾病症状出现的部位,结合经络的循行走向及所联系的脏腑,作为疾病诊断的依据。

三、经络系统的组成

　　经络系统主要包括十二经脉、奇经八脉、十五别络,以及从十二经脉分出的十二经别。经络系统结构如表 3:

表 3　经络系统简表

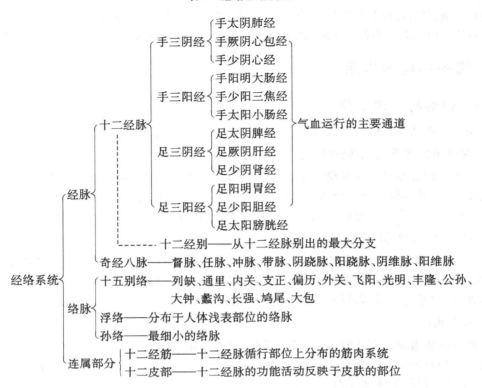

四、十二经脉

(一)十二经脉的命名

　　十二经脉对称地分布于人体的两侧,分别循行于上肢或下肢的内侧或外侧,每一经脉分别属于一个脏或一个腑,因此十二经脉中每一经脉的名称,包括手或足、阴或阳、脏或腑三个部分。手经行于上肢,足经行于下肢;阴经行于四肢内侧,属脏,阳经行于四肢外侧,属腑,见表4。

表 4　十二经脉名称分类、循行分布规律表

	阴经 (属脏)	阳经 (属腑)	循行部位 (阴经行于内侧,阳经行于外侧)	
手	太阴肺经	阳明大肠经	上肢	前部
	厥阴心包经	少阳三焦经		中部
	少阴心经	太阳小肠经		后部
足	太阴脾经*	阳明胃经	下肢	前部
	厥阴肝经*	少阳胆经		中部
	少阴肾经	太阳膀胱经		后部

　　* 在小腿下半部和足背部,肝经走在前缘,脾经走在中线。至内踝上八寸处交叉之后,脾经走在前缘,肝经走在中线。

（二）十二经脉在体表的分布规律

十二经脉在体表的分布也有一定规律。在四肢部，阳经分布于四肢的外侧面，阴经分布于四肢的内侧面。外侧分三阳，内侧分三阴，大体上，阳明、太阴在前缘，太阳、少阴在后缘，少阳、厥阴在中线。在头面部，阳明经行于面部、额部；太阳经行于面颊、头顶及头后部；少阳经行于头侧部。在躯干部，手三阳经行于肩胛部；足三阳经则阳明经行于前（胸腹部），太阳经行于后（背腰部），少阳经行于侧面。手三阴经均从腋下走出，足三阴经均行于腹。循行于腹部的经脉，自内向外的顺序为足少阴、足阳明、足太阴、足厥阴。

（三）十二经脉的走向和交接规律

十二经脉的走向和交接是有一定规律的。即：手三阴经从胸腔走向手指末端，交手三阳经；手三阳经从手指末端走向头面部，交足三阳经；足三阳经从头面部走向足趾末端，交足三阴经；足三阴经从足趾走向腹、胸腔，交手三阴经。这样就构成一个"阴阳相贯，如环无端"的循环路径（图4）。

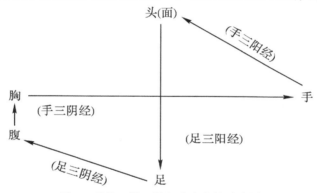

图4　手足三阴三阳经走向交接示意图

（四）十二经脉的表里络属规律

手足三阴、三阳，通过经别和别络互相沟通，组合成六对"表里相合"关系。手阳明大肠经与手太阴肺经为表里；手少阳三焦经与手厥阴心包经为表里；手太阳小肠经与手少阴心经为表里；足阳明胃经与足太阴脾经为表里；足少阳胆经与足厥阴肝经为表里；足太阳膀胱经与足少阴肾经为表里。在循环路线上，凡是有表里关系的两条经脉，均在四肢末端交接，分别循行于四肢内外两个侧面的相对位置。由于手足阴阳十二经脉存在着这种表里关系，所以在生理上是互相配合，在病理上也是互相影响的。

互为表里的阴经与阳经在体内有络属关系，即阴经属脏络腑，阳经属腑络脏。如手太阴肺经属肺络大肠，手阳明大肠经属大肠络肺；足阳明胃经属胃络脾，足太阴脾经属脾络胃；手少阴心经属心络小肠，手太阳小肠经属小肠络心；足太阳膀胱经属膀胱络肾，足少阴肾经属肾络膀胱；手少阳三焦经属三焦络心包，手厥阴心包经属心包络三焦；足少阳胆经属胆络肝，足厥阴肝经属肝络胆。十二经脉的表里络属关系，正是由于表里的两条经脉的衔接而加强了联系，而且由于相互络属于同一脏腑，因而使相为表里的脏腑在生理功能上相互协调配合，在病理上也相互影响，在治疗上亦相互为用，如心火可下移小肠等。在治疗上，相为表里络属的两条经脉的俞穴可交叉使用，如脾经的穴位可用以治疗胃或胃经的疾病。

(五)流注次序

十二经脉分布在人体内外,经脉中的气血运行是循环贯注的,从手太阴肺经开始,依次传至足厥阴肝经,再传至手太阴肺经,首尾相贯,如环无端。其流注次序如表5。

表5　十二经脉流注次序表

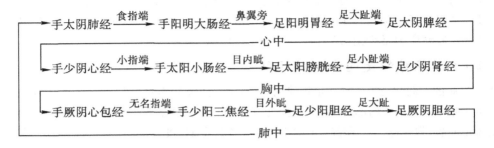

五、奇经八脉

奇经八脉是督脉、任脉、冲脉、带脉、阴跷脉、阳跷脉、阴维脉、阳维脉的总称,奇是奇异的意思,奇经八脉的分布和作用有异于十二正经;又因其与脏腑没有直接的相互络属,相互之间也没有表里关系,故称"奇经"。

奇经八脉纵横交叉于十二经脉之间,具有加强十二经脉之间的联系,调节正经气血的作用。凡十二经脉中气血满溢时,则流注于奇经八脉,蓄以备用;不足时,也可由奇经给予补充。奇经与肝、肾等脏及女子胞、脑、髓等奇恒之腑的关系较为密切,相互之间在生理、病理上均有一定的联系。

八脉之中,督、任、冲三脉均起于胞中,同出会阴。称为"一源三歧"。其中督脉后行于腰、背、项、头后部的正中线,上至头面,入脑,贯心,络肾,在生理上能总督一身阳经,故又称"阳脉之海",并与脑、髓、肾的功能有密切联系。任脉前行于腹、胸、颈、面部的正中线,在生理上能总任一身之阴经,故又称"阴脉之海"。并与妊娠有关,故又有"任主胞胎"的说法。冲脉并足少阴肾经挟脐而上,环绕口唇,十二经脉均来汇聚,故称为"十二经脉之海",因冲脉与妇女月经有密切关系,故又称"血海"。由于督、任二脉各有其循行的部位和所属腧穴,故与十二正经相提并论,合称为"十四经"。

带脉起于胁下,束腰而前垂,统束纵行诸经,故有"诸脉皆属于带脉"之说,并有固护胎儿的作用。阴跷脉左右成对,起于足跟内侧,随足少阴等经上行,至目内眦与阳跷脉会合;阳跷脉左右成对,起于足跟外侧,伴足太阳等经上行,至目内眦与阴跷脉会合,沿足太阳经上额,于项后会合于足少阳经。阴阳跷脉分主一身左右的阴阳,共同调节下肢的运动和眼睑的开合功能。阴维脉左右成对,起于小腿内侧足三阴交会之处,沿下肢内侧上行,经腹、胁,与足太阴脾经、足厥阴肝经会合后,复上行挟咽与任脉相并,主一身之里;阳维脉左右成对,起于小腿外侧外踝的下方,沿下肢外侧上行,经躯干部的外侧,上腋、颈、面颊部而达额与督脉相并,主一身之表。阴阳维脉维络诸阴经或阳经,使阴经或阳经的功能协调。

六、经别、别络、经筋、皮部

（一）经别

就是从十二经脉别出的经脉。其循行特点，可用"离、合、出、入"来概括，即从十二经脉的四肢部分（多为肘、膝以上）别出（称为"离"），走入体腔脏腑深部（称为"入"），然后浅出体表（称为"出"）而上头面部，阴经的经别合入阳经的经别而分别注入六条阳经（称为"合"）。

经别主要生理作用：具有加强十二经脉中相表里的两经之间在体内的联系，并通达某些正经未循行到的器官和形体部位，以补正经之不足；加强了十二经脉在头面的联系，及体表与体内、四肢与躯干的向心性联系；扩大了十二经脉的主治范围。

（二）别络

别络亦为经脉分出的支脉，大多分布于体表。别络是较大的和主要的络脉，共 15 条，其中十二经脉与督脉、任脉各有一条别络，再加上脾之大络，合为"十五别络"。别络的主要功能是加强相为表里的两条经脉之间在体表的联系；对全身无数细小的络脉起着主导和统率作用；灌渗气血以濡养全身。

（三）经筋

十二经筋是十二经脉之气结、聚、散、络于筋肉关节的体系，有约束骨络，主司关节屈伸运动的作用。

（四）皮部

皮部就是指十二经脉及其所属络脉在皮表的分区，也是十二经脉之气的散布所在。即十二皮部是十二经脉的功能活动反映于体表的部位。

第四节 体 质

体质是一个重要的医学命题，中医学对于体质问题的认识由来已久，始创于《内经》，基本成熟于明清时期，中医体质学说融生物学、人类学、心理学和医学科学于一体，以研究人类体质的形成、体质的特征、体质的类型、体质的差异及其与疾病发生、发展和影响的关系等为主要内容。它是中医学对人体认识的一部分，在养生保健和防治疾病等方面均具有重要意义。

一、体质的基本概念

（一）体质的含义

体质的"体"，指形体、身体，可引申为躯体和生理；"质"指特质、性质。体质是禀受于先天，调养于后天，在生长、发育过程中所形成的形态结构、生理机能和心理状态等与自然、社会环境相适应的人体个性特征。它充分体现出中医学"形神合一"的体质观。

（二）体质的形成

体质的形成是机体内外环境多种复杂因素共同作用的结果，主要与先天因素和后天因素两个方面密切相关。

1. 先天因素

先天因素是指小儿出生以前在母体内所禀受的一切特征。先天因素是体质形成的基础,是人体体质强弱的前提条件。父母生殖之精气的盛衰,决定着子代禀赋的厚薄强弱,从而影响着子代的体质。父母的体质是子代体质的基础,父母体质的强弱,使子代禀赋有厚薄之分,表现出子代身体强弱、肥瘦、肤色,乃至先天性生理缺陷及遗传性疾病。

2. 后天因素

后天因素是指人从出生到死亡前的生命历程。后天因素可分为机体内在因素及外界因素,前者包括性别、年龄、心理因素等,后者包括自然环境因素和社会环境因素。人的体质在后天各种因素的综合影响下可不断发生变化,对体质的形成起着重要作用。良好的生活环境,合理的饮食起居,稳定的心理情绪,可增强体质,促进身心健康。反之则体质衰弱,甚至产生疾病,改善后天体质形成的条件,可弥补先天禀赋之不足,从而使弱者的体质得到增强。

二、体质的分类

(一)体质的分类方法

体质的分类方法是认识和掌握体质差异性的重要手段。中医学体质的分类,是以整体观念为指导思想,主要是根据中医学阴阳五行、脏腑、精气血津液等基本理论,来确定人群中不同个体的体质差异性。其具体分类方法有阴阳分类法、五行分类法、脏腑分类法、体弄肥瘦分类法以及禀性勇怯分类法等。

(二)常用体质分类法及其特征

理想的正常体质应是阴阳平和之质,但是人体的阴阳在正常生理功能状态下,总是处于动态的消长变化之中,使正常体质出现偏阴或偏阳的状态。一般来说,人体正常体质大致可分为阴阳平和质、偏阳质和偏阴质三种类型。

1. 阴阳平和体质

阴阳平和体质是功能较为协调的体质类型。其体质特征为:身体强壮,胖瘦适度,面色与肤色虽有五色之偏,但都明润含蓄;目光有神,性格开朗、随和;食量适中,二便通畅;舌质红润,脉象缓匀有力;夜眠安和,精力充沛,反应灵敏,自身调节和对外适应能力强。这种体质的人不易感受外邪,很少生病。

2. 偏阳体质

偏阳体质是指具有偏于亢奋、偏热、多动等特性的体质。其特征为:形体消瘦,但较结实;面色多略偏红,或呈油性皮肤;性格外向,喜动好强,易急躁,自制力较差;食量较大,消化吸收功能健旺;平时畏热喜冷,或体温略偏高,动则出汗,喜饮水;唇、舌偏红,脉多偏阳;精力旺盛,动作敏捷。反应快,性欲强。这种体质的人,多动少静,受邪发病后多表现为热证、实证。

3. 偏阴体质

偏阴体质是指具有偏于抑制、偏寒、多静等特性的体质。其特征为:形体偏胖,但较弱,易疲劳;面色偏白而无华;性格内向。喜静少动,或胆小易惊;食量较小,消化吸收功能一般;平时畏寒喜热,或体温偏低;精力偏弱,反应较慢,性欲偏弱。这种体质的人受邪发病后多表现为寒证、虚证。

三、体质学说的应用

体质学说即是重在研究正常人体的生理特殊性的学说。而体质的特殊性是由脏腑盛衰、气血盈亏所决定的。体质的差异性对疾病的发生发展、转归预后及药物治疗效果均有不同程度的影响,因此体质学说在临床诊疗中具有重要的应用价值。

(一)说明个体对某些病因的易感性

体质因素与人体对某些病邪的易感性密切相关。一般而言,偏阳质者易感受风、暑、热之邪而耐寒。感受风邪易伤肺脏,感受暑热之邪易伤肺胃及肝肾之阴。偏阴质者素体阳虚,形寒怕冷,易感受寒邪而为寒病,寒邪入里,常伤脾肾之阳气。此外,肥人多痰湿,善病中风;瘦人多火,易得痨嗽;老年肾衰,多病痰饮、咳喘,等等。以上均说明体质差异是造成机体易感受某病的主要原因。

(二)指导辨证论治

体质是辨证的基础,体质决定临床证候类型。同一致病因素或同一种疾病,由于患者体质各异,其临床证候类型则有阴阳、表里、寒热、虚实之不同。临床上常见同一地区,同一时期,流行同种外邪,但不同的患者,常见表现不同的证型,或为风热,或为风寒,或为湿热,或为虚证感冒,导致这一差异的因素较多,最重要的莫过于体质的特征。同病异证的主要影响因素,不在于病因而在于体质。感受同种外邪,从热化者素体阴虚,从寒化者素体阳虚。由此可见,病因相同或疾病相同,而体质不同,可出现不同的证候。

体质与论治关系密切,因人论治即是必须结合体质进行辨证论治。如面色白而体胖,属阳虚体质者,感受寒湿阴邪,易从阴化寒、化湿,当用附子、肉桂、干姜等大热之品以温阳祛寒或通阳利湿;如面色红而形瘦,属阴虚体质者,内火易动,若感受寒湿阴邪,反易从阳化热伤阴,治宜清润之品。因此,偏阳质者,多发实热证候,当慎用温热伤阴之剂;偏阴质者,多发实寒证候,慎用寒凉伤阳之药。

"同病异治"和"异病同治"是辨证论治的具体体现。同一疾病,由于体质的差异,可表现出不同的证候,治疗上根据不同的情况,采取不同的治法;而不同的病因或疾病,由于患者的体质在某些方面有共同点,证候随体而化,可出现大致相同的证候,故可采用大致相同的治疗方法。

用药宜忌也应以重视。一般来说,体质偏阳者宜甘寒、酸寒、咸寒、清润,忌辛热温散、苦寒沉降;体质偏阴者宜温补阳气,忌苦寒泻火;素体气虚者宜补气培元,忌耗散克伐。

中医学重视调理,以促其康复。常需多种措施配合,包括药物、食饵、精神心理和生活习惯等。这些措施的具体选择应用,须视患者的体质特征而异。如体质偏阳者病后初愈,慎食狗肉、羊肉、桂圆等温热及辛辣之品;体质偏阴者大病初愈,慎食龟鳖、熟地等滋腻药物和乌梅等酸涩收敛之品。

(三)指导养生

善于养生者,就要修身养性,形神共养,以增强体质,预防疾病,增进身心健康。调养时应根据不同的体质特征,选择合适的方法。

中医学的养生方法很多,主要有顺时摄养、调摄精神、起居有常、劳逸适度、饮食调养及运动锻炼等,无论哪种方法调养,都应与体质特征相适应,才有良好的效果。如在饮食方面,体质偏阳者进食宜凉忌热;体质偏寒者,进食宜温而忌寒;形体肥胖者多痰湿,食宜清淡而忌肥甘;阴寒之体,饮食宜多食温补之品。在精神调摄方面,要根据个体体质特征,采用各种心理调节方法,以保持心理平衡,增进心理健康。如气郁体质者,精神多抑郁不爽,多愁善感,故应注意情感上的疏导,消解其不良情绪;阳虚者,精神多萎靡不振,神情偏冷漠,多自卑而缺乏勇气,应帮助其树立起生活的信心。又如在音乐娱心养性时,也须因个体心理特征的不同,而选择适宜的乐曲。以上这些方法对养生保健、增强体质均具有积极作用。

名词点击

藏象　藏象学说　肺主一身之气　肺朝百脉　肺为水之上源　脾统血　体阴用阳　肾主藏精　水火既济　精血同源　天癸　气(中医学之气)　宗气　气机　精血同源　津血同源　气随津脱　经络　经络学说　奇经　诸阳之会　一源三歧　体质　体质学说　体格　体型

目标检测

1. 具有"藏而不泻"特点的是( )
　A. 五脏　　　　　　B. 六腑
　C. 奇恒之腑　　　　D. 五体

2. 五脏六腑之大主是指( )
　A. 肾　　　　　　　B. 肝
　C. 心　　　　　　　D. 脾

3. 既属"五体",又属"奇恒之腑"之一的是( )
　A. 胆　　　　　　　B. 髓
　C. 脉　　　　　　　D. 女子胞

4. 推动人体生长发育及脏腑机能活动的气是( )
　A. 元气　　　　　　B. 宗气
　C. 营气　　　　　　D. 卫气

5. 下列上走息道而下注气街的是( )
　A. 元气　　　　　　B. 宗气
　C. 营气　　　　　　D. 卫气

6. 气能生津的机理是( )
　A. 气为生津的物质基础
　B. 气为生津的动力
　C. 气为生津的物质基础和动力
　D. 气能化生精气

7. 正经是指( )
　A. 督脉　　　　　　B. 冲脉
　C. 十二经别　　　　D. 十二经脉

8. 手足三阳经在四肢的分布规律是( )
　A. 阳明在前,少阳在中,太阳在后
　B. 阳明在前,太阳在中,少阳在后
　C. 少阳在前,阳明在中,太阳在后
　D. 少阳在前,太阳在中,阳明在后

9. 行于背部正中线的经脉是( )
　A. 任脉　　　　　　B. 督脉
　C 肾经　　　　　　D. 膀胱经

10. 嗜食肥甘厚味,易形成( )
　A. 火旺体质　　　　B. 痰湿体质
　C. 心气虚体质　　　D. 脾气虚体质

想一想

1. 五脏与六腑的主要区别是什么?

2. 肺的主要功能有哪些?

3. 何谓气机? 气的运动形式及其与脏腑关系如何?

4. 气与血的关系是什么?

5. 十二经脉的走向和交接规律如何?

参考答案

1. A 2. C 3. C 4. A 5. B 6. C 7. D 8. A 9. B 10. B

第四章 病 因

学习要点

1. 掌握病因的概念、分类及病因学说的特点。
2. 掌握六淫、疠气的概念和共同致病特点,六淫各自的致病特点及主要病理表现。
3. 掌握七情内伤的概念及致病特点。
4. 掌握饮食失宜、劳逸失度的致病规律和特点。
5. 掌握痰饮、瘀血、结石的基本概念、形成因素和致病特点。
6. 了解外伤、寄生虫、药邪、医源性因素和先天因素的致病概况。

病因即致病因素,又称为病原(古作"病源")、病邪等,泛指能破坏人体相对平衡状态而导致疾病的原因。

导致疾病的原因多种多样,包括六淫、疫气、七情内伤、饮食失宜、劳逸过度、痰饮、瘀血、结石、外伤、寄生虫以及先天因素、医源因素、药源因素等。历代医家均重视研究致病因素的来源、性质和致病特点,提出了不同的病因分类方法。近年来中医学术界综合了历代医家对病因分类的认识,将病因分为外感病因、内伤病因、病理产物性病因和其他病因四类,即将六淫、疫气归属于外感病因,七情内伤、饮食失宜、劳逸过度归属于内伤病因,痰饮、瘀血、结石归属于病理产物性病因,外伤、寄生虫以及先天因素、医源因素、药邪因素归属于其他因素。

中医临床探求病因的方法主要有两种:一是直接询问发病原因,例如详细询问病人是否感受外邪、有无情志因素及外伤、有无接触传染因素等。这种方法简便易行,但实际应用时常受到较多因素的限制或干扰。二是辨证求因,即以疾病的临床表现为依据,通过对疾病症状和体征的综合分析来推求致病因素,这种方法又叫做"审证求因"。

中医病因学说是研究致病因素的性质、致病特点及其临床表现的系统理论。中医认识病因不仅注重研究病因的性质和致病特点,同时立足于探讨各种病因所引起的临床表现,如此才能准确地寻求其致病原因,进行正确的诊断和治疗。

第一节 外感病因

外感病因是指来自外界,从皮毛肌腠、或从口鼻等体表部位侵入人体,引起外感病的致病因素,亦称之为"外邪"。外感病一般发病较急,初起多表现恶寒发热、头痛身痛等表证症状。

外感病因包括六淫、疫气。

一、六淫

风、寒、暑、湿、燥、热(火)六气,是自然界六种不同的正常气候变化,是万物生、长、化、收、藏的必要条件,也可以直接或间接地影响人体之气的消长变化。人们在生活实践中逐步认识到六气变化的规律,并通过自身的调节机制产生一定的适应能力,因此正常的六气变化一般不会使人致病。

六淫,即风、寒、暑、湿、燥、热(火)六种外感病邪的统称。六淫之名,首见于《三因极一病证方论·外所因论》,曰:"夫六淫者,寒、暑、燥、湿、风、热是也。"当气候变化异常,六气发生太过或不及,或非其时而有其气,如春天当温而反寒,秋季当凉而反热;或气候变化过于急骤,如暴寒暴热,超过了一定的限度,使人体不能与之适应,就会导致疾病的发生。这种风、寒、暑、湿、燥、热(火)气候的异常变化,一旦作为外感病邪侵入人体而致病,便称之为"六淫"。当然异常气候变化并非使所有的人都会发病。有的人正气充足,身体健壮,能抵抗这种异常的气候变化就不发病;而有的人正气不足,身体虚弱,不能抵抗这种异常变化就会发生疾病。另一方面,即使是基本正常的六气变化,有的人因正气不足,体质较弱,适应能力低下,也会导致疾病发生。

六淫致病的共同规律:

①外感性 六淫之邪来源于自然界,多从肌表、口鼻侵犯人体而发病,故六淫所致之病为外感病,例如风湿伤于皮腠,温邪自口鼻而入等。六淫致病的初起阶段,每以恶寒发热、舌苔薄白、脉浮为主要临床特征,称为表证。表证不除,多由表及里,由浅入深传变。

②季节性 六淫致病多与季节气候变化密切相关。例如春季多风病,夏季多暑病,长夏多湿病,秋季多燥病,冬季多寒病等。

③环境性 六淫致病常与生活、工作的地区和环境有关。例如西北高原地区多寒病、燥病;东南沿海地区多热病、湿病。生活、工作环境过于潮湿,使人多患湿病;高温环境作业者,则易患火、热、燥病。

④相兼性 六淫既可单独侵袭人体发病,又可两种以上邪气相兼同时侵犯人体而致病。例如风热感冒、风寒湿痹、寒湿困脾等。

⑤转化性 六淫致病在一定的条件下,其证候的病理性质可发生转化。例如感受风寒之邪一般可表现为风寒表证,但也有的表现为风热表证。在疾病的发展过程中也可以从初起的风寒表证转变为里热证。引起六淫致病发生转化的条件,主要为六淫侵入机体过久,失于治疗以及治疗不当,或病人体质的原因。

中医常用"取象比类"的方法认识六淫的性质和致病特点,例如自然界的风,轻扬开泄,善行数变,动摇不定,因此当人体出现汗出恶风、病位游移、发病迅速、变化无常、肢体动摇等症状时,则认为可能是感受了风邪;自然界的湿气,重浊黏滞、质重趋下,因此当人体出现头身沉重、排泄物和分泌物秽浊黏滞不爽、下肢水肿等症状时,则认为可能是感受了湿邪等。

六淫的性质和致病特征,常作为外感病辨证求因的理论依据。邪气性质反映其基本特征,由于邪气性质不同,致病特点因之而异,故分析病因时通常以性质变化来推论致病特点。

六淫致病从现代科学角度来看,除气候因素外,还包括病原微生物(如细菌、病毒等)、物理、化学等多种致病因素作用于机体所引起的病理反应。

(一)风邪

风是春季的主气,但四季皆有风,故风邪致病虽以春季为多,又不局限于春。风邪侵犯人体多从皮毛而入,是六淫中最主要的致病因素,常为寒、湿、燥、火(热)等邪的先导,故称"六淫之首"。风邪是外感发病中较重要和广泛的致病因素。

1. 风为阳邪,其性开泄,易袭阳位

风善动而不居,有轻扬升发、向上、向外的特性,故属阳邪。开泄,是指易使腠理疏泄而开张。升发向上,故风邪常伤及机体上部(头面)、阳经和肌表,出现头痛、鼻塞、咽痒、身背项痛、汗出恶风等症状态。

2. 风性善行而数变

风邪具有行无定处,病位游移的特性。如"行痹"(又称风痹),症见游走性关节痛、痛无定处;又如风疹,除有皮肤瘙痒外,还有起病急、迅速及它处或此起彼伏、发无定处的特点。故风为先导之邪,多具有发病急、传变快的特点,如外感、小儿风水病等皆属此类。

3. 风为百病之长

长者,首领之意也。风邪致病变化最多、最快,其为六淫病邪的首要致病因素。其余寒、暑、湿、燥、火诸邪多依附于风邪而侵及人体致病,如外感风寒、风热、风湿、风燥等。

4. 风性主动

风主动,即动摇不定。如临床常见之头目眩晕、双目上视、颈项强直、震颤抽搐等,均与风邪有关。

(二)寒邪

寒为冬季的主气。冬季气温低兼常有气温骤降,若人体防寒保暖不当,则易感寒邪病证;汗出当风、淋雨雪或饿冻露宿亦常为感受寒邪途径。感寒有伤寒、中寒之区别:寒邪伤及肌表,郁遏卫阳,称为"伤寒";寒邪直中于里,伤及脏腑阳气,称为"中寒"。另凡阳虚者,又感外寒,且积久不散时易损体内阳气,亦致内寒形成。寒邪的性质及其致病特点如下:

1. 寒为阴邪,易伤阳气

"阴盛则寒",故寒为阴气盛的表现。其性属阴,故寒为阴邪,人体的阳气本可制约阴寒,但当阴寒邪气偏盛时,体内阳气不仅不足以驱除阴寒,反被阴寒所侮,阳气受损,失其正常的温煦气化作用,故呈阳气衰退的寒证。如外寒侵袭肌表,卫阳被遏,出现恶寒;寒邪直中太阴,脾阳受损,见脘腹冷痛、呕吐、腹泻等。

2. 寒性凝滞

"凝滞"即凝结、阻滞、不通之意。人体内气血津液运行通畅,全赖阳气的温煦、推动。寒邪犯体,阴邪偏盛,阳气受损,会使经脉气血凝结,阻滞不通,不通则痛,故见各种疼痛证;如头项强痛、骨节疼痛之太阳伤寒证,关节疼痛剧烈的痛痹等,均与寒性凝滞相关。故有"寒主疼痛"之说。

3. 寒主收引

"收引"即收缩、牵引之意。寒邪袭体,使体内气机收敛,腠理、经络、筋脉收缩而挛急。如寒邪侵入肌表腠理,可见手窍收引,肤起粟粒、恶寒、发热、无汗等;寒犯血脉则血脉挛缩,气血凝滞,见头身疼痛而脉紧;寒犯经络、关节,则经脉收缩拘挛,肢体屈伸不利,冷厥不仁;寒入厥阴肝经,则见少腹拘急等。

4. 寒性清澈

分泌物或排泄物出现清稀状,均属寒邪所致。如风寒感冒初起,鼻流清涕;寒邪束肺,咯痰清稀;寒邪入胃,泛吐清水、冷涎;大便澄澈清冷、小便清长等症,皆属寒之征象。

(三)暑邪

暑是夏季的主气,乃火热所化,具明显的季节性。火、暑、温、热属同一类型的病邪,只是程度与季节的不同。如发在夏至前,则为病温;发在夏至后、立秋前,则为病暑。暑邪只有外感而没有内生者。这与六淫中其余五种邪气又有所不同。暑邪的性质及其致病特点如下:

1. 暑为阳邪,其性炎热

暑为夏季火热之气所化,其性炎热,故属阳邪。由于夏季气候炎热,暑较其他季节之温热邪气相比,其势炽盛,更具独特的炎热性。因此,暑邪犯人可迅即出现壮热、面赤、目红、心烦、脉洪数等一派热势弛张上炎的症状。

2. 暑性升散,耗气伤津

暑为阳热之基,故侵入机体易使皮肤腠理开张;多直入气分致腠理开泄,汗出过多,耗伤津液。津液耗伤可见口渴喜饮、尿少短赤等;暑热扰动心神,见心胸烦闷、心乱而不宁;大量汗出则气随津泄而耗,常见气短、乏力;严重者可致气随津脱而突然昏倒、不省人事等气津两伤或气脱症状。

3. 暑气挟湿

暑季除气候炎热外,暑夏多雨而潮湿,热蒸湿动,故暑病多兼挟湿邪犯人。临证除有发热、烦渴等症外,常兼见四肢困倦、胸闷呕恶、大便溏泄不爽等湿阻症。

(四)湿邪

湿为长夏主气。长夏正当夏秋之交,为一年中湿气最盛的季节。湿邪为病,有外湿、内湿之分。外湿多因气候潮湿、涉水淋雨或居处潮湿等所致;内湿多脾失健运,水湿停聚形成。两者虽不同但又相互影响:伤于外湿,湿邪困脾,健运失职易招致湿邪内生;当脾阳虚时,水湿不化也易招致外湿之侵袭而伤人。湿邪的性质及其致病特点如下:

1. 湿为阴邪,易阻气机,损伤阳气

湿性重浊而类水,故为阴邪。当其侵犯人体时留滞于脏腑经络,最易阻遏气机,使气机升降失常,经络阻滞,常见胸闷脘痞、小便短涩、大便不爽等。湿为阴邪,阴胜则阳病,故湿邪易损人之阳气。脾为阴土,性喜燥而恶湿,当外感湿邪留滞,常先困脾;脾困则脾阳不振,运化无权,水湿停聚,常见腹泻、尿少、水肿、腹水等症。

2. 湿性重浊

重,是沉重、重着之意。湿邪侵袭肌表,周身困重、四肢酸沉;困于头则清阳不升,常见头重如裹、昏昏欲睡;阻于经络则肢肿、重滞难举、困倦乏力;湿留关节,则滞着不移,阳气不能布达,见肌肤不仁、关节疼痛重着;甚者痛有定处,沉重不举,故又称"着痹"。浊,即污浊不清;湿邪为病,其分泌物常见秽浊不清状:如面垢眵多、大便溏泻、下痢黏稠脓血、小便混浊;在妇人则见带下黏稠和秽臭、黄浊、白浊；在皮肤湿疹破溃，流脓渗水等。

3. 湿性黏滞

湿性粘腻停滞，主要表现在二方面：一是湿病症状的黏滞性，如湿留大肠，则大便粘而不爽或里急后重、大肠脓血，舌苔垢腻；湿阻膀胱，则小便涩而不畅或频急涩痛；湿浊内盛，则见舌苔粘腻。二是湿病病程的缠绵性，如湿痹、湿疹、湿温等病，均有反复发作或时起时伏、病程长、缠绵难愈的特点。

4. 湿性趋下，易袭阴位

湿属水、其性下行，故有下趋之特性（易伤机体下部）。如湿邪为病的水肿，多以下肢较明显。湿邪下注之病，如淋、浊、带下、腹泻、痢疾等均为湿性趋下之表现。

（五）燥邪

燥是秋季的主气，故称"秋燥"。也可因久晴无雨、骄阳久曝、火热烘烤而致病。秋气敛肃，风劲物燥，燥邪易从口鼻、皮毛袭入，侵袭肺卫而生外燥病。初秋有夏热余气，燥热相合，易发为湿燥；深秋有近冬寒，燥寒相合，易发为凉燥病。燥邪的性质及其致病特点如下：

1. 燥性干涩，易伤津液

燥邪属阳，易耗伤阴液。燥邪为病，可见鼻燥咽干、口唇皲裂、舌上少津、干咳少痰、大便干结或皮肤干燥、毛发不荣等。燥邪有温燥、凉燥之分：温燥，燥而偏热，见头痛身热、咽痛声嘶、痰中带血、舌红等；凉燥，燥而偏寒，见恶寒发热、头痛无汗、舌苔薄而干等。燥邪为病，虽有温燥、凉燥之分，但只不过是所兼邪气属性之不同，并不影响燥邪的自身特性。

2. 燥易防肺

肺喜润而恶燥，外合皮毛，开窍于鼻。燥邪多从口鼻、皮毛而入，故最易伤肺。肺津耗伤，其宣发肃降失司，甚则伤及肺络，见干咳或痰粘而难咯出，或痰中带血、咽干痛、呼吸不畅、喘息胸痛等症。

（六）热（火）邪

火为热之极，火与热常并称。热旺于夏，当夏热或其他季节气温骤升时，人体不注意适时调理、通风降温，每易感受热邪而形成外感热病。温、热、火三者属同一性质的病邪，均为阳盛所化，虽常混称温热或火热之邪，但三者之间却有程度之不同，一般认为热为温之渐，火为热之极。就致病邪气而论，热邪多指外邪，属"六淫"之一，如风热、燥热、湿热之类病邪；而火邪多由内生，如"内生五邪"（详见"病机"章）的心火、肝火等。火（热）邪的性质及其致病特点如下：

1. 火（热）为阳邪，其性炎上

火热之性燔灼、升腾上炎，故属阳邪。火热之邪犯之，常及于人体上部，如头痛、耳鸣、咽喉红肿热痛、齿衄、龈肿或口舌糜烂；阳热之证，如壮热、烦渴、大汗出为常见病症。

2. 火（热）易扰心神

心属火，火热之邪伤人必与心相应。如入营血必扰心神，轻者见心神不宁、心烦躁动、惊悸失眠；重者见神不守舍、狂躁不安、神昏谵语。所谓"诸燥狂越，皆属于火"即为此意。

3. 火（热）易耗气伤津

火热耗气伤津有如下原因：一是迫津外泄，使津液化汗丢失；二是消灼煎熬，阴津暗耗于内。故火热致病,除有热象外,常伴有口渴引饮,咽干舌燥,小便短赤,大便秘结等津伤液耗的症状。当阳热亢盛时,也损耗人体的阳气,其邪迫津外泄的同时,气随津泄,易致耗气伤津。轻者见体倦乏力、少气懒言等气虚征象;严重者出现气脱亡阴、阴损及阳,亦可见亡阳之危象。

4. 火(热)易生风动血

源于火热燔灼肝经,动灼阴液,筋经失养,致肝风内动,热极生风。常见高热神昏、四肢抽搐、目表上视、颈项强直、角弓反张等;灼伤脉络则迫血亡行,见吐血、咯血、衄血、溲赤、皮下瘀斑、丹痧及妇女月经过多、崩漏等。

5. 火热易致肿疡

火热入血分,壅聚局部,腐蚀血肉发为痈肿疮疡;见局部红肿热痛、溃破流脓血等。

二、疫气

疫气一词,首见于《温疫论》,泛指一类具有强烈传染性和致病性的外感病邪。在中医文献中,疫气又称为"疠气"、"疫疠之气"、"戾气"、"异气"、"杂气"、"乖戾之气"等。疫气通过空气和接触传染,多从口鼻、皮肤侵入人体,也可随饮食、蚊叮虫咬、血液,或性传播等途径侵入人体致病。疫气引起的疾病称为"疫病"、"瘟病"、"瘟疫病"。疫气致病的种类很多,如大头瘟、蛤蟆瘟、疫痢、白喉、烂喉丹痧、霍乱、鼠疫等等,实际上包括了许多烈性传染病。

(一)疫气的性质及致病特点

1. 传染性强,易于流行

疫气具有强烈的传染性和流行性,这是疫气有别于其他病邪的最显著特征。处在疫气流行地区的人群,无论男女老少,体质强弱,只要接触疫气,都可能发生疫病。当然疫气发病,既可大面积流行,也可散在发生。

2. 特异性强,症状相似

疫气具有很强的特异性,一种疫气只能导致一种疫病发生,所谓"一气一病";疫气对机体作用部位具有一种特异的亲和力,即具有特异的定位特点,因此每一种疫气所致之疫病,均有较为相似的临床特征和传变规律。例如痄腮,无论患者是男女老幼,都表现为耳下腮部肿胀。

3. 发病急骤,病情危笃

疫气多属热毒之邪,其性疾速迅猛,故其致病具有发病急骤,来势凶猛,变化多端,病情险恶的特点,发病过程中常出现热盛、伤津、扰神、动血、生风等病变。某些疫病预后不良,死亡率高,甚至"缓者朝发夕死,重者顷刻而亡。"

(二)疫气发生和疫病流行的原因

1. 气候反常

自然气候的反常变化,如久旱、酷热、水灾、湿雾瘴气等,均可滋生疫气而导致疫病发生。

2. 环境污染和饮食不洁

环境污染是疫气形成的重要原因,如水源、空气污染可能滋生疫气。食物污染、饮食不洁也可引起疫病发生,如疫痢、疫黄多半是疫气直接通过饮食进入体内而发病。

3. 预防隔离工作不严格

由于疫气具有强烈的传染性,故预防隔离工作不严格也会使疫病发生或流行。

4. 社会因素

社会因素对疫气的发生与疫病的流行也有一定的影响。若战乱不停,社会动荡不安,百姓生活极度贫困,工作环境恶劣,则疫病就会不断地发生和流行。若国家安定,且注意卫生防疫工作,采取一系列积极而有效的防疫和治疗措施,疫病即能得到有效的控制。

第二节　内伤病因

内伤病因是指人体的情志、饮食、劳逸等不循常度,导致气血津液失调、脏腑组织异常的致病因素。内伤病因与外感病因相对而言,主要在于邪气来源、侵入途径、致病特点等有所差异。内伤病因包括七情内伤、饮食失宜、劳逸失度等。

一、七情内伤

七情,即喜、怒、忧、思、悲、恐、惊七种正常的情志活动,是人体对内外环境刺激的不同反应。所谓"情志",泛指情绪、情感活动。七情属于中医学"神"的范畴。神总统于心、脑而分属五脏。心藏神,即主宰五脏六腑的生命活动、主宰精神意识、思维活动。"脑为元神之府",脑是管理精神活动的器官。因此喜、怒、忧、思、悲、恐、惊七情变化正常与否,皆与心、脑的功能状态密切相关。七情分属于五脏,肝在志为怒,心在志为喜,脾在志为思,肺在志为忧和悲,肾在志为恐为惊,故又有"五志"之称。

精神情志活动以脏腑所化生和贮藏的精气血为物质基础。脏腑的精气血充盈,生理功能正常,则人体对外界客观事物的刺激才能产生喜、怒、忧、思、悲、恐、惊各种不同的正常情志变化。正常的精神情志活动是反映脏腑生理功能正常,精气血充盈的外在表现。因此正常的情志变化,在人体生理活动的适应范围内,一般不会导致疾病。

(一)七情内伤的概念及其形成因素

七情内伤是由于突然、强烈或长期持久的情志刺激,超过了人体的生理调节范围,引起喜、怒、忧、思、悲、恐、惊七情的异常变化,使气机紊乱,脏腑损伤,阴阳失调而导致疾病的发生。由于七情直接影响有关脏腑而发病,病由内生,因而又称之为"内伤七情"。

七情作为致病因素,一方面取决于情志异常变化是否超出了人体的适应范围;另一方面与个体耐受、调节能力的强弱密切相关。一般的情志刺激对大多数人不会引起病变,但对个体耐受、调节能力较差的人则会发病。也就是说,同样的情志变化,有的人可以致病,在另一些人则不致病,故七情具有生理和病理的两重性。七情内伤的形成主要有社会、疾病和个人的体质等原因。

1. 社会因素

社会因素常常直接或间接地影响人体的身心健康。社会政治、经济、文化等变动,例如战争、社会角色、地位变化、人际关系不和谐、工作不顺利、婚姻、家庭破裂、生活遭遇等,都是导致七情内伤的常见因素。

2. 疾病因素

急性发病或长期患病,导致脏腑功能失常,阴阳失调,精气血津液不足,则精神情志活动就会受到不同程度的影响,导致情志内伤。不良的情志刺激可影响脏腑、气血的正常生理活动;脏腑、气血等生理活动异常,则可表现为不同的情志异常反应。此外不能正确地对待疾病,也可表现为情绪低沉、忧郁寡欢、悲观失望等情志症状。

3. 体质因素

人体的心理适应能力有很大的差异性,情志活动由于禀赋因素、后天修养、年龄差别及正气盛衰等而不同,因此对不同强度的情志刺激就会出现不同程度的反应。心胸豁达、思想开朗、风格高尚、精力充沛的人,情志活动较少有大起大落;青少年、老年阶段是人体结构、机能、代谢变化较大的时期,情志变化相对较大。

此外环境因素,如噪音、空气、水源污染等,亦可影响情志活动而导致疾病发生。

(二)七情内伤的致病特点

七情内伤,常直接伤及脏腑,导致气机逆乱,气血失调而发生各种病变。

1. 直接伤及内脏

人体内脏分别具有不同的功能特征,因而对不同的事物刺激有不同的反应,所以不同的情志刺激,可对各脏产生不同的影响。例如怒伤肝,喜伤心,思伤脾,悲、忧伤肺,惊、恐伤肾。五脏之中,尤以心肝脾三脏与情志活动关系密切。心主血藏神,肝藏血主疏泄,脾乃气血生化之源而为气机升降之枢纽,故情志所伤病证,以心、肝、脾三脏和气血失调为多见。例如思虑过度伤及心脾,暗耗心血,损伤脾气,导致心脾两虚,出现心悸怔忡、失眠多梦、食欲不振、腹胀便溏、倦怠乏力等症状。郁怒不解则伤肝,肝的疏泄气机功能失常,导致气机郁滞或上逆,可见胁肋胀痛、善太息,或头胀头痛、面红目赤等症;肝气横逆,犯及脾胃,又可出现肝脾不调、肝胃不和等证。但心为五脏六腑之大主,脑为元神之府,故情志病变尤其多损伤心(脑)神。

七情所伤,影响五脏,可单独发病,亦可相兼为病。例如忧思过度,伤及肺脾;大惊卒恐,损伤心肾等。

2. 影响脏腑气机

七情内伤致病,常表现为各种情志相关脏腑的气机失调,即所谓"怒则气上,喜则气缓,悲则气消,恐则气下……惊则气乱……思则气结"(《素问·举痛论》)。

怒则气上:过度愤怒伤肝,可使肝气上逆,症见头胀头痛、面红目赤、胸胁气满、呼吸急促等;气迫血升,血随气逆,则呕血,甚则昏厥卒倒。

喜则气缓:气缓,有缓和、怠缓、涣散之意。正常情况下,喜悦是一种良性刺激,能缓和紧张情绪,使气血和调,营卫通利。但暴喜过度,则使心气涣散,轻则心神不宁、心悸失眠、精神不集中;重则神不守舍、失神狂乱。

悲则气消:气消,指肺气消耗。悲哀过度,耗伤肺气,上焦不通,则见呼吸气短、声低息微、懒言乏力等症状。悲、忧皆为肺志。忧愁不解则伤肺,常导致肺气郁滞,气机闭塞,可见胸闷气短、呼吸不畅等症状。

恐则气下:气下,即气机下陷。过度恐惧则伤肾,致使气陷于下而不升,肾气不固,可见二便失禁、遗精滑泄等症。

思则气结:气结,即气机郁结。思虑过度,劳神伤脾,使脾气郁结,中焦不畅,脾失健运,可见食欲不振、脘腹痞满、大便溏泻、倦怠乏力等症状。

惊则气乱:气乱,指气机紊乱。突然受惊,则心气紊乱,气血失调,使心无所倚,神无所归,虑无所定,惊慌失措。

七情内伤,影响脏腑气机,虽然具有一定的规律,但不能一概而论。临床常可见到一种情志过激伤及多脏,或多种情志异常共伤一脏,导致气机失调的复杂性变化。因此不可机械对待,墨守成规,应综合考虑病情,具体情况具体分析。

3. 情志波动,影响病情

良性的情志活动,有利于疾病的好转或恢复;不良的情志变化,则能加重病情。剧烈的情绪波动,可使病情急剧恶化,甚至致人猝死。例如患高血压病的病人,由于过于愤怒,常致血压急剧升高,病情危重。有心脏病的病人,也常因情绪波动,使病情加重或迅速恶化等。

二、饮食失宜

饮食是人类不可缺少的物质。正常合理的饮食所化生的水谷精微,是化生气血,维持人体生命活动,完成各种生理功能,保证生存和健康的基本条件。饮食物从口而入,主要依靠脾胃的运化功能,通过小肠、大肠、三焦等器官的协同作用,完成消化、吸收、传导、排泄过程。

饮食失宜即不合理的膳食,包括饮食不节、饮食不洁、饮食偏嗜等。饮食失宜,主要损伤脾胃,影响脾胃的运化功能,导致脾胃纳运失调,升降失常,燥湿失和,并可郁而化热,聚湿生痰,导致多种疾病。

(一)饮食不节

饮食应定质、定量、定时。有规律、有节制的饮食习惯,对维持生命活动正常,保证身体健康非常重要。饮食不节是指饮食质量或时间没有节制,没有规律,如饥饱失常,或不能按时饮食等。

1. 饥饱失常

食量过少或者过多均可导致疾病。食量过少,即人体长期处于饥饿状态。由于长期摄入不足,水谷精微缺乏,可导致营养不良,气血衰少。人体正气虚弱,功能减退,抗病能力低下,形体消瘦,易于罹患多种病证。食量过多,饮食停滞,则损伤脾胃,导致消化吸收功能障碍,出现脘腹胀满、嗳腐吞酸、呕吐泄泻等症状,故有"饮食自倍,肠胃乃伤"之说。经常饮食过饱,饮食停滞胃肠,不仅可致消化不良,亦可影响气血运行,经脉郁滞,出现下痢、便血、痔疮等。若过食肥甘厚味,"肥则令人内热,甘则令人中满",易于化热生痰,出现痈疽疮毒等病症,甚至引起消渴病。

小儿脾胃功能较弱,加之饮食不能自制,故多为饥饱失常所伤。饮食过少,营养缺乏,可影响正常的生长发育。饮食过量,乳食无度,食滞日久,可郁而化热;若过食肥甘生冷,又可聚湿生痰。婴幼儿乳食不节,影响脾胃功能,乳食停聚不化,经久不愈,日渐羸弱,则成"疳积",出现手足心热、心烦易哭、脘腹胀满、面黄肌瘦等症状。

2. 饮食无时

人类定时而有规律地进食,胃肠能虚实更替的传化水谷,则消化吸收功能正常,水谷精微输布全身。饮食无时,或朝食暮废,或朝常不食,久之常可损伤脾胃,导致脾胃病变。

此外在疾病过程中,饮食不节还可能使病情复发或迁延,称之为"食复"。如在热性病中,疾病初愈,脾胃尚虚,饮食过量或吃不易消化的食物,常常导致食滞化热,与余热相合,使热邪久羁而引起疾病复发或迁延不愈。

(二)饮食不洁

饮食应注意清洁卫生。饮食不洁是指饮食不清洁卫生,或进食腐败变质有毒的食物,或误食毒物等。

饮食不洁净会导致多种胃肠道疾病,出现腹痛、吐泻、痢疾等病症;或引起寄生虫病,如蛔虫、蛲虫、绦虫病等,临床表现为时常腹痛、嗜食异物、面黄肌瘦等症。若蛔虫窜入胆道,还可出现上腹部剧痛、时发时止、吐蛔、四肢厥冷的蛔厥症。若进食腐败变质有毒的食物,可致食物中毒,出现腹痛、吐泻等症,甚至昏迷或死亡。

(三)饮食偏嗜

饮食物也有寒热温凉的不同性能和酸苦甘辛咸的不同味道。饮食结构合理,五味调和,寒温适中,无所偏嗜,脾胃功能才能正常运化,人体才能获得各种必需的营养物质。

饮食偏嗜是饮食偏于个人嗜好,膳食结构失宜,如饮食过寒过热,或五味有所偏颇,或过度饮酒等,均可导致阴阳失调,或某些营养缺乏。

1. 饮食偏寒偏热

饮食不应按照个人嗜好而偏食过寒或过热之品。若偏食生冷寒凉,则可损伤脾胃阳气,致使寒湿内生,发生腹痛、泄泻等病症。偏食辛温燥热,可使胃肠积热,出现口渴、腹满胀痛、便秘痔疮,或口舌生疮、牙痛龈肿等病症。

2. 五味偏嗜

食物五味可以营养人之五脏,但五味用之不当则可损伤人之五脏。五味与五脏各有其所喜,即五味对五脏具有一定的选择性作用。如酸先入肝,苦先入心,甘先入脾,辛先入肺,咸先入肾。如果长期嗜食某种食物,就会使该脏腑机能偏盛,久之则破坏脏腑间的协调关系,发生脏腑之间的病理传变。例如味过于酸,导致肝盛而乘脾;味过于咸,导致肾盛而乘心;味过于甘,导致脾盛而乘肾;味过于苦,导致心盛而乘肺;味过于辛,导致肺盛而乘肝等。因此饮食五味应当适宜,平时饮食不要偏嗜,病时注意饮食宜忌。对于疾病,"药治不如食治",食与病相宜,能辅助治疗,促进疾病好转,反之疾病就会加重。

3. 偏嗜饮酒

饮酒适量,可宣通血脉,舒筋活络。但偏嗜饮酒,长期、过量饮酒,可损伤肝脾,导致疾病。酒性既热且湿,偏嗜饮酒,易于内生湿热,临床可见脘腹胀满、胃纳减退、口苦口腻、舌苔厚腻等症状,甚至引起酒精中毒,危及生命。

过量饮酒可以导致多脏腑的气机上逆,如肺气上逆而有气喘,心气逆乱而有狂躁、心慌、心悸,肝气上逆而见头痛、头晕,或者昏仆,胃气上逆而有恶心、呕吐等,所以有"大饮则气逆"之说。

三、劳逸过度

正常劳作和体育锻炼,有助于气血流通,增强体质。适当的休息,有利于消除疲劳,恢复体力和脑力。劳逸结合,对身体健康有益。

劳逸过度,指劳逸失当而有悖常理的致病因素,包括劳倦过度和安逸过度两方面。劳倦过度,超过人体生理活动的适应能力;或安逸过度,导致人体生理功能减弱,就会损伤机体而导致疾病发生。

(一)过劳

过劳,指过度劳累,又称劳伤、劳倦,包括劳力过度、劳神过度和房劳过度三个方面。

1. 劳力过度

劳力过度指体力劳动负担过重。多因长时间的持续劳作,得不到适当的休息以恢复体力,使身体始终处于疲劳状态,以致积劳成疾;或承受力不能及的持重、受压及超大强度的运动等,都可导致疾病发生而成为致病因素。

劳力过度主要伤气,出现喘息、汗出,导致气从内出,从外而越,因而损耗人体的精气。形体劳倦日久,亦可损伤脏腑,以脾病为多见,甚至导致虚劳病。常见症状如形体消瘦、精神疲惫、四肢倦怠、声低息微等。

此外站立、行走、端坐等时间过长,亦可损伤筋骨肌肉而成疾患,即所谓"久立伤骨,久行伤筋,久坐伤肉。"

2. 劳神过度

劳神过度指脑力劳动负担过重。多因长时间的思考、谋虑、记忆等,劳心伤神,用脑过度;或工作压力大,精神长期处于紧张状态,得不到缓解,以致积劳成疾。劳神过度主要损伤心脾。暗耗心血,损伤脾气则出现心悸、健忘、失眠、多梦及倦怠、纳呆、腹胀、便溏等症。亦可影响肝疏泄气机的功能,可见头昏目眩、急躁易怒等症状。

3. 房劳过度

房劳过度指性生活过于频繁,失于节制。正常的性生活,一般不会损伤身体。房事过度,耗伤肾中精气,可致腰膝酸软、眩晕耳鸣、精神萎靡、性功能减退等肾虚症状,男子可见遗精滑泄,甚则阳痿。

(二)过逸

过逸指因病或生活过于安闲,很少从事各种劳动和运动锻炼。长期形体少动,始则气血运行不畅,筋骨软弱,体弱神倦,发胖臃肿;继则脏腑功能减退,脾胃呆滞,心肺气虚,动则心悸、气喘、汗出乏力等。并可导致其他疾病,例如眩晕、胸痹、中风等。

第三节 病理产物性致病因素

病理产物性致病因素是继发于其他病理过程而产生的致病因素,故又称为继发性病因。在疾病过程中,由于外感病因、内伤病因的作用,引起气血津液代谢失调、脏腑经络等组织器官功能异常等病理变化,可产生痰饮、瘀血、结石等病理产物。这些病理产物一经产生,又可引发机体更为复杂的病理变化,成为新的致病因素。可见,病理产物性致病因素具有既是病理产物,又是致病因素的双重特点。

一、痰饮

痰饮是机体水液代谢障碍所形成的病理产物,属于继发性病因。稠浊者为痰,清稀者为饮,痰又有"有形之痰"、"无形之痰"之别。所谓有形之痰,系指视之可见,闻之有声,触之可及有形质的痰液而言,如咳出可见之痰液,喉间可闻之痰鸣,体表可触之瘰疬、痰核等。所谓无形之痰,系指由水液代谢障碍所形成的病理产物及其病理变化和临床表现而言,如梅核气等,虽然无形质可见,但却有征可察,临床上主要通过其所表现的症状和体征来分析,从而确定其因痰所致,采用祛痰的方法治疗能够取得较好效果。饮的质地较清稀,流动性较大,多停留在人体的脏腑组织的间隙或疏松部位,如肠胃、胸胁、胸膈、肌肤等。因停留的部位不同,症状各异,故有痰饮、悬饮、溢饮、支饮等不同病名。

痰饮与水湿,皆为水液代谢失常所致,异名而同类,皆为阴邪,但有区别:稠浊者为痰,清稀者为饮,更清者为水,湿则呈弥散状态。湿聚为水,积水成饮,饮凝成痰,四者有着密切的关系。因此有时水、湿、痰、饮不予严格区分,例如水湿、水饮、痰湿、痰饮等可相提并论。

(一)痰饮的形成因素

痰饮形成的原因较为复杂,无论是外感病因,或者内伤病因,甚至病理产物中的瘀血、结石均可导致津液停聚而成。

外感六淫、疫疠之气,内伤七情、饮食劳逸,瘀血、结石等致病因素是形成痰饮的初始病因。肺、脾、肾及三焦主司水液代谢的生理功能失常,是形成痰饮的中心环节。

(二)痰饮的致病特点

痰饮形成之后,作为致病因素可导致更为复杂的病理变化。痰随气升降流行,内达脏腑,外至筋骨皮肉,无处不到,无处不有,可形成多种病证,因此有"百病多由痰作祟"之说;饮则多留积于肠胃、胸胁、胸膈、肌肤等处,引发各种病证。由于痰饮停滞部位不同,临床表现因之而异。但痰饮同为水液代谢障碍的病理产物,作为继发性病因,又有着共同的致病特点。

1. 易阻气机,壅塞经络气血

痰饮多为有形的病理产物,而无形之痰亦为脏腑功能失调所致,故痰饮停滞,易于阻滞气机,使脏腑气机升降出入异常;经络为气血运行之通道,痰饮作祟,易于导致经络壅塞,气血运行受阻。例如痰饮在肺,肺失宣降,出现咳嗽喘息、胸部满闷,甚则不能平卧;痰结咽喉,气机不利,则见咽中梗阻,如有异物,吐之不出,吞之不入;痰流注肢体,则使经络阻滞,气血运行不畅,则见肢体麻木、屈伸不利,甚则半身不遂。痰结于经络筋骨,则可致痰核、瘰疬、阴疽、流注等病症。饮停肠胃,气机升降失常,则见恶心呕吐、腹胀肠鸣等病症;饮停胸胁,气机阻滞,则见胸胁胀满、咳唾引痛等症状。

2. 易扰心神

痰浊内扰,影响及心,扰乱神明,可见一系列神志异常的病症。例如痰浊上蒙清窍,可见头昏目眩、精神不振等症状。痰迷心窍,扰乱神明,可见神昏、痴呆、癫证等病症;痰郁化火,痰火扰心,可见神昏谵语,甚则发狂等病症。

3. 症状复杂,变化多端

痰之为病,无所不至,其病理变化多种多样,临床表现异常复杂,故有"怪病多痰"之说。痰病可表现为胸部胀闷、咳嗽痰多、恶心呕吐、肠鸣腹泻、心悸眩晕、癫狂痫病、皮肤麻木、皮下肿块,或溃破流脓、久而不愈。饮之为病,可表现为咳喘、水肿、泄泻等。总之,痰饮在不同的部位临床表现各异,大体可归纳为咳、喘、悸、眩、呕、满、肿、痛八大症状。

4. 病势缠绵,病程较长

痰饮为水液代谢障碍所形成的病理产物,与湿邪类似,具有黏滞的特性,致病缠绵,病程较长,难以速愈。例如咳喘、眩晕、胸痹、癫痫、中风、痰核、瘰疬、瘿瘤、阴疽、流注等,多反复发作,缠绵难愈。

二、瘀血

瘀血是血液运行障碍血液停滞所形成的病理产物,属于继发性病因,包括离经之血停积体内,以及阻滞于脏腑经络内的运行不畅的血液。瘀血又称"蓄血"、"恶血"、"败血"、"衃血"等。瘀血具有病理产物与致病因素的双重性,因病致瘀,因瘀导致新病。瘀血和血瘀的涵义不同。瘀血是能导致新的病变的病理产物,为病因学概念;血瘀是指血液运行不畅或瘀滞不通的病理状态,为病机学概念。所以侧重于讨论病理产物和病因时称为"瘀血",侧重于讨论病机时称为"血瘀"。

(一)瘀血的形成因素

血液正常运行的基本条件是心的主宰、脾的统摄生化、肝的贮藏调节、肺的助心行血功能正常;气的推动、温煦、固摄功能正常发挥;血液充盈,寒温适宜;脉道完整、通利等。任何原因引起五脏功能失常,气血功能失调,经络涩滞不畅等,皆可导致血液运行障碍而形成瘀血。外伤、六淫之邪、疫疠之气,内伤七情、饮食、劳逸,痰饮、结石等致病因素是形成瘀血的初始病因。

(二)瘀血的致病特点

瘀血形成之后,不仅失去正常血液的濡养作用,而且作为致病因素又会引起阻滞气机,影响血行,新血不生,损伤内脏等病理变化,导致机体诸多部位、症状复杂多变的疾病。

1. 瘀血致病的病机特征

(1)阻滞气机:气能行血,血能载气。瘀血停滞脏腑经络,或血行不畅,易于阻滞气机,导致气的升降出入失常。因此瘀血常与气滞并见,而气滞又可加重瘀血,两者相互影响,互为因果,久之形成恶性循环,引发更为错综复杂的病理变化。

(2)瘀塞经脉:瘀血阻于经脉之中,可致血运不畅,或血行停蓄,血液不能正常运行,受阻部位得不到血液的濡养,局部可出现疼痛,癥积肿块,甚则坏死;经脉瘀塞不通,血液不得归经,血逸脉外,则可见出血等病变。

(3)伤及脏腑:瘀血停滞脏腑,可导致脏腑功能失常,出现各种症状。例如脑部瘀血,则可致灵机混乱,神志失养,发为癫狂;心血瘀阻,可见心悸气短、心胸憋闷、心前区隐痛或绞痛阵作,或引左臂内侧而痛,甚则唇舌青紫、汗出肢冷;肺部瘀血,可见呼吸困难、胸痛胸闷、气喘咳嗽、咳血,或咳出粉红色泡沫样痰;瘀血留着肝脏,结于胁下,渐成癥块,可见胁肋刺痛、腹胀纳呆;若脉络滞塞,则见腹部脉络怒张、面色青黑、面颈胸臂有血痣朱纹;胃肠瘀血,可见胃脘刺痛、拒按、痛处固定,或见呕血、便血,或大便色黑如漆;瘀阻胞宫,可见小腹疼痛拒按,或有痛经、闭经、月经不调、经色紫暗有块,或崩漏下血;瘀阻脑络,则见头痛、头晕,或肢体活动障碍等。

瘀血不祛会影响血液的运行,导致脏腑功能异常,而使新血不生,出现脏腑组织失于濡养的临床症状。

2. 瘀血致病的症状特征

(1)疼痛:瘀血所致疼痛的特点多为刺痛、痛处固定、拒按、夜间加重。多因经脉阻滞不通和组织失养而致。

(2)肿块:局部可见青紫肿胀,瘀积脏腑则形成癥块,按之有形、质地较硬、固定不移。多因瘀血阻滞经脉、组织、脏腑,或外伤而致。

(3)出血:血色多呈紫暗,或夹有瘀块。多因瘀血阻滞,经脉瘀塞不通,血液不得归经,血逸脉外而致。

(4)紫绀:面部、爪甲、肌肤、口唇青紫。多因瘀血停滞,失去正常血液的濡养作用而致。

(5)舌象:舌质紫暗,或有瘀点、瘀斑,或舌下静脉曲张等,为瘀血最常见最敏感的指征。

(6)脉象:常见脉细涩、沉弦,或结代。

此外也可兼见面色黧黑、肌肤甲错、善忘等神经精神症状。

临床上判断是否有瘀血存在,可从以下几点进行分析:①有瘀血特征者;②发病有外伤、出血、月经史、胎产史者;③瘀血征象虽不太明显,但屡治无效,或病程较长,久治不愈者,根据"初病在气,久病入血"等理论,虽无明显的瘀血征象也可考虑有瘀血的存在。

三、结石

结石是指体内湿热浊邪蕴结不散,或久经煎熬形成的砂石样病理产物,属于继发性病因。结石可发生于机体的许多部位,以肝胆、肾、膀胱和胃为常见。结石是有形质的病理产物,其形状各异,大小不等,可见有泥砂样结石、圆形或不规则形状结石等。

(一)结石的形成因素

结石形成的原因比较复杂,常与饮食、情志、服药及体内寄生虫等因素有关。

1. 饮食失宜

嗜食辛辣,过食肥甘炙煿,或嗜酒太过,酿成湿热,影响肝胆使之疏泄失常,胆汁排泄不利,郁积日久,则蕴结成石,发为肝胆结石。若湿热下注,蕴结下焦,日久煎熬积结则可形成肾或膀胱结石。若空腹进食大量的柿子或黑枣等,特别是未成熟或未去皮的新鲜柿子,其中的某些成分与胃酸作用后,凝结形成团块则为胃石。此外某些地域的水质也可能促使结石形成。

2. 情志内伤

情志所伤,气机郁滞,肝失疏泄,胆汁疏泄不利,郁滞化热,煎熬日久,可形成肝胆结石。

3. 寄生虫感染

虫体或虫卵往往成为结石的核心,在我国蛔虫已被公认为引起胆结石的主因。由于蛔虫侵入胆道,不可避免地引起感染及不同程度的梗阻,胆汁疏泄不利,也能促进结石的形成。

4. 服药不当

长期过量服用某些药物,常见有碱性药物、磺胺类药物、钙、镁、铋类药物等,致使脏腑功能失调,或药物及其代谢产物残存体内,可诱发结石形成,例如肾结石、胃结石等。

另外结石的发生还与年龄、性别、体质、生活习惯有关,也可因受其他疾病的影响而形成。

(二)结石的致病特点

结石致病主要与其所在的部位、形状大小、是否梗阻等因素密切相关。结石较小,表面光滑,所在部位腔隙较大,无梗阻嵌顿,有时不出现任何症状;若结石较大,形状不规则,所在部位腔隙较小,出现梗阻嵌顿,则症状典型。

1. 多发于肝胆、胃、肾和膀胱等脏腑

肝胆主胆汁的生成与疏泄,胃主食糜通畅下降,肾和膀胱主尿液生成与排泄。胆汁、食物、尿液等宜疏通排泄而不宜涩滞壅塞,因此肝胆、胃、肾、膀胱等为结石易成之部位,这些脏腑的生理功能失调,可形成肝胆结石、肾、膀胱结石、胃结石等病。

2. 易阻气机,损伤脉络

结石为有形实邪,停留体内某些部位,易于阻滞气机,影响气血津液及水谷的运行,可见局部胀闷酸痛等症,程度不一,时轻时重。结石移动的过程中,易于损伤脉络,导致出血等症状。例如胃内结石,阻滞气机,影响水谷的腐熟通降,甚则结石下移,阻滞肠道,可引起上下不通的关格证;肝胆内结石,影响肝胆气机疏泄,可致胆汁排泄障碍,甚则出现黄疸;肾、膀胱结石,脏腑气化不利,可影响尿液的排泄,甚则损伤脉络,出现血尿。

3. 梗阻通道,导致疼痛

结石停留体内,气血运行受阻,不通则痛。结石引起的疼痛,一般为局部胀痛、钝痛、酸痛、隐痛,甚则导致通道梗阻、结石嵌顿,则出现剧烈的绞痛,绞痛时疼痛难忍,部位常固定不移,或放射至邻近部位,亦可随结石的移动而有所变化,常伴有冷汗淋漓、恶心呕吐,以阵发性、间歇性为多,发作时剧痛难忍,而缓解时一如常人。例如胆结石,平素可见胁肋胀痛、口苦、厌油腻等症状,发生胆道梗阻时,可见右上腹绞痛难忍,牵及右肩部;肾、输尿管结石,可见腰部钝痛、酸痛,发生通道梗阻、结石嵌顿时,可见腰及少腹部剧烈绞痛,并放射至两股内侧。

4. 病程较长,轻重不一

结石多为湿热内蕴,日久煎熬而成,故大多数结石的形成过程缓慢。结石的大小不等,停留部位不一,其临床表现各异。结石小,则病情较轻,有的甚至无任何症状;结石过大,则病情较重,症状明显,发作频繁。

痰饮、瘀血、结石三种病理产物性致病因素,既相互区别,又相互影响。痰饮停聚,阻滞气血,可形成瘀血、结石;瘀血、结石内阻,亦可影响水液代谢,形成痰饮。临床常有痰瘀并见、痰饮结石相兼等病变。

第四节 其他病因

外伤、寄生虫、药邪、医源因素、先天因素等致病因素非外感病因、内伤病因和病理产物性

致病因素,故笼统归属为"其他病因"。

一、外伤

外伤主要指因机械暴力导致的损伤,如跌打损伤、持重努伤、枪弹伤、利器损伤、意外事故,以及化学伤、电击伤、烧烫伤、冻伤、虫兽咬伤等。主要伤及皮肤、肌肉、筋骨等部位。

虫兽伤包括毒蛇、猛兽、狂犬及其他家畜、动物咬伤,以及某些昆虫咬(蜇)伤等。虫兽所伤,轻者可引起局部疼痛、肿胀、出血;重者可损伤内脏,导致出血过多,或邪毒内陷,波及全身,出现全身中毒症状,如高热神昏、神志恍惚、肢体抽搐等;更有甚者,可致死亡。常见的虫兽伤有以下几种:

1. 毒蛇咬伤

毒蛇咬伤后根据其临床表现不同,分为风毒、火毒和风火毒三类。风毒(神经毒)多见银环蛇、金环蛇和海蛇咬伤。局部症状轻微,有时仅有局部麻木感,齿痕小,无渗液。全身表现主要为横纹肌弛缓性瘫痪、张口困难及吞咽困难、呼吸肌麻痹,甚至呼吸运动停止。火毒(血液循环毒)多见蝰蛇、尖吻蝮蛇、青竹蛇和烙铁头蛇咬伤。伤口红肿灼热严重、疼痛剧烈,呈刀割、火燎、针刺样,可形成水泡、血泡和组织坏死,引起淋巴结炎、淋巴管炎,伤口不易愈合。全身表现为寒战发热、多处出血,包括皮肤、黏膜出血、鼻衄、呕血、便血、咯血、血尿,甚至颅内出血。风火毒(混合毒)多见眼镜蛇、眼镜王蛇咬伤。临床表现有风毒和火毒的症状。

2. 狂犬咬伤

狂犬咬伤可发狂犬病(又称恐水病),是由狂犬病毒引起的传染病。初起仅局部疼痛、出血。伤口愈合后,经过一段潜伏期,出现烦躁、惶恐不安、牙关紧闭、抽搐、恐水、恐风等症状。

3. 昆虫咬(蜇)伤

多见蜈蚣咬伤、蜂、蝎蜇伤等。蜈蚣咬伤,局部红肿灼热、剧痛,可形成水泡及坏死,被咬肢体可形成淋巴管炎及淋巴结炎,也可发生紫癜,严重者可因毒素吸收出现头晕头痛、恶心呕吐、发热,甚至出现昏迷及过敏性休克。蜂、蝎蜇伤,多见于手、足及面部等裸露部位,局部红肿灼痛、麻木或出血,极少数可引起瘀血及组织坏死,一般无全身性症状,如被巨大毒蝎蜇伤,或被许多蜜蜂或黄蜂蜇伤后,可引起全身症状。

二、寄生虫

寄生虫是动物性寄生物的统称,其寄居于人体的肠道、肝脏、血液等处发育繁殖,损害人体,导致疾病。引起原虫病的寄生虫,有阿米巴、疟原虫、弓形虫等;引起蠕虫病的寄生虫,有血吸虫、绦虫、囊虫、蛔虫、钩虫、蛲虫、丝虫等。中医学早已认识到寄生虫病的发生与饮食不洁等因素有关。寄生虫感染的途径,主要是进食被虫卵污染的水、食物,或皮肤接触寄生虫。中医文献中又有"湿热生虫"之说。所谓"湿热生虫",是指脾胃湿热为引起肠寄生虫病的内在因素之一,而某些肠寄生虫病亦往往以"脾胃湿热"的症状为主要临床表现。寄生虫寄居于人体,消耗气血津液等营养物质,损伤脏腑的生理功能,危害人体健康,导致寄生虫病的发生。

三、药邪

药邪是指因用药不当而导致疾病发生的一类致病因素。药物有四气五味，可以治病，但有大毒、常毒、小毒、无毒之分，如果医生不熟悉药物的性味、功效、常用剂量、毒副作用、配伍禁忌而不合理的使用药物，或病人不遵照医生指导而盲目用药，非但不能疗疾，反而会导致疾病，甚至发生药物中毒。

（一）药邪的形成

1. 用药过量用药剂量过大，或用药时间过长，均可造成用药过量

使用有毒中药过量，可造成急性药物中毒或蓄积性中毒；即使无毒中药，其所含的生物活性成分除治疗作用外，过量亦有不同的副反应。

2. 炮制不当

含有毒性的药物，经过适当炮制后可中和或减轻毒性。例如乌头火炮或蜜制，半夏姜制，附子浸漂、水煮，可以减轻毒性。若炮制不当或未经炮制即入药，则可致中毒。

3. 配伍不当

中药使用有配伍原则。不同中药的合理配伍可加强疗效，减低副作用；但某些药物配伍不当、相互合用则会使毒性增加。例如中药的"十八反"、"十九畏"就是对药物配伍禁忌的概括。临床上用药配伍不当可致中毒，或导致其他疾病。

4. 用法不当

用药讲究煎煮方法、服用方法、禁忌事项等，用法不当也会致病。

5. 滥用补药

人们为身体健康或延年益寿的需要，喜进补药。虚证当补，未虚不可滥补。滥用补药不仅可以助邪益疾，也可由于补药性味之偏而致病。

（二）药邪的致病特点

1. 药物中毒

药邪可以引起药物中毒症状。中毒症状的轻重与毒性药物的成分、剂量有关。中毒后轻者头晕、心悸、恶心呕吐、腹痛泄泻、舌麻等；重者嗜睡，或烦躁、黄疸、紫绀、出血、昏迷乃至死亡。

2. 药物过敏

药邪可以导致药物过敏。药物过敏虽有明显的个体差异和遗传倾向，但发病仍然取决于药邪，轻则出现荨麻疹、湿疹、哮喘、恶心呕吐、腹痛泄泻等症状，重则可见厥脱。

3. 发病或急或缓，轻重不一

药邪致病发病或急或缓，与用药有明显的因果关系。一般轻症停药后即可缓解，重症则病势危笃，多损伤人体重要脏器，如心、肝、肾、胃、脾等。急性发病需及时抢救，否则有死亡之虞。

4. 加重病情

导致新病药邪不仅对治疗疾病无益，有时还可使病情加重，引起其他疾病的发生。例如药物中毒、药物过敏等,可导致脏器损害;孕妇用药不当,还可致流产、畸胎等。

四、医源性因素

医源性因素是指由于医生的过失而导致贻误病情或致生他疾的一类致病因素,又称"医过"。医生应有良好的医德、医风、医术。医源因素多由于医生缺乏职业道德,对病人不负责任,草率从事,或医术不高,临床经验较少,而致贻误病情,或生他疾。例如医生语言不妥,讲话不注意场合、分寸,从而使病人思想负担过重,加重病情;医生所开处方用字不规范或过于潦草难以辨认,使配药人员难以理解,对于危重病人,则易贻误抢救时机;因错用药物,可导致中毒,或变生他疾;医生临床辨证不正确或不及时,则会导致误治失治,发生治疗用药或延误病情的错误;医生在诊治病人过程中粗心大意,动作粗鲁,往往会造成医疗差错或事故,对病人造成不应有的损伤。

五、先天因素

先天因素是指人未出生前因父母体质或胎儿发育过程中已经潜伏着的可以致病的因素,包括遗传因素、胎传因素。遗传因素是指亲代与子代之间,通过遗传信息传递所形成的致病因素。胎传因素是指在胚胎发育过程中,各种因素通过母体作用于胎儿所形成的致病因素。遗传因素和胎传因素,都会导致胎儿或出生后机体结构和功能异常的疾病。

(一)遗传因素

遗传因素是由父母亲的遗传信息传递而形成的致病因素,可导致遗传性疾病。其主要特点是:患者在亲祖代和子孙代中有一定的数量比例,近亲婚配所生育的子代中遗传病的发病率较高,单卵双生比异卵双生患病的机会大得多。例如某些出血性疾病(血友病)、癫狂痫(精神分裂症、癫痫)、消渴(糖尿病)、多指(趾)症、眩晕和中风(高血压病)、多囊肾、色盲、近视以及过敏性疾病等。

(二)胎传因素

胎传因素包括精神刺激、用药不当、起居不慎、饮食所伤等,通过母体影响胎儿的生长发育,所致胎传性疾病多在婴儿出生时就已显示出症状和体征,也有一些在出生时并无症状,随着个体不断地发育,逐渐显现出来。例如父母体衰,气血虚弱所致胎弱;胎儿期间感染父母所患的梅毒、艾滋病病毒、乙肝病毒等邪毒,或受母体火毒,出生后因遗毒、胎毒而发生疮疹和梅毒等病。

名词点击

病因　六气　六淫　疠气　七情内伤　饮食失宜　食复　过劳　痰饮　瘀血　无形之痰　药邪　先天因素

目标检测

1. "六淫"是指( )
   A. 六气
   B. 六气的太过和不及
   C. 六种毒气
   D. 六种外感病邪的统称

2. 在六淫中,易扰心神的邪气是( )
   A. 风邪　　　　　　　　B. 寒邪
   C. 火邪　　　　　　　　D. 湿邪

3. 称为"百病之长"的邪气是（　　）

   A. 风邪   B. 寒邪

   C. 暑邪   D. 湿邪

4. 过度悲哀,则易损伤（　　）

   A. 肝气   B. 肺气

   C. 肾气   D. 脾气

5. 过怒主要影响（　　）

   A. 肺的呼吸功能   B. 肝的疏泄功能

   C. 肝的藏血功能   D. 肾的纳气功能

6. 痰与饮的主要区别是（　　）

   A. 热者为痰,寒者为饮

   B. 得阳气煎熬而成者为痰,受阴气凝聚而成者为饮

   C. 黏稠者为痰,清稀者为饮

   D. 色黄者为痰,色白者为饮

7. 下列哪一项不是瘀血的病因（　　）

   A. 气虚   B. 气滞

   C. 血寒   D. 过劳

8. 瘀血引起的出血特点是（　　）

   A. 血色鲜红   B. 伴有血块

   C. 色淡质清稀   D. 出血量多

9. 绦虫病的形成多因（　　）

A. 饮食不洁

B. 手足皮肤直接接触了粪土

C. 生食或食用未煮熟猪牛肉

D. 脾胃虚弱

10. 病势缠绵,反复发作的病邪是（　　）

   A. 湿邪   B. 寒邪

   C. 暑邪   D. 燥邪

 想一想

1. 简述风邪的性质和致病特点。

2. 简述火邪的性质和致病特点。

3. 七情内伤的致病特点是什么?

4. 饮食失宜的病因有哪些?

5. 瘀血的致病特点是什么?

 参考答案

1. D   2. C   3. A   4. B   5. B   6. C   7. D   8. B   9. C   10. A

第五章 病 机

病机,即疾病发生、发展变化及转归的机理,又称"病理"。其着重研究疾病发生和人体产生病理反应的全过程及其规律。任何疾病的发生、发展变化及其转归,与患病机体的正气强弱和致病邪气的性质、感邪的轻重、邪气所伤部位等均密切相关。当致病邪气作用于人体,机体的正气必然奋起抗邪,引起邪正斗争。因此邪正斗争就成为疾病全过程的基本矛盾。在疾病过程中,邪正之间的斗争必然导致双方力量的盛衰变化,从而造成人体阴阳的平衡状态失调,或气血津液的生理功能和相互关系失常,或脏腑经络机能的紊乱,产生一系列复杂的病理变化。

第一节 发病原理

发病即指疾病的发生(包括疾病复发)。人体在一定的致病因素作用下,正气与邪气之间的斗争,使人体的某些平衡协调状态遭到破坏,出现脏腑、经络等组织器官的功能活动或形态结构异常,或气、血、津液、精的耗损与代谢失常,表现出一定的临床症状,并不同程度地影响正常的生活与劳动能力,发生疾病。

一、发病的基本原理

疾病发生的因素虽然十分复杂,但总其大要,不外乎人体本身的正气和致病邪气两个方面。正气,简称"正",与邪气相对而言,泛指人体的各种物质结构(脏腑、经络、精气血津液等)及其所产生的生理机能、抗病能力和康复能力的总和。正气是随着人体的生长发育,及人体在不断适应自然的过程中逐渐完善起来的,具有抵御、消除各种有害因素,使人体免受病邪伤害,而一旦受到损害则能促使其康复的能力。邪气,简称"邪",泛指各种致病因素,包括六淫、疫疠邪气、七情内伤、劳逸损伤及各种病理产物(如痰饮、水湿、瘀血、结石、宿食)等。这些因素都具有损伤人体的正气,破坏脏腑组织器官的功能活动及形态结构的特性。因此疾病的发生,是在一定条件下邪正斗争的反映。

(一)正气不足是疾病发生的内在根据

中医发病学十分重视人体的正气,强调人体正气在发病过程中的主导作用,认为正气充足,卫外固密,病邪难于侵犯人体,疾病则无从发生,或虽有邪气侵犯,正气亦能抗邪外出而免于发病。所以说:"正气存内,邪不可干"。只有在人体正气相对虚弱,卫外不固时,邪气方能乘虚而入,导致病理性损害,从而发生疾病。因此说"邪之所凑,其气必虚"。可见正气不足是疾病发生的内在根据,是矛盾的主要方面;当然人体正气的抗邪能力也是有一定限度的,若邪气过盛,或邪气的致病性较强,超过人体正气的抗邪能力,也可发病。

(二)邪气是疾病发生的重要条件

中医学强调正气在疾病发生过程中的主导地位,并不排除邪气对疾病发生的重要作用。任何邪气都具有不同程度的致病性,在正气相对不足的前提下,邪气的入侵则是疾病发生的重要条件,如六淫邪气伤人,就是外感病发生的外在因素。因此在一般情况下,邪气只是发病的条件,并非是决定发病与否的唯一因素。但在某些特殊的情况下,邪气也可以在发病中起主导作用,如疫气是一类具有强烈传染性的邪气,对人体危害较大,不论老幼强弱,均可感染致病。其他如高温、电击、中毒等致病,即使正气强盛,也难免不受其害。

(三)正邪斗争的胜负决定发病与否

邪气一旦伤人,机体的正气必然奋起抗邪而引起邪正相争,正气与病邪斗争的胜负,不仅决定疾病的发生与否,而且关系到发病的轻重缓急。

1. 正胜邪去则不病

人生活于自然环境之中,自然界客观地存在着各种各样的致病邪气,但并非所有接触的人都会发病,这是因为正气充足,卫外固密,邪不能侵入的缘故。即使有邪气侵犯人体,若正气强盛,抗邪有力,病邪入侵后亦能被正气及时消除,并不产生病理反映,可以不发病,此即正胜邪却。

2. 邪胜正负则发病

在正邪斗争的过程中,若邪气偏胜,正气相对不足,邪胜正负,便可导致疾病的发生。由于正气不足的程度、病邪的性质、感邪的轻重,以及邪气所中部位的深浅不同,疾病的发生也有轻重缓急之别。如感邪较重,邪气入深,则发病较急、较重;感邪较轻,邪在肌表,则发病较轻;正气不足,感邪较轻,则发病较缓等。

二、影响发病的因素

疾病的发生与内外环境都有着密切的关系。外环境主要是指生活、工作环境,包括气候变化、地域特点、工作条件、居处环境等;内环境主要是指人体内部的差异性,包括体质特点、精神状态等。内环境主要决定人体正气的强弱,而外环境则主要关系到不同病邪的形成,但是外环境的急剧变化也可干扰人体的正气而导致疾病发生。

三、发病类型

由于致病邪气的性质、感邪的轻重和致病途径等的不同,以及人体体质和正气强弱的差异,因此发病形式上各不相同,主要有感而即发、伏而后发、徐发、继发、复发等不同发病形式。

总之,疾病的发生,或疾病复发,主要取决于机体正气和致病邪气两个方面,是在一定条件下正邪相争而正不胜邪的病理反应。正气不足是发病的内在根据,邪气伤人是发病的重要条件。由于人体内外环境是影响人体正气,决定人体对致病因素的易感性,以及影响邪气形成和致病的条件,所以人体内外环境与疾病的发生有着密切的关系。

第二节　基本病机

基本病机是指机体在致病因素作用下所产生的基本病理反应,是疾病发生后病变本质变化的一般规律,也是其他各种病机的基础。基本病机主要包括邪正盛衰、阴阳失调、气血津液失常,以及"内生五邪"等。

一、邪正盛衰

邪正盛衰是指在疾病过程中,致病邪气与机体抗病能力之间相互斗争所发生的盛衰变化。邪正斗争的消长盛衰,不仅关系到疾病的发展与转归,同时还决定着疾病的虚实病理变化。因此从一定意义上说,任何疾病的发展演变过程,也就是邪正斗争及其盛衰变化的过程。

(一)邪正盛衰与病邪出入

病邪出入,又称"病势出入"。在疾病过程中,由于邪气与正气的盛衰变化,在一定程度上决定病邪的出入,从而决定病势轻重和病变的演变趋势。

1. 表邪入里

表邪入里是指外邪侵犯人体肌表之后,由表传里,影响脏腑气血的病理演变过程。病邪由表入里主要取决于两个方面:一是感邪较重,或邪气的致病性较强;二是机体正气较虚,抗邪无力。如外感六淫邪气,邪在肌表不解,因邪气过盛或因失治、误治,以致邪气深入为病。

2. 里邪出表

里邪出表是指病邪原本在脏腑较深的层次,由于邪正斗争,病邪由里透达于表的病理过程。里邪出表,大都是由于疾病过程中,正气渐复,抗邪有力的结果。若素体禀赋强盛,或治疗护理得当,则机体正气抗邪有力,故能驱邪外出,使病邪由里出表,疾病趋于痊愈。如温热病,高热烦渴、胸闷喘促,稍后则汗出而热解,或斑疹、透发于外等。

(二)邪正盛衰与虚实变化

在疾病的发展变化过程中,正气和邪气之间不断地进行斗争,必然会导致邪正双方力量的盛衰变化。或邪气较盛而正气未衰,邪正相持不下;或正盛而邪退;或邪盛而正衰;或正气大伤,邪气留恋不去;或邪气虽去而正气已衰等,随着邪正盛衰的消长,在疾病过程中则相应地表现出或虚或实的病理状态。故有:"邪气盛则实,精气夺则虚"之说。

1. 虚实病机

实性病机主要是指邪气亢盛,正气未衰,以邪盛为矛盾主要方面的病理变化。亢盛的邪气包括外感六淫、内伤饮食、虫积,或痰饮、瘀血等病理产物留滞于体内等。由于邪气虽盛,但正气未衰,从而形成正邪激烈相争,病理反应强烈,并表现一系列以亢奋、有余、不通为特征的实性病理变化。如壮热、狂躁、声高气粗、腹痛拒按、痰涎壅盛、二便不通等。实性病机多见于外感病的初期和中期,或由于痰、食、水、饮、瘀血、结石等滞留于体内所引起的疾病。

虚性病机主要是指正气不足,邪不太盛,以正气亏虚为矛盾主要方面的病理变化。包括机体精、气、血、津液等物质的亏损,脏腑、经络等生理功能衰退,抗病能力低下等。由于机体正气衰弱,而且邪亦不盛,邪正相争无力,难以出现剧烈的病理反应,从而表现出一系列以衰退、虚弱、不固等为主要特征的虚性病理变化。如神疲乏力、动则气喘、自汗、畏寒肢冷、面容憔悴、身体消瘦等。虚性病机多见于疾病后期,以及多种慢性疾病的病理过程之中。

2. 虚实变化

邪正盛衰不仅可以产生单纯的虚性或实性病理变化,而且在疾病过程中,尤其是一些慢性的、复杂的疾病,随着邪正双方力量的消长盛衰,还可以形成多种复杂的虚实病理变化。

凡邪气过盛而损及正气,或正气本虚而致实邪内生或复感邪气者,可致"虚实夹杂"性病变。"虚实夹杂",又称"虚实错杂"。其中以邪实为主,兼有正气不足者,称为"实中夹虚"。如邪热炽盛,消灼津液而致实热伤津,出现以高热,烦渴,尿少,口舌干燥等为主要表现者即属此类。以正虚为主兼有痰饮、水湿、瘀血、结石、宿食等实邪停留,或复感邪气者,称为"虚中夹实"。如脾阳虚衰,运化无力,水湿内生,而见以食少神疲、四肢不温、腹胀水肿等为主要表现者即属此类。虚实夹杂性病变,由于病邪所在的部位、层次不同,正气亏损的程度各异,可以表现为表虚里实、表实里虚、上实下虚、上虚下实等不同的形式。

在疾病发展变化过程中,邪气久留而大伤正气,或正气不足而变生实邪等,还可以导致"虚实转化"的病理。其中先有实邪为病,继而耗伤正气,邪气虽去而正气大伤,病变可转化为以正虚为主的虚性病理,称为"由实转虚"。如湿邪伤人日久,耗伤脾胃阳气,转化为以阳气不足,运化无力,清气不升,或致脾不统血,而见以泄泻、眩晕、不思饮食、大便下血等为主要表现者即属此类。若先有正气不足,因推动、气化无力,而后内生痰饮、水湿、瘀血等病理产物积聚于体内,则可转化为以邪实为主的实性病理,称为"因虚致实"。如心阳不足,运血无力,血行迟滞,可致心脉痹阻,阳气不通,而见以心痛剧烈、胸前憋闷等为主要表现者即属此类。疾病虚实性质的转化,大都是有条件的,如失治、误治,或邪气积聚,或正气严重亏损等,均可以成为病变性质转化的重要因素,因此应当动态地观察和分析疾病的虚实变化。

在疾病发展变化的过程中,病变的本质和现象大都是相一致的,疾病的现象可以准确地反映病机的虚实变化。但在特殊情况下,由于邪正斗争的复杂性,人体机能活动和代谢的严重紊乱,也可以出现病变的本质和现象不相一致的情况。如本质为实性病变,由于邪气深结不散,气血郁积于内,经络阻滞,气血不能通达于外,而出现四肢逆冷、面色不华等似虚非虚的假象,即为"大实有赢状"的"真实假虚";或本为虚性病变,由于正气虚弱,推动无力,机能活动失于鼓动而出现腹胀、喘满等似实非实的假象,则为"至虚有盛候"的"真虚假实"。因此分析病机的虚实变化,还必须透过现象看本质,才能准确地把握疾病的虚实性质,全面了解疾病过程中的邪正盛衰变化。

(三)邪正盛衰与疾病转归

任何疾病在邪正双方在其相互斗争的过程中所产生的消长盛衰变化,对疾病的转归起着决定性的作用。邪正盛衰的形式不同,其病理结局亦不相同。

1. 正胜邪退

正胜而邪退是疾病趋于好转和痊愈的一种转归,也是许多疾病最常见的结局。这是因为患者的正气比较充盛,抗御病邪的能力较强,能较快地驱除病邪;或因得到及时正确的治疗,脏腑、经络等组织器官的病理损害逐渐得到恢复,精、气、血、津液等被耗伤的物质逐渐得到充实,正气渐渐恢复,机体的阴阳两个方面趋于相对平衡,疾病因而痊愈。例如风寒感冒,邪气从皮毛或口鼻侵犯人体,而出现恶寒发热、无汗、头身疼痛、鼻塞流清涕、咳嗽等,属于肺卫不宣,病邪尚在肌表,正气亦能抗邪外出,若及时予以解表宣肺的治疗,则病邪驱除,正气修复而痊愈。

2. 邪胜正衰

邪胜而正衰是在邪正消长盛衰变化过程中,疾病趋于恶化,甚至死亡的一种转归。这是由于机体的正气衰弱,抗邪无力;或由于邪气过于强盛,严重损伤人体的正气,以致机体抗邪能力日渐低下,不能制止邪气的致病作用,机体受到的病理性损害逐渐加重,则病情日趋恶化。若进一步发展,正气大衰,邪气独盛,脏腑、经络、气血等的生理功能严重衰惫,则可致阴阳离绝,生命活动终止。例如外感热病过程中,"亡阴"、"亡阳"的病理改变,即是正不敌邪,邪胜正衰,疾病恶化的典型表现。此时若能及时给以恰当的治疗,也可避免恶化的转归。

3. 正虚邪恋

正虚邪恋是疾病后期,正气已虚而邪气未尽,正气一时无力驱邪,邪气留恋不去,病势缠绵的一种转归。这是由于正气素虚,疾病过程中虽奋起抗邪,但正气先已力竭,以致无力驱邪;或因邪气强盛,消耗正气,加之治疗未能彻底,以致正气未复,邪恋不去;或为某些性质缠绵黏着的邪气所伤,病程较长,正气日趋损伤,邪气羁留难去等。这种转归常常是许多疾病由急性转为慢性,日久不愈,反复发作,或留下某些后遗症的主要原因之一。例如外邪犯肺,若因正气素虚,或治疗不彻底,病邪久留,肺的生理功能遭到破坏,则可致咳嗽日久不愈,甚至发展成为慢性咳喘病。

4. 邪去正虚

邪去正虚是疾病后期,病邪已经驱除,但正气耗伤,有待逐渐恢复的一种转归。多见于急、重病的后期。这是因为在疾病过程中,邪气亢盛,病势急剧,正气受到较重的损伤;或由于治疗措施过于峻猛,如大汗、大下等,邪气虽被驱除,但正气亦已大伤;或由于素体虚弱,大病之后正气虚弱更甚。此时病邪虽已尽除,但正气的耗伤、脏腑组织的病理性损害,尚需一段时间的调养才能逐渐恢复。由于正气损伤的程度不同,其恢复所需时间亦长短不一。若经过一段时间的将息调养,正气逐渐充盛,病理性损害得到修复,疾病可告愈;若此时重感病邪,则易致疾病复发。

综上所述,邪正斗争是疾病过程中的基本矛盾,邪气与正气之间的相互斗争,必然导致邪正的盛衰变化。从病理演变的角度来分析,邪正的盛衰不仅关系到疾病虚实性质的变化、病邪的出入和疾病的转归、预后,而且还进一步影响到机体的阴阳平衡、气血协调、津液代谢,以及各脏腑器官的功能活动等,从而导致不同的病理改变。因此邪正盛衰是疾病过程中最基本的病理变化。

二、阴阳失调

阴阳失调即阴阳消长失去平衡协调的病理状态。是指在疾病过程中,由于各种致病因素的影响及邪正之间的斗争,导致机体阴阳的相对平衡状态遭到破坏,表现以寒、热为主要特征的病理变化。阴阳失调是对脏腑经络、气血营卫等功能失调,以及表里出入、气机升降失常等病机的概括。阴阳失调的病理变化,虽甚复杂,但从总体上来说,主要是阴阳的消长异常和阴阳的互根关系失调,不外乎阴阳偏胜、阴阳偏衰、阴阳互损、阴阳格拒、阴阳转化,以及阴阳亡失等几个方面。

(一)阴阳偏胜

阴阳偏胜是指阴邪或阳邪过于亢盛的病理状态,属于"邪气盛则实"的实性病理。主要由于外感阴寒病邪或体内阴寒性病理产物积聚,以及外感阳热病邪或某些因素导致脏腑阳气亢盛所形成。"阳胜则热,阴胜则寒"就明确地指出了阳偏胜和阴偏胜的病机特点。

1. 阳偏胜

阳偏胜,即是阳盛,是指机体在疾病过程中所表现的一种以阳气偏盛,机能亢奋,热量过剩的病理状态。其病机特点多表现为阳盛而阴未虚的实热性病理变化。

2. 阴偏胜

阴偏胜,即是阴盛,是指机体在疾病过程中所表现的一种以阴气偏盛,机能障碍或减退,产热不足,以及阴寒性病理产物积聚的病理状态。其病机特点多表现为阴盛而阳未虚的实寒性病理变化。形成阴偏胜的原因多是由于感受阴寒邪气,或是过食生冷之物,或是阴寒性病理产物积聚,寒阻阳气,从而导致阳不制阴,阴寒内盛。

(二)阴阳偏衰

阴阳偏衰,亦称阴阳亏损,是指阴或阳过于虚衰的状态,属于"精气夺则虚"的虚性病理。主要由于在疾病过程中,邪正之间的斗争,导致了机体的精、气、血、津液等基本物质的亏损或脏腑、经络等组织器官的生理功能衰退所形成。正常情况下阴阳双方存在着相互制约、互根互用的关系。因此当阴或阳一方衰少不足时,必然不能制约另一方而导致对方的相对偏盛,从而形成"阳虚则阴盛"、"阳虚则寒","阴虚则阳亢"、"阴虚则热"的病理变化。

1. 阳偏衰

阳偏衰是指机体在疾病过程中,阳气虚损,机能活动减退或衰弱,温煦功能减退的一种病理状态。其病机特点多表现为阳气不足,阳不制阴,阴相对偏盛的虚寒性病理变化。阳偏衰的形成多由久病耗伤阳气,或先天禀赋不足,或后天失于调养,或饮食劳倦损伤等所致。

阳气不足以心、脾、肾三脏较为多见,尤其是肾,肾阳虚衰在阳偏衰的病机中占有极其重要的地位。阳气偏衰时多表现为温煦、推动、振奋等作用的减退。故有寒的表现,如畏寒喜暖、四肢不温,脏腑、经络等的生理活动减弱,血液、津液等运行迟缓,加之失于温通气化,则易致血液凝滞、水液停蓄等;其振奋作用低下,则表现为精神不振、喜静蜷卧等。

2. 阴偏衰

阴偏衰是指机体在疾病过程中,精、血、津液等物质亏损,阴不制阳,导致阳气相对偏旺,机能活动虚性亢奋的病理状态。其病机特点多表现为阴液不足,宁静、滋养作用减退,阴不制阳,阳气相对有余的虚热性病理变化。阴偏衰的形成多由外感阳热病邪,邪退阴伤,阴液亏损,或因五志过极,化火伤阴,或久病耗伤阴液,或津血流失过多,或因过食燥热之品,日久伤阴等所致。

阴虚以肺、肝、肾三脏为多见,尤其是肾,肾阴不足在阴偏衰的病机中占有相当重要的地位。故多表现为低热、五心烦热或骨蒸劳热、口燥咽干、尿短少、大便燥结,以及心烦、失眠等。

(三)阴阳互损

阴阳互损是指在阴或阳任何一方虚损的前提下,影响到相对的一方,形成阴阳两虚的病理状态,属于阴阳偏衰病理的进一步发展,是阴阳互根互用关系失常的病理表现。

1. 阴损及阳

阴损及阳是指阴液亏损,致使阳气的生化不足,或者阳气无所依附而耗散,形成以阴虚为主的阴阳两虚病变。例如肝阳上亢,其病机本为肝肾阴虚,水不涵木,阴虚无力制阳的阴虚阳亢,随着病情的发展,亦可进一步耗损肝肾阳气,继而出现畏寒肢冷、面白等阳虚症状,病变发展为阴损及阳的阴阳两虚。

2. 阳损及阴

阳损及阴是指阳气亏损,致使阴液的生成减少,或阳不摄阴而阴液流失等,形成以阳虚为主的阴阳两虚病变。例如水肿,其病机本为阳气不足,阳虚气化失职,津液代谢障碍,水液停聚而泛溢肌肤,但是随着病情的发展,亦可进一步因阴液久无阳气以助,而生成减少,或通阳利水过久,以致阴液日渐亏耗,出现形体日益消瘦、烦躁不安、筋脉拘急、肌肉瞤动等阴虚症状,病变发展为阳损及阴的阴阳两虚。

(四)阴阳格拒

阴阳格拒是阴阳失调病机中比较特殊的病理变化。主要是由于某些原因引起阴或阳偏盛至极而壅盛阻遏于内,格拒另一方于外;亦可由于一方极度虚弱而导致另一方相对偏盛,双方盛衰悬殊,盛者盘踞于内,将衰弱的一方排斥于外,迫使阴阳之间不相交通维系,从而导致真寒假热或真热假寒。

1. 阴盛格阳

阴盛格阳主要是由于阴寒邪气过盛,壅阻于内,排斥阳气于外,使阴阳之气不相交通,相互格拒,出现内真寒、外假热的病理状态。由于其病理本质是阴寒内盛,故常见四肢厥冷、下利清谷、小便清长等阴寒表现。但因其格阳于外,所以还表现有与其病变本质不相符的假热症状,如自觉身热,但欲盖衣被;口渴欲饮,但喜热饮且量少等。这种病理改变即属于寒极似热、阴证似阳的真寒假热。

2. 阳盛格阴

阳盛格阴主要是由于阳热邪气过盛,深伏于里,阳气被遏,闭郁于内而不能透达于外,使阴阳之气不相交通,互相格拒,出现内真热、外假寒的病理状态。由于其病理本质是阳热内盛,故多见烦渴饮冷、面红、气粗、烦躁等阳热表现;由于格阴于外,所以还表现有与其病变本质不相符的假寒症状,如手足厥冷,但胸腔灼热等,而且其内热愈盛,则肢冷愈重,即所谓"热深厥亦深"。这种病理改变即属于热极似寒、阳证似阴的真热假寒。

(五)阴阳亡失

阴阳亡失,包括亡阴和亡阳。主要是指机体的阴液或阳气突然大量亡失,功能活动严重衰竭的病理状态。

1. 亡阳

亡阳是指在疾病过程中,机体的阳气突然亡脱,而致全身机能活动严重衰竭的病理状态。阳气的大量消耗是引起亡阳的最直接的病机,如邪气过盛,正不敌邪,阳气突然脱失;或素体阳虚,正气不足,因过度疲劳,消耗阳气过多;或过用汗、吐、下法,以致阳随阴泄,阳气外脱;或慢性消耗性疾病,长期大量耗散阳气等,均可致阳气亡脱。由于亡阳,其温煦、推动、振奋、固摄等功能严重衰竭,故亡阳病变多表现为面色苍白、四肢逆冷、精神衰惫、大汗淋漓、脉微欲绝等危重征象。

2. 亡阴

亡阴是指在疾病过程中,机体的阴液突然丢失或大量消耗,而致全身机能活动严重衰竭的病理状态。阴液的大量消耗是引起亡阴的最直接的病机,如热邪炽盛,或邪热久留,大量煎灼阴液;或大吐、大汗、大泻等,直接消耗大量阴液;或因久病,长期损伤阴液,日渐耗竭等,均可致阴液亡脱。由于亡阴,其滋润、宁静、制阳、内守等功能严重衰竭,故亡阴病变多表现为烦躁不安、气喘口渴、手足虽温但大汗欲脱等严重的外脱不守征象。

亡阴与亡阳,在病机和临床征象等方面虽然有所不同,但由于机体的阴和阳存在着互根互用的关系,阴亡则阳气无所依附而散越,阳亡则阴液无以固摄而耗脱。所以亡阴可以迅速导致亡阳,亡阳亦可迅速导致亡阴,最终致"阴阳离决,精气乃绝",生命活动终止。

综上所述,阴阳失调的病机,是以阴和阳之间相互制约、相互消长、互根互用和相互转化的理论,来阐释、分析疾病过程中因邪正斗争所致阴阳平衡失调,寒热虚实变化的机理。因此在阴阳偏盛和偏衰的病理变化过程中,各类型病理变化之间都存在着密切的联系。阴阳失调各种类型的病机,并不是固定不变的,而是随着病程的长短,病情的进退和邪正盛衰等而不断变化的,如阴阳偏衰病变的发展,可致阴阳互损的阴阳两虚,也可致阴阳格拒的寒热真假;阴阳偏盛至极,正不敌邪,或阴阳偏衰至极,正气大伤,则可致阴阳亡失等。

三、精气血津液失常

精、气、血、津液的失常是指在疾病过程中,由于邪正斗争的盛衰,或脏腑功能的失调,导致精、气、血、津液的不足、运行失常,以及关系失调的病理变化。

(一)精的失常

精的失常主要包括精亏和精瘀两个方面。

1. 精亏

精,主要指肾精,肾精禀受于先天父母,充实于水谷精气,宜藏不宜耗。因此若先天禀赋不足,或后天脾胃虚弱,水谷不充,或房劳过度,耗损肾精;或久病虚弱,脏气不足,累及于肾,均可致肾精不足,失于充养,而出现精亏病变。肾精亏损的病变,其表现是多方面的,如小儿生长发育异常,成年人体弱多病、抗病能力低下、早衰、女子不孕、男子精少不育、眩晕、耳鸣、精神萎顿、足膝酸软、健忘等。

2. 精瘀

精瘀多指男子精滞精道,排精障碍而言。但如果房室不节,或忍精不泄,或年少手淫,或旷久不交,或惊恐伤肾,或忧郁气滞,或瘀血、败精阻滞,或外伤等均可致肾气亏损,鼓动无力;或肝气不畅,疏泄不利;或邪阻精道,排泄不畅等致精泄不畅而淤滞。精瘀的主要表现是排精不畅,可伴精道疼痛、睾丸胀痛、小腹坠胀等,若精瘀日久,可因败精瘀积为他病。

(二)气的失常

气的失常主要包括两个方面:一是气的不足,功能减退,称为"气虚";二是气的运动失常,如气滞、气逆、气陷、气闭、气脱等,称为"气机失调"。

1. 气不足

气不足,又称气虚,是指在疾病过程中,气的生化不足或耗散太过而致气的亏损,从而使脏腑组织功能活动减退,抗病能力下降的病理状态。气不足的形成多因先天禀赋不足,元气衰少;或后天失养,生化不足;或久病劳损,耗气过多;或脾、肺、肾等脏腑的功能失调,以致气的生成减少。常表现为精神疲乏、全身乏力、自汗、易于感冒等。

2. 气机失调

气机失调是指在疾病过程中,由于致病邪气的干扰,或脏腑功能失调,导致气的升降出入运动失常所引起的病理变化。气机失调可以概括为气滞、气逆、气陷、气闭、气脱五个方面。

(1)气滞:气滞是指气运行不畅而郁滞的病理状态。主要是由于情志郁结不舒,或痰浊、食积、瘀血等有形实邪阻滞,或因外邪困阻气机,或因脏腑功能障碍,影响气的正常流通,引起局部或全身的气机不畅或阻滞所致。因此气滞不仅见于肺气壅滞、肝郁气滞、脾胃气滞,而且肺、肝、脾、胃等脏腑的功能障碍,也能形成气滞病变。不同部位的气机阻滞,其具体病机和临床表现各不相同,如外邪犯肺,则肺失宣降,上焦气机壅滞,多见喘咳胸闷;饮食所伤,胃肠气滞,则通降失职,多见腹胀而痛,时轻时重,得矢气、嗳气则舒等。但气机郁滞不畅是其共同的病机特点,因此闷、胀、痛是气滞病变最常见的临床表现。

(2)气逆:气逆是指气的升降运动失常,当降者降之不及,当升者升之太过,以致气逆于上的病理状态。多由情志所伤,或因饮食寒温不适,或因外邪侵犯,或因痰浊壅滞所致。气逆病变以肺、胃、肝等脏腑最为多见。肺失肃降而气机上逆,出现咳嗽、气喘等症;胃失和降而气机上逆,出现恶心、呕吐、嗳气、呃逆等症;肝气升动太过,气血冲逆于上,出现面红目赤、头胀头痛、急躁易怒,甚至吐血、昏厥等病症。

气逆于上多以邪实为主,也有因虚而致气机上逆者,如肺虚无力以降,或肾虚不能纳气,都可导致肺气上逆而喘咳;胃气虚弱,无力通降,亦可导致胃气上逆而恶心、呃逆等。

(3)气陷:气陷是在气虚的基础上表现以气的升举无力为主要特征的病理状态,也属于气的升降失常。由于脾胃居于中焦,为气血生化之源,脾气主升,胃气主降,为全身气机升降之枢纽,所以气陷病变与脾胃气虚关系密切,通常称气陷为"中气下陷"或"脾气下陷",主要是由于久病体虚,或年老体衰,或泄泻日久,或妇女产育过多等,气虚较甚,升举无力所致。

由于脾虚升举无力,则气机趋下,陷而不举,甚至引起内脏无托而下垂,常表现有小腹坠胀、便意频频,或见脱肛、子宫下垂、胃下垂等病变。

(4)气闭:气闭是气机郁闭,外出受阻的病理变化。主要是指气机郁闭,气不外达,出现突然闭厥的病理状态。多因情志过极,肝失疏泄,阳气内郁,不得外达,气郁心胸;或外邪闭郁,痰浊壅滞,肺气闭塞,气道不通等所致。所以气闭病变大都病情较急,常表现为突然昏厥、不省人事、四肢欠温、呼吸困难、面唇青紫等。

(5)气脱:气脱是气虚之极而有脱失消亡之危的病理变化。主要是正不敌邪,或正气持续衰弱,气虚至极,气不内守而外脱,出现全身性功能衰竭的病理状态。气脱是各种虚脱性病变的主要病机。多因疾病过程中邪气过盛,正不敌邪;或慢性疾病,长期消耗,气虚至极;或大汗、大出血、频繁吐泻,气随津血脱失所致。由于气向外大量流失,全身严重气虚,功能活动衰竭,所以气脱病变多表现为面色苍白、汗出不止、口开目闭、全身软瘫、手撒、二便失禁等危重征象。

(三)血的失常

血的失常主要包括两个方面:一是血的不足,濡养作用减退,称为“血虚”;二是血的运行失常,如血液运行迟缓而致血瘀;血液运行加速而迫疾;血液妄行,逸出脉外而出血等。

1. 血不足

血不足又称血虚,是指血液不足,血的濡养功能减退的病理变化。血不足的病变以心、肝两脏最为多见。形成血不足病变的原因甚多,常见的有三个方面:一是大出血等导致失血过多,新血未能及时生成补充;二是化源不足,如脾胃虚弱,运化无力,血液生化减少,或肾精亏损,精髓不充,精不化血等;三是久病不愈,日渐消耗营血等。

由于全身各脏腑组织器官,都依赖于血液的濡养,而且血能载气,血少则血中之气亦虚,血液又是神志活动的重要物质基础。所以在血虚时,血脉空虚,濡养作用减退,就会出现全身或局部的失荣失养,功能活动逐渐衰退,神志活动衰惫等一派虚弱表现,如面色、唇、甲淡白无华、头晕健忘、神疲乏力、形体消瘦、心悸、失眠、手足麻木、两目干涩、视物昏花等。

2. 血液运行失常

血液运行失常是指在疾病过程中,由于某些致病邪气的影响,或脏腑功能失调,导致血液运行瘀滞不畅,或血液运行加速,甚至血液妄行,逸出脉外而出血的病理变化。血液的运行失常,主要包括血瘀及出血等。

(1)血瘀:血瘀是指血液运行迟缓或瘀滞不畅的病理状态。导致血瘀病变的因素甚多,最常见的有气滞而血行受阻;气虚而推动无力,血行迟缓;寒邪入血,血寒而凝滞不通;邪热入血,煎熬津血,血液黏稠而不行;痰浊等阻闭脉络,气血瘀阻不通,以及“久病入络”等,影响血液正常运行而瘀滞。

血瘀与瘀血的概念不同。血瘀是指血液运行瘀滞不畅的病理,而瘀血则是血液运行失常的病理产物,又可成为继发性致病因素。血瘀病理可以出现在任何局部,也可是全身性的。血液瘀滞于脏腑、经络等某一局部,不通则痛,可出现局部疼痛,固定不移,甚至形成癥积肿块等。如果全身血行不畅,则可出现面、唇、舌、爪甲、皮肤青紫色暗等症。

由于气、血、津液的运行密切相关,血瘀病理形成之后,又可阻滞气机,甚至影响津液的输布,导致水液停蓄,形成气滞、血瘀、水停的病理状态。

(2)出血:出血是指在疾病过程中,血液运行不循常道,逸出脉外的病理变化。导致出血的原因颇多,常见的有外感阳热邪气入血,迫使血液妄行和损伤脉络;气虚固摄无力,血液不循常道而外逸;各种外伤,破损脉络;脏腑阳气亢旺,气血冲逆,或瘀血阻滞,以致脉络破损等。导致出血的病变,不外乎火热迫血妄行、气虚不能摄血和脉络损伤几个方面。

出血,主要有吐血、咳血、便血、尿血、月经过多,以及鼻衄、齿衄、肌衄等。由于导致出血的原因不同,其出血的表现亦各异。火热迫血妄行,或外伤破损脉络者,其出血较急,且颜色鲜红、血量较多;气虚固摄无力的出血,其病程较长,且出血色淡、量少,大多表现在人体的下部;瘀血阻滞,脉络破损的出血,多是血色紫暗或有血块等。

(四)津液代谢失常

津液的代谢过程离不开气的升降出入运动和气化功能,以及脾、肺、肾、膀胱、三焦等脏腑功能活动的有机配合。如果气的升降出入运动失去平衡、气化功能失常,或是肺、脾、肾等脏腑的功能异常,均可导致津液的生成、输布与排泄障碍,从而形成津液不足,或蓄积于体内,产生痰饮、水湿等病变。

1. 津液不足

津液不足是指津液的亏少,导致脏腑、组织官窍失于濡润滋养而干燥枯涩的病理状态。多由外感阳热病邪,或五志化火,消灼津液,或多汗、剧烈吐泻、多尿、失血,或过用辛燥之物等引起津液耗伤所致。

由于津和液在性状、分布部位、生理功能等方面均有所不同,因而津和液亏损不足的病机及表现,也存在着一定的差异。津较稀薄,流动性较大,内则充润血脉、濡养脏腑,外则润泽皮毛和孔窍,易于耗散,也易于补充。如炎夏季节而多汗尿少,或高热而口渴引饮,或气候干燥而口、鼻、皮肤干燥等,均以伤津为主。液较稠厚,流动性较小,可濡润脏腑,充养骨髓、脑髓、脊髓和滑利关节,不易耗损,一旦亏损则又不易迅速补充。如热性病后期,或久病耗阴,症见形瘦肉脱、舌光红无苔、肌肉眴动、手足震颤等,均以脱液为主。虽然伤津和脱液,在病机和表现上有所区别,但津和液本为一体,二者之间在生理上互生互用,在病理上也相互影响。伤津时不一定脱液,脱液时则必兼伤津。所以说伤津乃脱液之渐,脱液乃津液干涸之甚。

2. 津液输布、排泄障碍

津液的输布和排泄是津液代谢过程中的两个重要环节。津液的输布是指津液在体内的运行和布散的过程;津液的排泄是指将代谢后的津液,通过汗、尿等途径,排出体外的过程。这两个环节的功能障碍虽然各有不同,但其结果都能导致津液在体内不正常的停留,成为内生水湿、痰饮的根本原因。

津液的输布和排泄障碍,主要与脾、肺、肾、膀胱、三焦的功能失常有关,并受肝失疏泄病变的影响。如脾失健运,则津液运行迟缓,清气不升,水湿内生;肺失宣降,则水道失于通调,津液不行;肾阳不足,气化失职,则清者不升,浊者不降,水液内停;三焦气机不利,则水道不畅,津液输布障碍;膀胱气化失司,浊气不降,则水液不行;肝气疏泄失常,则气机不畅,气滞则水停,影响三焦水液运行等。

汗和尿是体内津液代谢后排泄的重要途径,所以汗、尿的排泄障碍,虽是内脏功能失调的表现,但也是最易导致津液停蓄而内生水湿的环节。津液化为汗液,主要是肺的宣发布散作用;津液化为尿液,并排出体外,主要是肾阳的蒸腾气化功能和膀胱的开合作用。因此肺、肾、膀胱的生理功能衰退,不仅影响到津液的输布,还明显地影响着津液的排泄过程。其中肾阳的蒸腾气化功能贯穿于整个津液代谢的始终,在津液排泄过程中同样起着主要作用。当肺气失于宣发布散,腠理闭塞,汗液排泄障碍时,津液代谢后的废液,仍可化为尿液而排出体外。但是如果肾阳的气化功能减退,尿液的生成和排泄障碍,则必致水液停留为病。

津液的输布和排泄障碍是相互影响和互为因果的,最终都是导致津液在体内的停滞。一旦体内津液停留,内生痰饮水湿,不但加重肺、脾、肾等脏腑的功能失调,还可以进一步影响气血的运行,从而形成综合性的病理改变。

(五)精气血津液关系失常

精、气、血、津液之间有着密切的联系。其中的任何一方失常,都可能对其他三者产生影响,导致其关系失调。

1. 精气亏损

精可化气,气能生精。肾主藏精,元气藏于肾,肾精亏损,可致元气化生不足,气虚日久,生化无力,又可加重肾精的亏损。因此久病或年老体弱者,均可因精亏伤气或气伤损精而致精气两亏病变。精气两虚可表现为生长、发育迟缓,生殖机能障碍以及身体虚弱,抗邪无力,形成多病的体质。

2. 精血两虚

精血两虚是指精亏与血虚同时存在的病理状态。肾藏精,肝藏血,精血同源互化,以维持其动态平衡。若久病伤及肝肾精血,可致精血两亏,肝肾不足病变。精血两虚病变常表现为眩晕、耳鸣、神倦健忘、头发稀疏脱落、腰膝酸软,或男子精少不育,或女子月经失调、经少不孕等。

3. 气滞血瘀

气滞血瘀是指气滞和血瘀同时存在的病理状态。气的运行阻滞,可以导致血液运行的障碍,而血液瘀滞又必将进一步加重气滞。所以说气滞则血瘀,血瘀则气亦滞。两者可同时形成,亦可因气滞病变的进一步发展所导致。

4. 气血两虚

气血两虚是气虚与血虚同时存在的病理状态。多因久病消耗,渐致气血两伤;或先有失血,气随血脱;或先因气虚,血液生化无源而日渐衰少等所致。由于气虚而推动、固摄、温煦作用低下,加之血液亏虚,失于充养,故气血两虚常见症状有面色淡白无华、少气懒言、疲乏无力、自汗、形体消瘦等。对于气血两虚的病机分析,还需分清气虚与血虚的先后、主次关系,以便指导治疗。

5. 气不摄血

气不摄血是指因气的不足,固摄血液的功能减弱,血不循经,逸出脉外,导致各种出血的病理状态,是出血的病机之一。气不摄血而出血的病变,往往因出血而气亦随之耗伤,气愈虚而血亦虚,病情进一步发展可形成气血两虚。由于脾主统血,若脾气亏虚,统血无力,则易致血不循常道而外逸,甚至中气不举,血随气陷于下。气不摄血的病变多与脾气亏虚有关。

6. 气随血脱

气随血脱是指在大量出血的同时,气也随着血液的流失而耗脱的病理状态。气随血脱是以大量出血为前提的,如外伤出血、妇女崩漏、产后大失血等。由于血为气母,血能载气,大量出血,则气无所依附,气也随之耗散而亡失。气随血脱病变的发展,轻则气血两虚,重则气血并脱。

7. 血随气逆

血随气逆是指气机上逆的同时,血亦因之而冲逆于上的病理状态。由于气为血之帅,气能行血,血随气而行。所以当气逆时,血亦随之上逆为病。血随气逆,是以气机上逆为前提,而且大都是气逆较甚者。脏腑之中,肝为藏血之脏,肝气主升、主动而为刚脏,若肝阳亢旺,气机上逆,则易导致血随气逆而涌盛于上,出现吐血、昏厥等。因此血随气逆的病变,以肝病最为多见。

8. 津停气阻

津停气阻是指水液停蓄与气机阻滞同时存在的病理状态。主要是指津液代谢障碍,水湿痰饮内停,导致气机运行阻滞;或因气的升降出入运动失调,气机不行,影响津液代谢;或水停而加重气机阻滞所形成的病理变化。其病理表现因津气阻滞部位不同而异,如痰饮阻肺,则肺气壅滞,宣降不利,可见胸满咳嗽、痰多、喘促不能平卧等症;水湿停留中焦,则阻遏脾胃气机,导致清气不升,浊气不降,可见脘腹胀满、嗳气食少症;水饮泛溢四肢,则可阻滞经脉气机,而见肢体沉重、胀痛不适等症。

9. 气随津脱

气随津脱是指因津液丢失太多,气无所附,气随津液外泄而耗伤,乃至亡失的病理状态。多由高热伤津,或大汗出,或严重吐泻、多尿等,耗伤津液,气随津脱所致。如暑热邪气致病,迫使津液外泄而大汗出,不仅表现有口渴饮水、尿少而黄、大便干结等津伤症状,而且常伴有疲乏无力、少气懒言等气虚的表现。

10. 津血两伤

津血两伤是指津液和血同时出现亏损不足的病理状态。由于津血同源,津液是血液的重要组成部分,所以津伤可致血亏,失血可致津少。如高热大汗、大吐、大泻等大量耗伤津液的同时;可导致不同程度的血液亏少,形成津枯血燥的病变,常表现有心烦、肌肤甲错、皮肤瘙痒、手足蠕动等症。若大量出血,更可导致津液严重脱失。

11. 津亏血瘀

津亏血瘀是指因津液亏损而导致血液运行瘀滞不畅的病理状态。由于津液是血液的重要组成部分,因此津液充足则血行滑利。如因高热、大面积烧烫伤,或大吐、大泻、大汗出等,引起津液大量耗伤,则可致血量减少,血液浓稠而运行涩滞不畅,可在津液耗损的基础上,发生血瘀病变。其临床表现除津液不足的症状外,还可见到面唇紫暗、皮肤紫斑、舌体紫暗,或有瘀点、瘀斑等血瘀表现。

12. 血瘀水停

血瘀水停是指血液瘀滞与津液停蓄同时并见的病理状态。由于气、血、水三者的运行密切相关,因此其病理变化不仅有气滞血瘀、水停气阻,而且血液运行与水液输布的失常,在病理上亦相互影响。如血瘀日久,气机不行,可致津液输布代谢障碍,水液停蓄;反之,若水液代谢严重受阻,痰湿内生,水饮停滞,则气机不畅,亦可影响血液运行而致血瘀。无论是血瘀导致水停,还是水停导致血瘀,大都同时存在不同程度的气机阻滞。而且气、血、水三者之间互为因果,可以形成病理上的恶性循环。

总而言之,邪正盛衰决定疾病的虚实变化及转归,阴阳失调所形成的寒热虚实病理,精、气、血、津液的亏损及其运行失常所产生的一系列病理改变,是任何疾病过程中所表现出的基本病机,无论是外感疾病,还是内伤杂病,都是在不同的致病因素作用下邪正之间的相互斗争,破坏了某些脏腑组织的生理功能,以及脏腑组织之间的平衡协调关系,导致阴阳、精、气、血、津液失调所形成的各种不同的病理变化。

四、"内生五邪"病机

"内生五邪",也称"内生五气"或称"五气病理",是指在疾病的发展过程中,由于脏腑阴阳失调,气、血、津液代谢异常所产生的类似风、寒、湿、燥、热(火)五种外邪致病特征的病理变化。由于病起于内,所以分别称为"内风"、"内寒"、"内湿"、"内燥"、"内热(或内火)"。"内生五邪"不是致病邪气,而是脏腑阴阳失调,气、血、津液失常所形成的综合性病机变化。

(一)风气内动

风气内动,即是"内风",是指因体内阳气亢逆变动或筋脉失养而形成的具有眩晕、麻木、抽搐、震颤等"动摇"特征的一类病理状态。其中关系最密切的是肝,所以将风气内动,又称"肝风内动"或"肝风"。

1. 肝阳化风

肝阳化风,多是情志所伤,操劳太过等耗伤肝肾之阴,筋脉失养,阴虚阳亢,水不涵木所形成的病理状态。其临床表现,轻则筋惕肉瞤、肢体麻木、震颤、眩晕欲仆,或为口眼歪斜,或为半身不遂。甚则血随气逆于上,出现卒然昏倒、不省人事等。

2. 热极生风

热极生风,又称热甚动风。多见于热性病的热盛阶段,因邪热炽盛,煎灼津液,伤及营血,燔灼肝经,使筋脉失养,阳热亢盛而化风的病理状态。热极生风的主要病机是邪热亢盛,属实性病变。故其临床表现以痉厥、四肢抽搐、目睛上吊、角弓反张等为主,并伴有高热、神昏谵语等症。

3. 阴虚风动

阴虚风动属于虚风内动,是指机体阴液枯竭,无以濡养筋脉,筋脉失养而变生内风的病理状态,多由热性病后期,阴津亏损,或慢性久病阴液耗伤所致。由于其病变本质属虚,所以其动风之状多较轻、较缓,常表现为筋惕肉瞤、手足蠕动等症。

4. 血虚生风

血虚生风亦属虚风内动,是指血液亏虚,筋脉失养,或血不荣络而变生内风的病理状态。多是由于失血过多,或血液生化减少,或久病耗伤阴血,或年老精血亏少,以致肝血不足所引起。病变本质属虚,其动风之状亦较轻、较缓。多表现为肢体麻木、筋肉跳动、手足拘挛等。若血燥生风还可见皮肤瘙痒或脱屑等。

(二)寒从中生

寒从中生,即是"内寒",是指机体阳气虚衰,温煦气化功能减退,阳不制阴,虚寒内生的病理状态。内寒病理的形成多与脾肾等脏阳气虚衰有关。由于脾为后天之本,气血生化之源,脾阳布达四肢肌肉而起温煦作用;肾阳为人体阳气之根本,能温煦全身各脏腑组织。脾阳根于肾阳,所以脾肾阳气虚衰,尤其是肾阳不足是内寒病理形成的关键。故《素问・至真要大论》说:"诸寒收引,皆属于肾。"

寒从中生(内寒)与外感阴寒病邪(外寒)所引起的病理变化之间既有区别,又有联系。"内寒"主要是体内阳虚阴盛而寒,以虚为主,属虚寒;"外寒"主要是外感寒邪为病,虽然也有寒邪伤阳的病理改变,但以寒为主,属实寒。两者之间的主要联系是寒邪侵犯人体,必然会损伤机体的阳气,病变发展可以导致阳虚;而阳气亏虚之体,因抗御外邪能力低下,则又易感寒邪而致病。

(三)湿浊内生

湿浊内生,即是"内湿",是指因体内津液输布、排泄障碍,导致水湿痰饮内生并蓄积停滞的病理状态。内湿病理的形成多与脾脏有关。湿浊内生的病理变化主要表现在两个方面:一是由于湿性重浊黏滞,多易阻滞气机,出现胸闷、腹胀、大便不爽等症;二是湿为阴浊之物,湿邪内阻,可进一步影响脾、肺、肾等脏腑的功能活动。如湿阻于肺,则肺失宣降,可见胸闷、咳嗽、吐痰等症;若湿浊内困日久,进一步损伤脾、肾阳气,则可致阳虚湿盛的病理改变。湿浊虽可阻滞于机体上、中、下三焦的任何部位,但以湿阻中焦,脾虚湿困最为常见。

外感湿邪(外湿)与内生湿邪(内湿),既有区别,又有联系。"外湿"是从外感受湿邪为病,以湿邪伤于肌表、筋骨关节为主;"内湿"是由脾、肺、肾等脏腑的功能失调,尤其是脾失健运,水津不布,留而生湿所致。两者之间的联系是湿邪外袭每易伤脾,若湿邪困脾伤阳,则易致脾失健运而滋生内湿;脾虚失运,内湿素盛者,又每易招致外湿入侵而致病。

(四)津伤化燥

津伤化燥,即是"内燥",是指体内津液不足,导致人体各组织器官失于濡润而出现一系列干燥枯涩症状的病理状态。

内燥病变的形成多由久病耗伤阴津,或大汗、大吐、大下,或亡血、失精等导致阴液亏少,或某些热性病过程中热盛伤津等所致。由于津液亏少,内不足以灌溉脏腑,外不足以润泽肌肤孔窍,则出现一系列干燥失润的症状,如肌肤干燥、口燥咽干、大便燥结等。

由于内燥的本质是体内津液亏损,故内燥病变可发生于各脏腑组织,但以肺、胃、大肠最为多见。肺为娇脏,性喜柔润,若肺燥则宣降失职,常见干咳无痰,或咯血等症;胃喜润而恶燥,若胃燥则失于通降,常见不思饮食、食后腹胀等症;大肠主传导食物糟粕,若大肠失润则传导失职,常见大便燥结等症。

(五)火热内生

火热内生,即是"内热",又称"内火",是指由于阳盛有余,或阴虚阳亢,或五志化火等而致的火自内扰,机能亢奋的病理状态。火热内生有虚实之别,其病机主要有如下几个方面。

阳气过盛化火:人身的阳气在正常情况下,有温煦脏腑组织的作用,称为"少火"。但在病理状态下,若脏腑阳气过于亢盛,则化为亢烈之火,可使机能活动异常兴奋,这种病理性的阳亢则称为"壮火",也即是"气有余便是火",多属于实火。

邪郁化火:邪郁化火包括两个方面。一是外感风、寒、湿、燥等病邪,在病理过程中,郁久而化热化火,如寒邪化热、湿郁化火等;二是体内的病理性产物,如痰湿、瘀血、饮食积滞等,郁久而化火。邪郁化火的主要机理,实质上就是由于这些因素导致机体阳气郁滞不达,郁久而从阳化火生热。因此邪郁化火的病变亦多为实火。

五志过极化火:又称"五志之火"。是指由于精神情志刺激,影响脏腑气血阴阳,导致脏腑阳盛,或气机郁结,气郁日久而从阳化火所形成的病理状态。此类化火,多属实火。如过度愤怒,引起肝阳亢旺,升腾于上,发为肝火等。

阴虚火旺:此属虚火。是指阴液大伤,阴不制阳,阴虚阳亢,虚热内生的病理状态。多见于慢性久病之人,如阴虚而引起的牙龈肿痛、咽喉疼痛、骨蒸颧红等均为虚火上炎所致。

综上所述,内生"五邪"病机是疾病过程中,以脏腑阴阳、气血、津液失调为主所形成的病理变化。结合基本病机所阐述的内容,内风、内寒、内湿、内燥、内热(火)病变,都是阴阳失调、气血失常、津液代谢失常病机的具体体现。

名词点击

卒发 伏而后发 徐发 继发 阴阳互损 虚中夹实 实中夹虚 阳胜则热 阴胜则寒 阳胜则阴病
阴胜则阳病 阴盛格阳 阳盛格阴

目标检测

1. 外感六淫邪气致病,其发病多为( )
   A. 徐发   B. 感而即发
   C. 复发   D. 伏而后发
2. 血不足病变多见于( )
   A. 心肺   B. 心脾
   C. 心肾   D. 心肝
3. 阴阳互损病机多与哪一脏虚损有关( )
   A. 肾   B. 肺
   C. 脾   D. 肝
4. 真寒假热的机理是( )
   A. 阴盛则阳病   B. 重阴必阳
   C. 阴盛格阳   D. 阳盛格阴
5. 下列不属于"风气内动"病机的有( )
   A. 肝阳化风   B. 阴虚动风
   C. 风邪上扰   D. 血虚生风
6. 持续高热,面红目赤之实热病变,若突然出现肢厥面白,脉微欲绝,其病机当属( )
   A. 阳盛则热   B. 阳损及阴
   C. 重阳必阴   D. 阳盛格阴
7. 亡阴之后迅速亡阳的主要原因是( )
   A. 阴不生阳   B. 阴损及阳
   C. 阳失依附   D. 由阴转阳
8. "大实有羸状"是指( )
   A. 虚中夹实   B. 因虚致实

   C. 真实假虚   D. 真虚假实
9. 气的升发太过或下降不及,称作( )
   A. 气滞   B. 气闭
   C. 气逆   D. 气陷
10. 本为水不涵木之肝阳上亢,继而出现肢冷面白,脉沉弱者,是为( )
    A. 阳盛格阴   B. 真寒假热
    C. 阳气亏损   D. 阴损及阳

想一想

1. 何谓气机失调?气机失调病机主要有哪几个方面?
2. 简述气血关系失调的主要病机及其病理特点。
3. 试论火热内生病机的主要内容及各类型的病机特点。
4. 何谓阴阳互损?阴阳互损病机有哪几种病理变化?
5. 何谓阳偏衰?阳偏衰病理多见于哪几脏?

参考答案

1. B 2. D 3. A 4. C 5. C 6. C 7. C 8. C 9. C 10. D

第六章 诊 法

学习要点

1. 掌握中医诊法的概念及中医诊断的基本原则。
2. 熟悉中医诊断的基本原理、主要内容。
3. 了解中医诊断的发展概况。

诊法是中医诊察疾病、收集病情资料的基本方法,包括望、闻、问、切四法,简称"四诊"。望诊法是医生通过观察病人整体神、色、形、态的变化和局部表现以及排出物的形、色、质、量改变等情况,以了解病情,察知疾病的方法;闻诊法是听病人体内发出声音的变化,及嗅闻病人身体散发出的异常气味等,以辨别病情的方法;问诊法是询问病人及其陪诊者,以了解病人既往的健康状况、发病经过及自觉痛苦与不适等相关情况的方法;切诊法是通过切按病人体表动脉搏动状况和触按病人身体有关部位,以了解病情的方法。

四诊所搜集的病情资料是疾病表现出的各种异常现象。人体是一个以五脏为中心的有机整体,脏腑形体官窍通过经络相互联系,维持机体生理功能的协调平衡。"有诸内,必形诸外",体内的生理、病理变化可反映于体表。所以通过诊察疾病显现于外部的各种征象,以整体观念为指导,用于分析疾病的原因、病机和病位,了解脏腑的盛衰变化,为辨证论治提供依据。

诊察疾病时必须望、闻、问、切四诊并用,从不同角度全面地搜集临床资料,不应片面夸大某一诊法的作用,更不能相互取代。同时又须四诊合参,方能"见微知著"而不致贻误病情。

第一节 望 诊

望诊是指医生对病人神、色、形态、五官、舌象等进行有目的地观察,借以了解健康状况,测知病情的方法。人体是一个有机的整体,体内的气血阴阳、脏腑经络等生理和病理变化,必然在其体表相应的部位反映出来。因此通过对体表的观察,可作为了解体内病变的客观依据。

望诊在中医诊法中占有重要的地位,故有"望而知之谓之神"的说法。望诊时应注意:一是选择适宜的光线,以自然光线为佳;二要充分暴露受检查的部位,以便掌握客观准确的病情资料;三是实施检查时必须注意保护受检者的隐私。望诊的准确性,与中医基础理论掌握的程度、诊法知识运用的熟练程度、对疾病的熟悉程度,以及临床经验的积累有关。

望诊的内容主要包括望神、望色、望形态、望头面五官、望舌、望皮肤、望小儿食指络脉、望二阴和望排出物等。

一、望神

神是中医学对于生命现象的认识。一指人体一切生命活动的主宰及其外在表现;二指人的精神意识思维情感等活动。有生命就有神,故曰"得神者昌,失神者亡"。望神之"神",是指机体生命活动及精神意识状态的综合表现。

望神是通过观察神的得失有无,以分析病情及判断预后等的诊察方法。神具体反映在人的目光、面色、表情、神识、言语、体态等方面,这是望神的主要内容。由于心主血藏神,其华在面,五脏六腑之精气皆上注于目,故人的面部色泽、精神意识及眼神为望神之重点,尤其是诊察眼神的变化。

神以精、气、血为主要物质基础。神产生于先天之精,又赖后天水谷精气的充养,血能养神。精、气、血产生于五脏,五脏功能正常,则精、气、血充足,生命机能旺盛,即是"得神";若脏腑功能失调,精亏气虚血少,或其运行布散失常,则神失所养。因此通过望神可以了解脏腑功能的盛衰,精、气、血之盈亏,判断疾病的轻重及预后等。

望神时应注意:一要以神会神,在短时间内对就诊者神色形态做出大体的判断;二是形神合参,将病人的精神意识状态与形体变化综合起来进行分析;三是重视典型(特异性)症状和体征,以便尽快做出正确的诊断。望神主要观察:得神、少神、失神、假神、神志错乱。

二、望色

望色是通过观察面部与肌肤的颜色和光泽,以了解病情的诊察方法。望色以望面部气色为主,兼顾肌肤、口唇、爪甲等。

皮肤色泽是脏腑精气血外荣之象,其中血液盈亏与运行情况反映于皮肤颜色,而脏腑精气盛衰则主要体现于皮肤光泽。五脏六腑精气充盛,气血畅达,通过经脉滋养肌肤,上荣于面,其色泽明润含蓄;若脏腑功能失调,气血不足,皮肤色泽会出现相应变化。故望色可推测脏腑气血盛衰,辨别疾病的性质及判断预后。

望色时应注意:一是注意观察分辨常色中的主色与客色,以避免与病色混淆;二要注意部位与色泽合参,以整体观为指导,对错综复杂的病情进行分析;三是注意色泽的动态变化,以推测疾病的发展和预后;四是注意光线、饮食、睡眠、情绪等对肤色的影响。

由于面部血脉丰富,又为脏腑气血所荣,故本节重点叙述望面色。望面色包括常色与病色两个方面。

常色即人无病时的面色。常色的特征是光明润泽、含蓄不露。光明润泽为色有神气,含蓄不露为色有胃气。常色是人体脏腑功能正常、精气血津液充盈的表现。

常色因人而异,由于先天禀赋以及四时、气候、环境、职业等不同,常色又有主色、客色之分。

病色即疾病状态下面部色泽的异常变化。病色的特征是色泽晦暗枯槁或显露,或独见一色而失红润。常反映机体脏腑功能失常,或气血阴阳失调,或精气外泄,或邪气内阻等病理变化。

观察病色关键在于辨别五色善恶及五色主病。凡五色光明润泽者为善色,说明虽病而脏腑精气血未衰,预后良好;凡五色枯槁晦暗者为恶色,提示病情深重,脏腑精气衰败,气血阴阳亏虚,胃气已竭,多预后不佳。察五色善恶时,不论何色,皆以病色明润含蓄还是晦暗暴露为区分要点。

五色即青、赤、黄、白、黑,五色变化见于面部,可反映不同脏腑的病变及病邪的性质。

青色主惊风、寒证、痛证、瘀血。为气血不通,经脉瘀阻所致。

赤色主热证。为血液充盈于脉络所致。

黄色主虚证、湿证。与脾虚气血化源不足,或脾虚湿蕴有关。

白色主虚证、寒证、失血证。为气血不荣,脉络空虚所致。

黑色主肾虚、寒证、瘀血和水饮。是阳虚寒盛、气血凝滞或水饮停留所致。

五色主病,虽有上述规律,但临床不可过分拘泥。

三、望形态

形是形体,态是姿态。望形态是通过观察病人之形体胖瘦强弱及动静姿态,以诊断疾病的方法。人体是以五脏为中心内外相应的有机整体,形体强弱、动静变化,均与脏腑精气盛衰及气血运行密切相关。内盛则外强,内衰则外弱。脏腑阴阳气血失常可表现为形态的异常,从而成为诊断疾病的依据。不同的形态又能体现体质的差异,提示某些疾病发病的倾向性和证候类型的特异性。

望形态时应注意:整体与局部变化的联系,动作与姿态的动态变化,年龄、性别、职业对形态的影响等。望形态包括观察形体和姿态两方面:

望形体是指观察人形体之胖瘦强弱及体质形态等,以诊断疾病的方法。

望形体时应注意观察形体的强弱、胖瘦和体质的差别。

望姿态是通过观察病人的动静状态及肢体动作和体位,以诊断疾病的方法。不同疾病可表现出特有的动静姿态或动作体位,因此观察病人姿态,可以判断疾病的性质和邪正的虚实。

望姿态时主要观察病人的行、坐、卧、立时的动作与体态,并应结合其他诊法进行辨证。动静姿态与所患疾病密切相关,不同性质的疾病会表现出不同的姿态。

四、望舌

望舌是通过观察舌象变化,以测知体内病变的方法,简称舌诊。舌诊是中医特色诊法之一,在诊断学中占有十分重要的地位。

舌象包括舌质和舌苔。舌质又称舌体,指全舌的肌肉脉络组织。舌体的上面称舌背(或舌面),下面称舌底。舌体前1/5为舌尖部,候心肺;中2/5为舌中部,候脾胃;后2/5为舌根部,候肾。舌之两边则候肝胆。舌苔是指舌面上的苔状物,禀胃气而生成(见图5)。

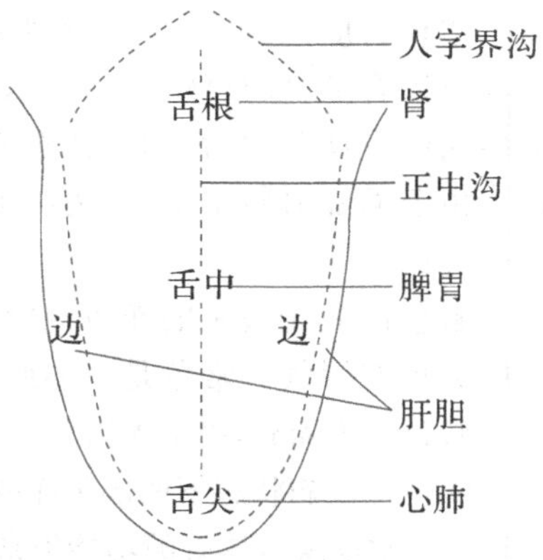

望舌要求:一是光线充足,在自然光线或白炽灯下,病人取坐位或卧位,面向光亮;二要伸舌自然,使舌面平坦舒展,便于观察,避免用力致舌肌紧张,影响舌色和舌形;三是察舌苔时应注意除外"染苔",如某些饮食或饮料可使苔色失真;四是察舌顺序一般先舌质后舌苔,由舌尖至舌根。

图 5　舌面脏腑部位分属图

正常舌象为淡红舌薄白苔,表现为:舌质柔软,活动自如,舌色淡红,荣润有神;舌苔薄白均匀,干湿适中。望舌主要包括望舌质和舌苔两个方面。

(一)望舌质

望舌质是通过观察舌体的神、色、形、态改变,以测知脏腑病变的方法。舌质与脏腑经络、气血阴阳关系密切,故望舌质能辨脏腑的虚实、气血盈亏、阴阳盛衰,据此可判断疾病的预后。望舌时应注意观察舌体有神无神、舌色变化、舌形的改变及舌体的动静姿态。观察舌质的荣枯以辨有神、无神。察舌神以辨生机。舌质红活荣润,为有神,是脏腑气血充盛,生机旺盛之象,虽病亦属善候;舌体干枯晦暗无华,为无神,是脏腑气血阴阳衰败,邪气壅盛之象,生机受损,病势危重,预后不良。望舌神是判断疾病预后的关键。通过观察舌质颜色的变化,以了解疾病的有关情况。

淡红舌:是正常舌象。即舌色淡红明润,为脏腑功能正常,气血和调,胃气充盛的表现,见于常人。或疾病初起,病较轻浅,尚未伤及脏腑气血。

淡白舌:舌色较正常浅淡,由气血不荣所致,主虚证、寒证或气血两虚证。淡白而润,兼舌体胖嫩,多为阳虚证;舌色淡白而舌体瘦薄者,属气血两虚证。

红绛舌:舌色深于正常,鲜红者,称红舌;深红者,称绛舌。红绛舌的形成机理是体内邪热亢盛,气血涌动,舌络充盈;或热入营血,耗伤营阴,血液浓稠,热壅血滞则舌呈绛红;或阴虚水涸,虚火上灼舌络致舌红。

青紫舌:舌色淡紫无红者,为青舌;舌色深绛而暗,为紫舌。可全舌青紫,亦可见局部青紫斑点。青紫舌主血行瘀滞,其原因有:热毒炽盛,深入营血,灼伤营阴,气血不畅;或阴寒内盛,血脉凝滞;或跌扑外伤,气血瘀滞等。青紫舌主热、寒或瘀等。

望舌形即通过观察舌体的形态变化,以测知疾病的方法。舌形主要指舌体的大小与形质,正常舌体大小适中,望舌形主要观察其胖瘦、老嫩、厚薄以及有无裂纹、芒刺、齿痕和舌下脉络等。

望舌态即通过观察舌体的动静姿态,以诊察疾病的方法。应注意舌体运动情况,舌体活动灵活,伸缩自如,为正常舌态。病理舌态常见舌体强硬、震颤、歪斜等表现。

(二)望舌苔

望舌苔是通过对舌苔颜色、质地进行观察,以了解疾病变化情况的方法。舌苔是指附着于舌面上的一层苔垢。正常舌苔是由脾胃之气、津上蒸而成,表现为薄白苔,不滑不燥,是胃气充盛之象。病理舌苔则是胃气挟邪气上蒸而成,故舌苔与胃气的强弱、病邪的寒热等属性有关。观察舌苔变化对判断病因、推测病位、确定病性及预测预后吉凶都有重要意义。望舌苔应着重观察舌苔的颜色及舌苔的质地。

1. 望苔色

望苔色是通过观察舌苔不同颜色变化,以诊察疾病的方法。一般有白苔、黄苔、灰黑苔三类及其兼色变化。

白苔最为常见,主病也最为复杂。其形成原因:一是由胃气上熏,凝聚于舌而成,为正常之苔;二是因外寒入侵或阳虚内寒,阻遏阳气,寒凝于舌所致,多主表证、寒证。

黄苔的形成,是因病邪入里化热,脏腑内热,胃气挟邪热上泛熏灼,导致苔色变黄。黄苔一般主里证、热证,也可见于表证、虚证和寒证。黄苔有深浅、厚薄、润燥等不同,主病各异。

灰黑苔,苔色呈浅黑色为灰苔,深灰色即为黑苔。灰苔与黑苔主病同类而有轻重程度的差别,常并称为灰黑苔。

2. 望苔质

苔质即舌苔的质地、形质多少。望苔质是指通过观察舌苔质地的厚薄、润燥、腻腐、剥脱等变化,以诊察疾病的方法。

(三)舌质和舌苔的综合诊察

舌苔和舌质的变化,所反映的生理和病理意义各有侧重,故临床诊舌,必须舌苔与舌质合参。舌苔的色、质变化与所感邪气及病证的性质有关;舌质的色、形主要反映脏腑气血津液情况。因此在诊察疾病时,不仅应详察舌苔、舌质的基本变化与主病,还须注意不同舌苔与舌质之间的相互关系,将两者结合起来审察病情。

通常舌质与舌苔的变化是一致的,所反映的病机也是相关的,如内有实热,则见舌质红、舌苔黄;虚寒证则多见舌质淡白、舌苔白。但在某些疾病中可出现两者变化不一的情况。主要有以下两种:其一,舌质和舌苔单方面异常。无论病之久暂,都意味病情单纯。可提示病邪性质、病程长短、病位深浅及邪正盛衰等情况。其二,舌质和舌苔均有改变,但变化不一致。对此应从三个方面考察:一要着重从舌质分析病机,如舌质淡胖而嫩,苔黄滑润者,则舌质反映其阳虚,苔滑润体现水湿不化,其黄色则不能从热而辨;二要着重从舌苔辨其病机,如淡红舌黄黑苔而干燥,此时舌苔反映了里热炽盛,且有伤津之象;三是提示存在两种以上的病理变化,病情较为复杂,辨证应考虑二者的意义,不要轻易从舍。如舌红苔白滑,主里热挟痰;舌红瘦苔黑,为热盛伤津等。

五、望排出物

望排出物是指通过观察病人的排泄物和分泌物的变化,以了解疾病情况的方法。排泄物是指人体排出体外的代谢废物;分泌物指官窍所分泌的液体,在病理状态下分泌量增大,也可成为排出体外的排泄物。排出物包括呕吐物、痰、涎、涕、唾、二便及月经、带下、汗、泪、脓液等。

排出物是机体代谢活动及某些病理变化过程的产物,与脏腑组织器官的生理、病理密切相关,所以观察排出物的变化,能测知相关脏腑的病变和邪气的性质。观察排泄物和分泌物时,应注意其形、色、质、量的变化。色清白质稀者,多为寒证、虚证;色黄赤质稠者,多属热证、实证。

(一)望痰涎涕唾

望痰涎涕唾是指通过观察痰涎涕唾的变化,以测知相关脏腑病变的方法。对痰涎涕唾的诊察,要着重其色泽、形质的观察,同时结合气味的辨别和排出量的询问。

1. 望痰

望痰是通过观察痰的形质,以及气味及排出量等,推测相关脏腑的病变的方法。痰是机体水液代谢障碍所形成的病理产物,有广义和狭义之分。此指由呼吸道排出的黏液,即狭义之痰。痰白而清稀,或有灰黑点者为寒痰,多因寒邪伤阳,气不化津或脾阳不振,湿聚成痰,上犯于肺所致;痰色白清稀而多泡沫者为风痰,是因痰湿伏肺,外受风寒所致;痰白滑量多易咯者为湿痰,是脾虚不运水湿聚而为痰;痰少而黏难咯出者,甚则干咳少痰属燥痰,因燥邪犯肺耗伤肺津所致;痰中带有血丝,血色鲜红,是肺中血络受损,见于燥邪犯肺,或肝火犯肺及阴虚火旺等;咯吐脓痰腥臭或脓血者,为热毒蕴肺,肉腐血败酿脓成痈,多见于肺痈。

2. 望涕

望涕即观察涕液的变化以诊察疾病。涕为肺之液,涕的色、质及量的变化常反映肺的病变。鼻塞流清涕,为外感风寒;鼻流黄涕或浊涕,是外感风热;鼻流清涕、喷嚏不止、遇冷即发作,称"鼻鼽",由风寒束于肺卫所致;涕稠似脓血、腥臭难闻,或流黄水,反复发作,经久不愈,称"鼻渊",是湿热邪毒蕴阻肺窍所致。

(二)望呕吐物

望呕吐物是指观察呕吐物的形质性状变化,以诊察疾病的方法。呕吐是胃失和降,气逆于上的表现。呕吐物形、色、质、量变化,可反映胃的病变,并可作为判断病性寒热虚实的依据。呕吐物秽浊酸臭,或呕吐鲜血,夹食物残渣,是胃有积热或肝火犯胃所致;呕吐物清稀无臭,多因脾胃阳虚或寒邪犯胃所致;呕吐物酸腐,夹有未消化食物,多因饮食失节,食滞不化所致;呕吐清水痰涎,伴口干不欲饮、苔腻胸闷,为痰饮中阻,多由脾阳失运,水饮停积而成;呕吐不消化食物、无酸臭味,或呕吐黄绿苦水、频发频止者,为气滞呕吐,多见于肝气犯胃的病证。

(三)望二便

望二便是通过观察大便和小便的异常变化,以了解疾病情况的方法。大小便的产生和排泄与机体多个脏腑功能活动有关,因此二便的异常变化可反映某些脏腑病变。望二便时应注意其形、色、量的变化。

1. 望大便

正常的大便色黄,呈条状,干湿适中。大便形、色、量的变化,常可反映脾、胃、肠和肾等脏腑病变,以及疾病的寒热虚实属性。

大便干结、面红身热者,多属实热伤津;干结如羊屎、口干欲饮者,为肠道津亏。大便清稀、完谷不化,如鸭粪溏薄者,属寒湿困脾。便下稀粪如水,兼恶风发热者,为风泻;兼身重、肠鸣漉漉,为湿泻。大便色白,兼纳差、腹胀者,为脾虚或胆气不舒;兼胁胀、身目发黄者,属黄疸。便下脓血、赤白相杂,兼里急后重者,为湿热痢疾。其中赤多白少者偏于热,病在血分;白多赤少者偏湿,病在气分。婴幼儿见大便色绿,是消化不良。大便色黑如柏油状,兼面色不华,或脘腹隐痛者,常见于胃出血。大便下血,先血后便,血色鲜红,为热伤肠络而出血,或痔疮、肛裂出血;先便后血,血色暗红或黑褐,是热灼胃络而出血,或气虚不摄所致。

2. 望小便

正常的小便呈淡黄色,清而不浊,并有冬季汗少而尿多色清,夏季汗多而尿少色较黄的变化规律。观察小便色、质、量的变化,可察知脏腑的病变,以及津液代谢的正常与否。

小便清长而量多,伴形寒肢冷,多属寒证;小便色黄量少,甚则尿时有热灼涩痛感者,属热证。尿中带血,是热蓄膀胱,伤及血络,若排尿疼痛为血淋,不痛为尿血。排尿时有中断,尿中夹有砂石者,为砂淋。尿如米泔水,属实证者,是湿热蕴结;日久患者形体消瘦,多因脾肾虚损而致脂液外流,属虚证。

第二节 闻 诊

闻诊是医生利用听觉和嗅觉来诊察了解病人病况的诊断方法。包括听声音和嗅气味两个方面。听声音是从病人所发出的语言、呼吸、咳嗽、呕吐、呃逆、嗳气、太息、喷嚏、哮鸣等声响中,了解病情变化;嗅气味是根据病体内所散发的各种气味以及分泌物、排泄物和病室的气味,以辨别证候和诊断疾病。

一、听声音

声音的发出是气流通过肺、气道、喉、会厌、舌、齿、唇、鼻等器官,产生振动的结果。肺主一身之气,气动则有声,是发声的动力;喉是声路,为发声之关键;舌为声机,唇齿煽动,对声音起调节作用。声音的异常变化主要与肺、肾、心等脏腑有关,肺主呼吸之气,肾主纳气,故有"肺为声音之门"、"肾为声音之根"的说法。由于心藏神而司语言,故又有"言为心声"之说。因此听声音不仅可以诊察与发音有关脏腑的病变,还可根据声音的变化,进一步诊察疾病表、里、虚、实等变化。

正常的声音具有发音自然、音调和谐、言语清楚、应答自如、言与意符等特点。由于人的个体脏腑、形质、禀赋有所差异,故正常的声音也有高低、清浊的不同。如男性多声低而浊,女性多声高而清,儿童则声尖清脆,老人则声浑厚低沉。正常人的声音柔和洪亮,是元气和肺气充沛的表现。

声音与情志的变化也有关系。如喜悦时发声欢快而和畅,愤怒时发声忿厉而急疾,悲哀则发声悲惨而断续,这些因一时感情触动而发的声音,也属正常范围。

二、嗅病气

病气分病体之气与病室之气两种,都是指和疾病有关的气味而言。病室之气是由于病体本身或排泄物所发出,气从病体散发到病室,可以说明疾病的严重情况。

病体之气如:口气、汗气、鼻臭、身臭、排泄物之气味等。

病室之气如:瘟疫病开始即有臭气触人,轻则盈于床帐,重的充满一室。病室有腐臭或尸臭,是脏腑败坏,病属危重;病室有血腥臭,病人多患失血症。还有病室特殊气味,如尿臊气(氨气味),多见于水肿病晚期病人;烂苹果样气(酮体气味),多见于消渴病病人,均属危重证候。

第三节   问   诊

问诊是指医生对病人或陪诊者进行询问,以了解病情的一种诊察方法。因为有关疾病的很多情况,如病人的一般情况、自觉症状、疾病的演变过程、治疗经过、既往病史等,均须通过问诊才能了解,而问诊所得的病情资料还可为进一步选择其他检查方法提供线索。所以问诊是诊法中不可缺少的重要环节。

问诊的主要内容有一般情况、主诉、现病史、既往史、个人生活史、家族史等。询问时应根据就诊对象及具体病情的不同,灵活而有主次地进行询问。清代陈修园曾在总结前人经验的基础上作《十问歌》,言简意赅地概括了问诊的基本内容,即"一问寒热二问汗,三问头身四问便,五问饮食六问胸,七聋八渴俱当辨,九问旧病十问因,再兼服药参机变,妇人尤必问经期,迟速闭崩皆可见,再添片语告儿科,天花麻疹全占验"。此处仅就现在症状的问诊内容予以介绍。

问现在症状是指询问病人就诊时所感到的痛苦与不适,以及与病情相关的全身情况。症状是病理变化的反映,是诊病辨证的主要依据,很多症状唯有病人自己能够感受,只有通过详细询问方可获知。因此问现在症状是问诊的主要内容,也属于现病史的范围,对了解疾病的病因、病位,判断疾病的性质等有着重要作用。问现在症状的内容,包括询问寒热、出汗、疼痛、饮食口味、大小便、睡眠、耳目等。

一、问寒热

问寒热是询问病人有无怕冷或发热的症状。怕冷与发热,并不局限于体温的升高或降低,如怕冷可以是病人主观上的感觉,其体温并不一定低于正常;发热除指体温高于正常外,还包括病人自觉全身或某一局部有发热的主观感觉。由于"阳胜则热,阴胜则寒;阳虚则寒,阴虚则热",所以寒热的产生是因病邪的性质和机体阴阳盛衰变化所决定的。询问时要注意问清怕冷与发热是单独出现、同时出现还是交错出现;问清寒热的轻重、出现的时间、持续的长短、表现的特点及其伴随的症状等。具体内容有：但寒不热（恶寒、恶风、寒战、畏寒）、但热不寒（壮热、潮热、微热）、恶寒发热（恶寒重发热轻、发热重恶寒轻、发热轻而恶风）、寒热往来。

二、问出汗

汗为阳气蒸化津液，出于体表而成。病理情况下的显性出汗或无汗，与邪气侵扰，正气强弱及腠理疏密等因素相关。所以通过询问病人的汗出与否和汗出时间、部位、性质、多少、颜色及主要兼症等，可以了解人体的阴阳盛衰、津液盈亏及邪正斗争的情况。具体内容有：

（1）汗出有无：为了辨别病邪的性质和正气的盛衰，应首先了解有无出汗的现象。具体包括表证有无汗出、里证有无汗出。

（2）汗出性质：汗出性质的不同，与正气的盛衰和疾病的预后密切相关（自汗、盗汗、战汗、绝汗）。

（3）汗出部位：局部出汗者，应明确其汗出的部位，从而判断其相关脏腑经络的阴阳气血盛衰（头汗、半身汗、手足汗）。

三、问疼痛

疼痛是临床上最常见的自觉症状之一，可发生于患病机体的各个部位。由于致病原因不同，其疼痛的性质也不一样。外邪、痰浊、食积、气滞、血瘀等，闭阻于经络，使气血运行不畅，可出现实性疼痛；气血不足、阴津亏损，导致脏腑经络失养，可产生虚性疼痛。问诊时应着重询问病人疼痛部位及疼痛性质等情况。

（一）疼痛部位

不同部位的疼痛，常反映相应脏腑经络的病变，辨清疼痛的部位，对了解病变所在的脏腑经络有一定的意义。对疼痛部位的询问重点要关注的有：头痛、胸痛、胁痛、脘痛、腹痛、腰痛、四肢痛等。

（二）疼痛性质

根据疼痛的不同性质和特点，可分辨引起疼痛的病因与病机。临床常见不同性质的疼痛有：胀痛、刺痛、冷痛、灼痛、绞痛、隐痛、重痛、掣痛、空痛、酸痛、走窜痛等。还要询问疼痛持续的时间、伸见的症状、疼痛缓解的方法如：喜按还是拒按等情况，也有助于对病情的诊断。新病疼痛、持续不解、痛而拒按，多属实证；久病疼痛、时有缓止、痛而喜按，多为虚证。

四、问饮食口味

问饮食口味，应注意了解口渴与饮水，食欲与食量及口中味觉等情况。

通过口渴与饮水的询问，主要了解病人有无口渴、饮水多少、喜冷喜热等，以此分析体内津液的盈亏和输布状况。

通过食欲与食量的询问，了解病人的食欲及食量，对判断其脾胃功能的强弱及疾病的预后转归有重要的意义。在疾病过程中，食欲恢复，食量渐增，表示胃气来复；反之，常是脾胃功能日益衰减的征兆。

病人口中味觉异常，大多提示脾胃及其他脏腑的功能失常。脾胃虚寒，见口淡乏味；脾胃湿热，见口甜而腻；肝胃蕴热，见口中泛酸；食积内停，见口中酸馊。肝胆火旺等热证，多见口苦;阳虚水泛或阴虚火旺等肾病,可见口咸。

五、问大小便

问二便是指通过询问病人大小便的性状、颜色、气味、时间、次数、排泄量、排便时的感觉和伴随的症状等,以了解其食物消化、水液代谢的情况,并为判断病证的寒热虚实提供重要依据的诊病方法。

(一)大便

每日排便 1~2 次,也可隔日 1 次,成形而不燥,无脓血、黏液及未消化的食物,排便通畅,皆属生理状态。

便次异常,包括便秘和泄泻两方面。

便质异常,脾肾阳虚不能腐谷消食,或伤食积滞,可见大便中夹有未消化的食物,称"完谷不化"。大便中夹杂有脓血黏液,常是湿热蕴结,脉络瘀滞受损的痢疾病症。若大便溏结不调,时干时稀,多因肝郁脾虚所致;大便先干后稀,则为脾虚运化无力的表现。

排便感异常,排便时有滞涩难挣而不通畅的感觉,称为排便不爽,多见于大肠湿热、伤食泄泻、肝郁乘脾等。排便时肛门有灼热感,是湿热下注,热迫大肠所致。腹痛窘迫、时时欲泻、肛门重坠、便出不爽的,称为"里急后重",多因湿热内阻,肠道气滞引起,是痢疾病的主症之一。若久病体虚或年老体衰,导致脾肾阳虚,肛门失约,还可出现大便不能自控而排出的"大便失禁",或排便时失控呈滑出之状的"滑泄"等状况。

(二)小便

小便为津液所化,贮于膀胱,与肾之气化、脾之转输、肺之肃降及三焦气化等均有着密切的联系。了解小便的情况,可察知体内津液的盈亏和有关内脏的功能是否正常。健康成人在一般情况下,日间排尿 3~5 次,夜间 0~1 次,每昼夜总尿量约 1000~1800ml。饮水、温度、出汗、年龄等因素也可影响尿次和尿量。对小便的询问主要有三个方面:一是尿量是否异常,二是尿次是否异常,三是排尿感是否异常。

六、问睡眠

睡眠是人体适应自然界昼夜节律性的变化,以维持体内阴阳协调平衡的生理现象,是人体生理活动的重要组成部分。问睡眠应主要询问睡眠时间的长短、入睡程度的深浅和伴随的症状。睡眠异常,主要有失眠和嗜睡两种。

七、问耳目

耳目是诸多脏腑经络循行之处,故询问耳目的各种异常感觉,可以了解相应内脏功能失常的情况。

(一)问耳

询问耳部异常的自觉症状,是诊察耳病的主要方法。其中"耳鸣",为耳内鸣响,妨碍听觉;"耳聋",为听力减退,或听觉丧失;"重听",为听音不清,声音重复。如突然起病而耳聋,或耳鸣声大如雷,或兼有重听者,多为肝胆火盛、痰浊上蒙、瘀血阻滞、风邪上袭等引起的实证;如体虚耳聋渐生,或耳鸣声小时止,也可兼有重听者,多为肾气虚弱,精髓亏少所致的虚证。

(二)问目

主要询问病人眼目视觉的强弱、痛痒等感觉及分泌物的状况。目痛最为常见,多属实证,肝阳上亢、肝火上炎、风热侵袭等都可引起眼目疼痛。目眩,指眼前发黑、发花,甚则视物旋转,可由肝阳上亢或痰湿上蒙清窍引起,也可因气血阴精亏虚,目失濡养使然。目昏,为视物昏暗模糊;雀盲,为暗时视物不清;视歧(即"复视"),为视一物为几物,三者病因病机基本相同,均由肝肾虚损,精血不足而致。

第四节 切 诊

切诊是医生用手在病人体表的一定部位进行触、摸、按、压,以获取病理信息,了解疾病内在变化和体表反应的一种诊察方法。切诊分脉诊和按诊两部分。

一、脉诊

脉诊是医生用手指触按病人的动脉搏动,以探查脉象,了解病情变化的一种独特的诊病方法。

脉象不同于脉搏。脉搏的形成,是由于心脏一舒一缩的跳动,血液从心脏流向脉管,脉管扩张和回复所产生的搏动。脉象是由脉搏所显示的部位、速率、形态、强度和节律等组成的综合形象,通过医生手指触觉所感知。

脉诊的基本原理,主要在于脉为人体气血运行的通道。脉为血之府,与心相连,心气推动血液在脉中运行;血液除属心所主外,又由脾所统,归肝所藏,且赖肺气的辅心行血,通过经脉灌溉脏腑,肾精又能化血而不断充养血脉。所以五脏均与血脉密切相关,且心又为五脏六腑之大主,故人体气血阴阳和脏腑的状况可显现于脉。当发生病变时,各种病理因素均能影响脉气,反映出不同的病脉,因此切脉可以诊断病证。

临床诊病辨证时,可以根据脉象的变化,推断人体的病理机制,探求病在何经何脏、属寒属热、在表在里、为虚为实,以及疾病的进退、预后等。

(一)切脉部位

切脉的部位古有遍诊法、二部诊法、三部诊法和寸口诊法四种,目前临床常用寸口诊脉法。寸口又名气口、脉口,即是腕后桡动脉搏动处。寸口分寸、关、尺三部,以腕后高骨(桡骨茎突)内侧为关部,关前一指为寸部,关后一指为尺部,两手共六部脉。寸口诊法始见于《内经》,后经《难经》的补充和完善,自《脉经》始把寸口诊法作为常用诊脉部位(见图6)。

寸口诊,脉之所以能察症,一是,寸口属手太阴肺经,为脉之大会(肺朝百脉,全身的气血通过经脉均会合于肺而变见于寸口)。二是,肺经起于中焦,还循胃口,与脾经同属太阴,脾的精微上输于肺而灌注五脏六腑,此后从百脉又朝于气口。所以寸口诊法可以诊察脏腑气血阴阳的盛衰和整体的情况。

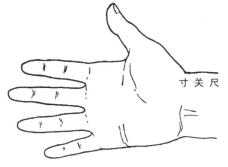

图 6 寸关尺部位图

寸口脉寸、关、尺三部常用的配属脏腑法,是以右手寸部候肺,关部候脾胃,尺部候命门(肾);左手寸部候心,关部候肝,尺部候肾。

(二) 切脉方法

切脉,关键在于掌握诊脉的时间、姿势、布指、指法和指力。

1. 时间

《内经》认为平旦诊脉最为相宜,现在认为只要在内外环境安静的条件下随时都可诊脉,但医生一定要调匀呼吸,在一呼一吸之际计算被测者的脉搏跳动次数,每次诊脉的时间不应少于1分钟,以2～3分钟为宜。

2. 姿势

切脉时不论病人取坐位或卧位,其手臂须平展,直腕仰掌,使手臂与心脏保持同一水平,以免气血运行受阻而影响脉象。

3. 布指

医生先用中指在病人的腕后高骨内侧定关部,后用食指在关前定寸部,无名指在关后定尺部。布指的疏密可视病人身材的高矮作适当的调整,即身高臂长者疏,身矮臂短者密。诊小儿脉时,因其寸口短,可用"一指(拇指)定关法"。

4. 指法

切脉时三指平齐呈弓状,以指目(指端隆起螺纹处)按脉。三指平布后以同样的指力切三部脉,称"总按";仅一指用力,重点辨某部脉,称"单按"。

5. 指力

古人将医生诊脉时的指力总结为:举、按、寻三字。以轻指力触及皮肤为举,又叫浮取;重指力按在肌肉与筋骨之间的为按,又叫沉取;介于轻重之间的指力,或举或按,或前后左右挪动切脉,以寻找脉象的最佳部位和状态叫寻。

(三) 正常脉象

健康人的脉象称为正常脉象,又称平脉、常脉。切脉时必须要掌握正常脉象的形象特点及其变异因素,才能以常衡变,辨别形态多端的病脉。

1. 平脉的形象

脉位,不浮不沉,中取即得。速率,一息4～5至(60～90次/分)。强度,从容和缓,应指有力。形态,不大不小,不滑不涩。节律,均匀无歇止。

2. 平脉的特点

平脉具有胃、神、根三个特点。所谓脉有胃气,是指脉象从容和缓,节律一致;所谓脉有神,即脉象柔和有力,形体指下分明;所谓脉有根,即指沉取尺部,脉应指有力。

3. 平脉的变异因素

因季节而异的有春弦、夏洪、秋浮、冬沉。因地理而异的有江南气薄,脉多不实;西北气厚,脉多沉实;滇粤气热,脉多稍数。因年龄而异的有小儿脉偏快(年龄越小越快,如婴儿约140次/分,1岁约120次/分,3岁约100次/分,5岁约90次/分),青壮年脉偏实,老年人脉多无力。因体格而异的有身高者脉长,身矮者脉短;瘦者肌肉薄则脉常浮,胖者皮下脂肪厚故脉常沉。因性别而异,女子脉偏濡弱略快,男子脉偏沉实有力。此外尚有因桡动脉异位,脉不见于寸口而从尺部斜向合谷穴的 称为"斜飞脉",或脉出现在寸口背部的称为"反关脉",均不作病脉论。

（四）常见病脉

凡脉象异于平脉和正常变异之脉,均属病理脉象,简称病脉。病脉的分类方法甚多,现将常见的 15 种病脉的脉象与主病分述如下:

1. 浮脉

脉象:轻取即得,重按稍减。

主病:表证。亦可见于内伤久病。

原理:外邪袭表,邪正相争在肌表腠理。脉气鼓动于外,故脉位浅显,轻取即得,重按压迫则脉力稍减,所以浮脉是表证之征。久病因阴血衰少,或阳气亏乏,不能内守而致虚阳外浮者,其脉虽浮,但举按皆不足,有别于表证的浮脉,是病情较为严重的表现。

2. 沉脉

脉象:轻取不应,重按始得。

主病:里证。有力为里实,无力为里虚。

原理:邪郁于里,气血阻滞,阳气不得舒展,故脉沉有力。若脏腑虚弱,阳虚气陷,脉气鼓动不足,则脉沉无力。

3. 迟脉

脉象:脉来迟慢,一息不足 4 至(每分钟脉搏在 60 次以下)。

主病:寒证。有力为实寒,无力为虚寒。

原理:寒则凝滞,气血运行缓慢,故脉迟而有力。若阳气亏虚,无力运行气血,则脉迟而无力。此外,邪热结聚,阻滞血脉流行,也见迟脉,但迟而有力,按之必实,如伤寒阳明病脉迟可下之类。故迟脉不可概认为寒证,当脉症合参。

4. 数脉

脉象:脉来快数,一息 6 至（每分钟脉搏在 90 次以上）。

主病:热证。有力为实热,无力为虚热。

原理:外感热病初起,或脏腑热盛,由于邪热鼓动,血行加速,故脉数有力。发热越高,脉速越快。浮数为表热,沉数为里热。若津血不足,阴虚火旺,虚热内生所致,则脉数无力。此外心气不足而致脉气散乱,也可表现为脉数而无力。

5. 虚脉

脉象:三部脉举之无力,重按空虚。

主病:虚证,多为气血两虚。

原理:气不足以鼓动,则脉来无力;血不足以充脉,故按之空虚。

6. 实脉

脉象:三部脉举按皆有力。

主病:实证。

原理:邪气亢盛而正气未虚,正邪相搏,气血充盈,脉道坚满,搏动有力。

7. 滑脉

脉象:往来流利,应指圆滑如按滚珠。

主病:痰饮、食积、实热。

原理:邪气壅盛,气实血涌,血行流利,故脉应指如珠圆滑。但青年人脉偏滑是气血充实之象;妇女妊娠也常见滑脉,是气血充盛养胎之征,均属生理现象。

8. 涩脉

脉象:往来不畅,应指艰涩如轻刀刮竹。

主病:精伤、血少、气滞、血瘀。

原理:精伤、血少,脉失濡润,血行不畅,脉气往来艰涩,多见脉涩而无力。气滞、血瘀,脉气不畅,血行受阻,则脉涩而有力。

9. 洪脉

脉象:脉体大而有力,如波涛汹涌,来盛去衰。

主病:热盛。

原理:热邪充斥,脉道扩张,故脉形宽大倍于常脉;又因热邪燔灼,气盛血涌,沸腾似波涛,则脉有大起大落。

10. 细脉

脉象:应指细小如线,但起落明显。

主病:虚证,多见于阴虚、血虚证,又主湿病。

原理:阴血亏虚不能充盈脉道,或湿邪阻压脉道,均可导致脉细小。

11. 弦脉

脉象:端直以长,挺然指下,如按琴弦。

主病:肝胆病、痛证、痰饮。

原理:肝失疏泄,气机不利,致使脉道拘急而显弦脉。痛则气乱,或痰饮内停,致使气机输转不利,故也见弦脉。

12. 紧脉

脉象:劲急有力,左右弹指,状如牵绳转索。

主病:寒、痛、宿食。

原理:邪实寒盛,血脉敛缩,气血壅迫,脉道紧张,正邪相搏,而见左右弹指的紧脉。

13. 结脉

脉象:缓而时止,止无定数。

主病:结而有力主寒、痰、瘀血、癥瘕积聚;结而无力主虚,见于气血亏虚。

原理:结脉是脉迟缓而有不规则的歇止。其形成一是阴寒内盛,寒、痰、瘀血、癥瘕积聚阻碍血行,而致心阳涩滞,脉中气血运行不相连续,故脉结而有力;二是气血虚衰,心阳不振,脉中气血运行不相接续,故脉结而无力。因脉中气血运行断续不定,故歇止无定数。

14. 代脉

脉象:时有一止,止有定数,良久方来。

主病:主脏气衰微,或跌打损伤、痛证、惊恐。

原理:代脉是脉缓而有规则的歇止,其歇止时间比结、促脉稍长。其形成一是脏气衰微,气血虚损,气不连续,无力推动血行,致脉缓而有歇止,良久复来,常说明是病情较重;二是猝逢惊恐、跌打损伤或痛证,因气机受阻,心气失和,而致脉气不相衔接时,也可见代脉,但为时短暂,不可误认是病重。因脏腑气血运行有其规律性，故脏腑衰弱而导致气血运行不相连续也有一定规律，所以代脉止有定数。

15．促脉

脉象：数而时止，止无定数。

主病：促而有力主阳热亢盛、气血壅滞、痰食停积等实证；促而无力多为脏腑虚衰，多见于虚脱之证。

原理：促脉是脉来快速如数脉，而有不规则的歇止，但歇止时间短，脉突停而立即复跳。其形成一是阳热亢盛，气热则血行速，血在急驰中，量有不续，故脉数而中止无定数，又因有实邪阻滞脉道，气血逆乱不和则脉有力；二是气血虚衰，阴阳不和，致气虚不摄阳，阴虚不敛阳，虚阳外越而脉数无力，但脉中气血不和，不能连续，故歇止无定数。

临证时若有脉与症不相应的情况，必须辨明脉症的真假以决定从舍，或舍脉从症，或舍症从脉。舍脉从症，指在辨证过程中，当脉症表现不一致时，经过分析，以临床症状作为审定病机、确定治疗方案的依据，称为"舍脉从症"。较多用于一些急性病病情复杂时，例如病人高热神昏，但脉不数反缓，症属热邪内闭，阻滞血脉流行，故脉缓而不数，此当从症，急用清营透热法。

舍症从脉，指在辨证过程中，当脉症表现不一致时，经过分析，以脉象作为审定病机、确立治疗方案的依据，称为"舍症从脉"。较多用于一些慢性病病情复杂时，如大咯血病人，血虽止但脉不呈虚弱，反现滑数，滑数脉主内有热邪为患，势必迫血妄行而再度出血，故症状好转只是暂时的现象，应据脉而确定泻火宁血的治则。

二、按诊

按诊是对病人的肌肤、手足、脘腹及腧穴等部位施行触、摸、按、压、叩，以测知病变的一种诊断方法。按诊是切诊的一部分，也是四诊中不可忽视的一种方法，是在望、闻、问的基础上，根据被测部位的冷热、软硬、疼痛、肿块或其他异常变化，更进一步探明疾病的部位和性质。

触，是以手指或手掌轻轻接触病人局部，以了解寒热、润燥等情况。摸，是以手抚摸局部，以探明局部的感觉情况及肿物的形态、大小等。按，是以手轻压局部，以了解肿块的界限、质地，肿胀的程度、性质等。压，是用手重压病变部位，测知深部有无压痛，是否有脓等。叩，是以右手中指的指端，叩击病变部位，同时听其声响，以了解相关情况的诊察方法。在临床上5种手法是综合运用的，常是先触摸，后按压，由轻及重，由浅至深，以了解病变情况。

按诊时医生要体贴病人，手须温暖，动作要轻巧，检查必须由病变部位周围正常处开始，逐渐移向病变部位，并进行比较。

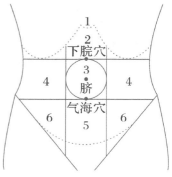

图7　腹部分区示意图

还须注意观察病人在接受检查时的表情，了解其痛苦的部位和程度。必要时可用谈话或其他方式，转移病人的注意力，以解除其紧张情绪。

按诊具体内容有：一是按肌肤按肌肤是为了探明全身肌表的寒热、润燥以及肿胀等情况。二是按手足按手足可以通过观察寒热，辨阴阳盛衰及病邪所属。三是按脘腹，脘腹是人体的重要部位，体表的一定部位又属不同的脏腑所主，通过手指对脘腹部的触摸按压，可以了解局部的冷热、软硬、胀满、肿块及压痛等情况，有助于辨别脏腑的虚实、病邪性质和有无积聚癥瘕。

　　按脘腹部时必须明确腹部几个重要分区(见图7)。胸骨剑突以下凹陷处称心下(1),脐上2寸(以同身寸计算)为下脘穴,脐下2寸为气海穴。以下脘至气海之间为直径画一圆周,其圆周之内称为脐周(3);脐周以上至心下为胃脘(2),脐周两侧为左、右腹(4);脐周以下为小腹(5),小腹两侧为少腹(6)。

　　脘腹部按诊时,病人一般取仰卧位,松腰间系带,暴露检查部位,两腿合拢,膝部屈曲,脚掌平放,腹肌尽量放松。医生站在病人右侧,面向病人。用手按时须由轻及重,由浅至深,从健康部位着手,逐渐移向病变部位。

　　按脘腹可辨满痛、肿胀、肠痈、积聚和蛔虫等。

名词点击

　　诊法　望诊　闻诊　问诊　切诊　病脉　斜飞脉　反关脉

目标检测

1. 诊断小儿疾病时四诊中最重视的是(　)
   A. 望诊　　　　　　　B. 脉诊
   C. 按诊　　　　　　　D. 闻诊
2. 以下不为青色主证的是(　)
   A. 惊风　　　　　　　B. 痛证
   C. 瘀血　　　　　　　D. 湿证
3. 望诊的内容不包括(　)
   A. 望神　　　　　　　B. 望色
   C. 饮食　　　　　　　D. 排出物
4. 面部望诊,"五色主病"是主要观察方法,五色是指(　)
   A. 红、青、黄、白、黑　B. 红、黄、灰、白、黑
   C. 红、紫、黑、白、灰　D. 红、紫、黄、白、黑
5. 浮脉的脉象特点(　)
   A. 三部脉举按皆有力　B. 轻取不应,重按始得
   C. 轻取即得,重按稍减　D. 缓而时止,止无定数

6. 淡白而润,兼舌体胖嫩主(　)证
   A. 阴虚　　　　　　　B. 气血两虚
   C. 气滞血瘀　　　　　D. 阳虚
7. 切诊配属脏腑右手寸部候(　)
   A. 脾胃　　　　　　　B. 肾
   C. 心　　　　　　　　D. 肺

想一想

1. 望诊的内容有哪些?
2. 闻诊的内容有哪些?
3. 五色主证有哪些?

参考答案

1. A　2. D　3. C　4. A　5. C　6. D　7. D

第七章 辨 证

学习要点

1. 掌握辨证的概念，八纲辨证、气血津液阴阳病辨证及脏腑病辨证的方法。

2. 了解各辨证方法之间的联系。

辨证就是在中医基础理论指导下，将四诊（望、闻、问、切）所收集的各种症状、体征等临床资料进行分析、综合，对疾病当前的病理本质做出判断，并概括为具体证名的诊断过程。

中医学的辨证方法有多种，都是在长期临床实践中总结而成的。本章重点介绍八纲辨证、气血津液阴阳病辨证、脏腑病辨证、外感病辨证等方法。八纲辨证是各种辨证的纲领，适用于临床各种病的辨证；气血津液阴阳病辨证与脏腑辨证主要应用于内伤杂病；外感病辨证包括六经辨证、卫气营血辨证、三焦辨证等辨证方法。其中六经辨证用于外感病中"伤寒病"的辨证；卫气营血辨证等用于外感病中"温病"的辨证。

第一节 八纲辨证

八纲，即阴、阳、表、里、寒、热、虚、实八个辨证的纲领。八纲辨证是指在掌握四诊收集的资料基础上，根据病位的浅深、疾病性质的寒热、正邪斗争的盛衰、疾病类别的阴阳等，运用八纲理论进行分析的辨证方法。

八纲辨证是从各种辨证方法的个性中概括出来的共性，是各种辨证的纲领。在诊断疾病过程中，起着执简驭繁、提纲挈领的作用，适用于临床各科。尽管疾病的表现错综复杂，但可用八纲加以归纳和概括。如疾病的类别，可分为阴证与阳证；病位的浅深，可分为表证与里证；疾病的性质，可分为寒证与热证；邪正的盛衰，邪盛为实证，正虚为虚证。运用八纲辨证就能将各种复杂的临床表现，归纳为阴阳、表里、寒热、虚实四对纲领性证候，从而找出疾病的关键，掌握其要领，确定其类型，预决其趋势，为治疗指出方向。其中阴阳两纲又可以概括其他六纲，即表、热、实证为阳证；里、寒、虚证为阴证，故阴阳又是八纲中的总纲。

八纲辨证是互相联系而又不可分割的，如辨表里应与寒、热、虚、实相联系，辨寒热应与表、里、虚、实相联系，辨虚实又应与寒、热、表、里相联系。疾病的变化往往不是单纯的，常常是表里、寒热、虚实夹杂在一起，如表里同病、虚实夹杂、寒热错杂等。在一定的条件下，疾病的阴阳表里寒热虚实证候之间还可以出现相互转化，如表邪入里、里邪透表、寒证转热、热证转寒、实证转虚、因虚致实等。当疾病发展到一定阶段，还可以出现一些与疾病性质相反的假象，如寒热真假、虚实真假等。阴证、阳证也是如此，阴中有阳，阳中有阴，疾病可以由阳入阴，由阴出阳，又可从阳转阴，从阴转阳。因此不仅要掌握各类证候的特点，还要注意其相互间的相兼、夹杂、转化、真假等关系。

一、表里辨证

表里辨证是辨别疾病病位和病势趋向的两个纲领。人体的皮毛、肌腠、经络在外属表；脏腑、气血阴阳、骨髓在内属里。从病势趋向论，病势由表入里是病渐加重，由里出表是病渐减轻。

表里辨证主要用于外感病，可以判断病位浅深及病理变化趋势。表证病轻而浅，里证病深而重；表邪入里为病进，里邪出表为病退。掌握疾病的轻重进退，为解表与治里等治疗提供依据。

（一）表证

表证是指六淫等外邪经皮毛、口鼻侵入时所产生的证候。多见于外感病的初期，具有起病急、病程短的特点。

【临床表现】恶寒（或恶风）发热，头身疼痛，鼻塞流涕，咽喉痒痛，咳嗽，舌苔薄白，脉浮。

【辨证要点】本证以外邪袭表，卫气被郁为主要病机。为外感病的初期阶段，有起病急、病程短的特征。以恶寒发热并见、苔薄白、脉浮为辨证依据。可见鼻塞流涕、咽喉痒痛、咳嗽，甚至喘促等肺气失宣的兼症。

（二）里证

里证是指病位深入于里（脏腑、气血、骨髓）的一类证候。它与表证相对而言，多见于外感病的中、后期阶段或内伤疾病。里证的成因，大致有四种情况：一是表邪内传入里，侵犯脏腑而成；二是外邪直接侵犯脏腑所致；三是情志内伤、饮食劳倦等因素损伤脏腑，使脏腑功能失调，气血阴阳逆乱而致病；四是病理产物性病因所引起的疾病。

【临床表现】因病在里，或病起于里，故其基本特点是无新起之寒热并见，以脏腑气血阴阳等失调的症状为其主要表现，如：高热恶热或微热、潮热，烦躁神昏，口渴引饮，或畏寒肢冷踡卧，身倦乏力，口淡多涎，腹痛，便秘，或泄泻，呕吐，尿少色黄或清长，苔厚，脉沉等。

【辨证要点】病位已不在表及半表半里，病邪已深入于里。本证以脏腑气血阴阳等失调的症状为其辨证依据。

表证里证的鉴别：主要审察其寒热、舌象和脉象变化。外感病中，发热恶寒同时并见的属表证，但寒不热或但热不寒或无寒热的属里证。表证的舌象少变化，里证的舌象多有变化。表证脉浮，里证脉不浮。

（三）半表半里证

半表半里证是指病邪既不在表，又非完全入里，介于表里之间的证候。本证多因外邪由表传内，尚未入于里；或里邪透表，尚未达于表，邪气留居半表半里，或邪气直犯少阳，正气渐虚，正邪分争，少阳枢机不利所致。

【临床表现】寒热往来，胸胁苦满，心烦喜呕，默默不欲饮食，口苦，咽干，目眩，脉弦等。

【辨证要点】以邪犯少阳，枢机不利为主要病机。本证以寒热往来、胸胁苦满、口苦、咽干、目眩、脉弦为其辨证依据。

二、寒热辨证

寒热辨证是辨别疾病性质的两个纲领。寒证与热证反映机体阴阳的偏盛与偏衰。阴盛或阳虚者，表现为寒证；阳盛或阴虚者，表现为热证。寒热辨证是辨明疾病性质属寒或属热，为散寒或清热提供治疗依据。

（一）寒证

寒证是指感受寒邪，或机体阴盛、阳虚所表现的证候。多因外感寒邪，或因内伤久病，阳气耗伤，或过食寒凉生冷，阴寒内盛所致。寒证包括表寒、里寒、虚寒、实寒等。

【临床表现】各类寒证临床表现不尽一致，常见的有：恶寒喜暖，面色淡白，肢冷蜷卧，口淡不渴，痰、涎、涕清稀，小便清长，大便稀溏，舌苔白而润滑，脉迟或紧等。

【辨证要点】本证以阴寒内盛或阳气不足为主要病机。以恶寒喜暖、肢冷蜷卧、面白、分泌物及排泄物清稀、舌苔白滑等症状为辨证依据。

（二）热证

热证是指感受热邪，或机体阴虚、阳亢所表现的证候。多因外感热邪，或寒邪入里化热；或七情过激，郁而化热；或饮食不节，积蓄为热；或房室劳伤，劫夺阴精，阴虚内热等所致。热证包括表热、里热、实热、虚热等。

【临床表现】各类热证表现不尽一致，常见的有：恶热喜冷，口渴喜冷饮，面红目赤，烦躁不宁，痰、涕黄稠，吐血，衄血，大便干，尿少色黄，舌红苔黄而干，脉数等。

【辨证要点】本证以阳热亢盛或阴虚内热为主要病机。以发热、恶热喜凉、面红、舌红苔黄、脉数等症状为辨证依据。热伤津液，故渴喜冷饮、大便干、尿少色黄、舌干少津等症状亦可作为辨证的参考依据。热伤血络，迫血妄行，故衄血、吐血等出血症状亦可见之。

寒证热证的鉴别：辨别寒证与热证，不能孤立地根据某一症状作判断，应对疾病的全部表现进行综合观察。若病人恶寒喜暖、口不渴、面色白、四肢逆冷、大便稀溏、小便清长、舌淡苔白滑、脉迟或紧，则属寒证。若病人恶热喜凉、渴喜冷饮、面色红赤、四肢灼热、大便干结、尿少色黄、舌红苔黄、脉数，则属热证。

三、虚实辨证

虚实辨证是辨别邪正盛衰的两个纲领。虚指正气不足，实指邪气盛实。通过虚实辨证，可以掌握患者邪正盛衰情况，为扶正和驱邪提供治疗依据。

（一）虚证

虚证是指人体正气不足所表现的证候。多因先天不足和后天失调所致，但以后天失调为主，如情志内伤，饮食失调，劳逸过度，房室不节，产育过多，久病失治等原因，损伤人体正气均可成为虚证。虚证包括精、气、血、阴、阳、津液不足，以及脏腑各种不同的虚损。

【临床表现】各种虚证的表现不尽一致，常见的有：面色淡白或淡白或萎黄，精神萎靡，身倦乏力，形寒肢冷，自汗，大便稀溏或滑脱，小便清长或失禁，舌淡胖嫩，脉虚，沉迟无力或弱，或形体消瘦颧红，五心烦热，盗汗，潮热，舌红少苔或无苔，脉细数无力。

【辨证要点】本证以正气不足,机体功能衰退为其主要病机。临床表现以五脏气血阴阳亏虚为主。具有起病缓,病程长的特点,多见于慢性消耗性疾病。其具体辨证内容详见气血津液阴阳病辨证和脏腑病辨证。

(二)实证

实证是指邪气亢盛所表现的证候。实证形成的原因主要有二:一是六淫或疫疠之邪侵入人体,正邪剧争所致;二是脏腑功能失调,代谢障碍,气机阻滞,水湿痰饮内停,瘀血内阻,或宿食、虫积等停滞体内所致。由于外邪性质与致病的病理产物不同,故临床表现各异。

【临床表现】实证的临床表现各不相同,常见的有:高热,胸闷烦躁,甚至神昏谵语,呼吸气粗,痰涎壅盛,腹胀痛拒按,大便秘结或下痢里急后重,小便不利或涩痛、色黄量少,舌质苍老,舌苔厚腻,脉实有力等。

【辨证要点】本证具有邪实而正气未虚,正邪剧争的病机。具有起病急,病程短的特点。因病邪性质各异,临床表现复杂,具体辨证详见有关各章节。

虚证实证的鉴别:虚证与实证,由于虚损之部位和邪气的性质各异,故症状极为复杂。同样的症状,可能是虚证,也可能是实证,如腹痛、腹胀、便秘、恶寒等在虚证和实证中均可出现。因此必须通过望形体、舌象、闻声息、问病史、按胸腹、脉象等诊察手段进行全面分析。若病人形体虚弱、精神萎靡不振、声低息微、痛处喜按、舌淡嫩无苔或少苔、脉象虚弱无力者属虚证。若病人形体壮实、精神亢奋、声高息粗、痛处拒按、舌质苍老、舌苔厚腻、脉实有力者属实证。

四、阴阳辨证

阴阳是辨别证候类别的纲领,是八纲辨证的总纲。根据疾病症状、体征表现特点,可以将疾病归为阴阳两大类,这样能起到提纲挈领和对比鉴别的作用。

(一)阳证

凡符合属阳性质的证候,称为阳证。表证、热证、实证均属阳证范围。

【临床表现】不同的疾病,表现出来的阳性证候不尽相同,常见的有:恶寒发热,或壮热,面红目赤,心烦,躁动不安,或神昏谵语,呼吸气粗而快,语声高亢,喘促痰鸣,痰、涕黄稠,口渴喜冷饮,大便秘结或热结旁流,尿少色黄而涩痛,舌红绛起芒刺,苔黄、灰黑而干,脉实、洪、数、浮、滑等。

【辨证要点】本证以亢奋、躁动、功能亢进、红赤、分泌物黏稠等为主要特点。恶寒发热、脉浮是表证的表现;面红目赤、烦躁不安、壮热、渴饮、痰涕黄稠为热证的特征;语声高亢、喘促痰鸣、大便秘结或热结旁流是实证、热证特点;舌红绛,苔黄、灰黑,脉实、洪、数、滑为实热之体征。

(二)阴证

凡符合属阴性质的证候,称为阴证。里证、虚证、寒证均属阴证范围。

【临床表现】不同的疾病,所表现的阴性证候不尽相同,常见的有:面色淡白或晦暗,少气懒言,倦怠无力,精神萎靡,身重,蜷卧,畏寒肢冷,语言低怯,呼吸微而缓,口淡不渴,大便溏而腥臭,痰、涕、涎清稀,小便清长,舌淡胖嫩苔白滑,脉沉迟或细涩或微弱等。

【辨证要点】本证以抑郁、静而不烦、功能衰退、清冷、暗晦等为主要特点。精神萎靡、体倦乏力、声低息微是虚证表现;畏寒肢冷蜷卧,痰、涕、涎清稀,大便溏而微臭、小便清长是里寒的表现；脉虚、沉迟、弱、微、舌淡嫩苔白滑均为属虚、属寒的体征。

阳证阴证的鉴别：一般来说，凡急性的、兴奋、功能亢进、明亮的均属阳证；凡慢性的、抑郁、静而不躁、清冷、功能衰退、晦暗的均属阴证。

第二节　气血津液阴阳病辨证

气血津液阴阳病辨证是根据气血津液阴阳的相关理论，分析四诊所获得的临床资料，在八纲辨证的基础上，分析、归纳、判断为某种证候的辨证方法。

气血津液阴阳是构成人体和维持人体生命活动的物质基础，其生成和作用的发挥，与脏腑的正常生理活动有密切关系，而脏腑生理功能的维持，又依赖于气血津液阴阳的滋养和推动。因此气血津液阴阳的病变与脏腑病变密切相关，两者相互补充。

一、气病辨证

气病辨证是以气的相关理论分析四诊所搜集的症状、体征等资料，进行辨证的思维方法。气的病变繁多，但临床上常见的证候有气虚、气滞、气逆、气陷四种。其中气虚、气陷属于虚证；气滞、气逆多属于实证。

（一）气虚证

气虚证是指元（真）气不足，气的功能减退，脏腑组织机能活动减弱所表现的证候。常因久病体虚，或劳累过度伤气所引起。

【临床表现】少气懒言，身倦乏力，自汗，活动劳累后诸症加重，或见头晕目眩，面色淡白，舌淡苔白，脉虚无力。

【辨证要点】本证以元气不足，功能减退为主要病机。以少气懒言、身倦乏力、自汗出、舌淡苔白、脉虚无力等为其辨证依据。可兼见头晕目眩、面色淡白、劳累后症状加重等症状。

（二）气陷证

气陷证是指气虚无力升举而反下陷所表现的证候。常由气虚证进一步发展而来。

【临床表现】久泻久痢，腹部有坠胀感，或便意频频，或脱肛，子宫脱垂，肾、胃下垂，伴见头晕目眩，少气懒言，倦怠乏力，舌淡苔白，脉弱。

【辨证要点】本证以气虚无力升举而致下行太过为主要病机。以内脏下垂、久泻久痢与气虚之象并见为辨证依据。有气虚证的一般症状，如头晕目眩、少气懒言、身倦乏力、舌淡苔白、脉弱无力等。有久泻久痢、腹部坠胀、便意频频、内脏下垂等气机陷下定性症状。

（三）气滞证

气滞证是指人体某一内脏，或某一部位气机阻滞，运行不畅所表现的证候。常因情志不遂，七情郁结，或病邪阻滞气机所引起。

【临床表现】胸胁脘腹等处胀闷、疼痛，症状时轻时重，部位常不固定，可为窜痛、攻痛，嗳气或矢气之后胀痛减轻，舌淡红，脉弦。

【辨证要点】本证以气机运行不畅，阻滞于全身或某一局部为主要病机。以胀闷疼痛、脉弦为辨证依据。有胸胁脘腹胀痛、部位不固定、症状时轻时重等定位症状。要辨清引起气滞的原因以及气滞发生的确切部位。

(四)气逆证

气逆证是指气机升降失常,脏腑之气上逆所表现的证候。常由感受外邪或痰浊、食积阻塞,或情志不遂所引起。

【临床表现】肺气上逆,则见咳嗽喘息;胃气上逆,则见呃逆,嗳气,恶心,呕吐;肝气上逆,则见眩晕,头胀痛,其则昏厥,呕血等。

【辨证要点】本证以气机升降失常,气逆于上为主要病机。以肺、胃、肝等脏腑气机上逆为辨证依据。以肺气上逆之咳嗽、喘息;胃气上逆之恶心、呃逆、嗳气;肝气升发太过之头痛、眩晕、昏仆、呕血等为定位症状。

二、血病辨证

血病辨证是以血的相关理论,分析四诊所搜集的症状、体征等资料,进行辨证的思维方法。血的病变可概括为血虚、血瘀、血热、血寒四类证候。其中血虚属虚证,血瘀、血热、血寒属实证。

(一)血虚证

血虚证是指血液亏虚,脏腑经络、形体官窍失其濡养所表现的证候。常由失血过多,或生血不足,或思虑过度,暗耗阴血所引起。

【临床表现】面色淡白无华或萎黄,口唇、爪甲色淡,头晕目眩,或心悸,失眠,多梦,或手足拘挛麻木,或妇女月经量少色淡,或月经后期,或经闭。舌淡苔白,脉细。

【辨证要点】本证以血液不足,脏腑组织失于濡养为主要病机。以面色萎黄,或面、舌、唇、爪甲色淡白、脉虚而细为辨证依据。血虚证以心、肝两脏为多见,故有心悸、失眠多梦,或头晕目眩、手足拘挛麻木、月经量少色淡等心、肝病症的定位症状。

(二)血瘀证

凡离经之血不能及时排出和消散,停留于体内,或血行不畅,阻塞于经脉之内,或瘀积于脏腑组织器官之中,均称为瘀血。由瘀血内阻所引起的病证,称之为血瘀证。常由气虚、气滞、血寒、血热、外伤等所引起。

【临床表现】因瘀血所瘀阻的部位及形成瘀血的原因不同,其临床表现各异。如瘀阻于心,可见心悸,胸闷心痛,口唇指甲青紫;瘀阻于肺,可见胸痛,咳血;瘀阻于肝,可见胁痛,胁下肿块;瘀阻于胃,可见呕血,大便色黑如柏油;瘀阻攻心,可见发狂;瘀阻胞宫,可见痛经,月经不调,经色紫暗成块;瘀阻于肢体肌肤局部,可见局部肿痛青紫。舌质紫暗或有瘀斑、瘀点,脉细涩或结代。

【辨证要点】本证以血行不畅,瘀阻体内为主要病机。以痛如针刺、痛有定处、肿块固定、出血色紫有块、皮肤紫斑、唇舌、指甲青紫、脉涩为主要辨证依据。临床上常见的血瘀证有:心脉瘀阻证、肺血瘀证、肝血瘀证、胃肠血瘀证、瘀阻胞宫证、下焦蓄血证、瘀阻肌肤证等。由于引起血瘀的病因不同,临床上常有兼证出现,如气滞血瘀、气虚血瘀、寒凝血瘀、瘀热互结、痰瘀互结等。另外血瘀影响气化,阻滞水液的输布。因此还可形成血瘀水肿证。

（三）血热证

血热证是指血分有热，灼伤脉络，迫血妄行所表现的证候，即血分的热证。常由外感火热邪气，或情志过极，化火生热，伤及血分所引起。

【临床表现】 咳血，吐血，衄血，尿血，便血，妇女月经提前，量多，或崩漏，或局部疮疡红肿热痛，或伴身热，口渴，心烦，甚则躁狂，舌质红绛，脉数。

【辨证要点】 本证以血分有热，血行加速或妄行为主要病机。以各种出血（咳血、吐血、衄血、尿血、便血、妇女月经量多等）症状和实热症状并见为辨证依据。可兼身热、口渴、心烦或躁狂、舌质红绛、脉数等热象和伤阴的症状。

（四）血寒证

血寒证是指寒邪客于血脉，凝滞气机，血液运行不畅所表现的证候，即血分的寒证。常由外感寒邪伤及血分所引起。

【临床表现】 手足局部冷痛，痛处肤色青紫发凉，得温痛减，遇冷痛剧，或少腹拘急冷痛，或妇女少腹冷痛，月经后期，经色紫暗，夹有瘀块，伴畏寒肢冷，喜温恶寒，舌淡紫苔白滑，脉沉迟或涩。

【辨证要点】 本证以寒伤血脉，血行不畅为主要病机。以身体局部冷痛和寒性症状并见为辨证依据。有喜温恶寒、肢冷、舌淡紫苔白滑、脉沉迟或涩等寒证的一般症状。有手足局部冷痛、痛处肤色青紫发凉，或妇女少腹冷痛、月经后期、经色紫暗、夹有瘀块等血寒证的症状。

三、津液病辨证

津液病的辨证，是指运用津液的相关理论，分析四诊所获得的症状、体征等资料，辨别有无津液不足或停聚的辨证方法。津液病有津液不足证和津液停聚证两种。

（一）津液不足证

津液不足证是指体内的津液不足，脏腑组织官窍失其濡养所表现的证候，属内燥证。常由津液的生成不足或丢失、损伤过多所引起，如脾胃虚弱，运化无权，致津液生成减少，或高热、大汗、大吐、大下、多尿等致津液丢失、耗伤太过，造成津液不足证。

【临床表现】 口干咽燥，渴欲饮水，唇焦或裂，皮肤干燥，甚或枯瘪，目眶深陷，小便短少，大便干燥，舌红少津，脉象细数等。

【辨证要点】 本证以津液减少，脏腑组织官窍失于濡养为主要病机。以肌肤、口唇、舌咽干燥、尿少便干等干燥枯涩症状为辨证依据。可兼见舌红少津、脉象细数等虚热症状。本证以肺、胃、大肠津液不足为多见。在临床上多见的有肺燥津伤、胃燥津伤、肠燥津伤等证。

（二）水液停聚证

水液停聚证是指肺、脾、肾对水液的输布排泄功能失调，以致水液排出减少而停聚于体内所表现的多种证候。临证中又有水肿证、痰证和饮证。

1. 水肿证

体内水液停聚，泛滥肌肤，引起面目、四肢、胸腹甚至全身浮肿的病症，称为水肿证。临床辨证应区分阳水与阴水，以明虚实。

（1）阳水：水肿性质属实者，称为阳水。常由外感风湿邪气，或水湿侵淫等所引起。

【临床表现】头面浮肿，先从眼睑开始，继而波及全身，来势迅速，皮肤薄而光亮，小便短少，恶风恶寒，发热，肢节酸重，舌苔薄白，脉浮紧；或咽喉肿痛，舌红而脉浮数；或全身水肿，来势较缓，按之没指，肢体困重，脘闷纳呆，舌苔白腻，脉沉。

【辨证要点】本证以外感邪气，致使水湿停聚，泛溢肌肤为主要病机。以发病急、来势猛、水肿先从眼睑头面开始、上半身肿甚为辨证依据。常以邪犯肺、脾为多见，故可兼见肺失宣降之发热、恶风寒、咽喉肿痛，以及脾失健运的纳呆、身困等症状。

（2）阴水：水肿性质属虚者，称为阴水。常由病久正虚，劳倦内伤，脾肾阳虚所引起。

【临床表现】水肿以腰以下为甚，按之凹陷不起，少便短少，纳呆便溏，腹胀，面色不华或萎黄，神倦肢困；若水肿日益加重，小便不利，可见腰膝酸冷疼痛，畏寒神疲，四肢不温，舌淡或胖，苔白滑，脉沉迟无力。

【辨证要点】本证以劳倦、久病伤正，脾肾虚衰，水湿停聚为主要病机。以发病慢、来势徐、病程较长、水肿先从足部开始、腰以下肿甚并伴有寒象为辨证依据。以脾肾两伤，阳不化水为多见，故可兼腹胀、纳呆、便溏、肢困的脾阳不足之症，及腰膝冷痛、畏寒、肢冷等肾阳虚衰的症状。

2. 痰证

痰证是指水液停聚，质地稠厚，停聚于脏腑、经络、组织之间所表现的证候。常由外感六淫，内伤七情，导致脏腑功能失调，水液代谢失常所引起。

【临床表现】咳喘咯痰，胸闷，脘痞不舒，纳呆恶心，呕吐痰涎，头晕目眩，神昏癫狂，喉中痰鸣，肢体麻木，半身不遂，瘰疬瘿瘤，乳癖，喉中异物感等。舌苔白腻或黄腻，脉滑。

【辨证要点】本证以水液内停，凝聚体内为主要病机。以吐痰或呕吐痰涎，神昏癫狂，苔腻，脉滑等痰盛症状为辨证依据。由于痰浊停聚的部位不同，所表现的症状各异，故辨证时要针对具体情况而定。痰阻于肺，失于宣降，故见咳喘、咯痰；痰阻于胃，胃失和降，则呕吐痰涎、脘闷纳呆；痰停在头，清阳不升，则头晕目眩；痰阻咽喉，则喉中痰鸣，或咽中梗塞不利；痰浊在心，则发癫、狂；痰停经络，气血失荣，则肢体麻木、半身不遂；痰结皮下，则为瘰疬、瘿瘤、乳癖。

3. 饮证

饮证是指水饮停聚，质地清稀，停聚于脏腑组织之间所表现的证候。常由外邪侵袭，或肺脾肾等脏腑机能衰退或障碍等原因所引起。

【临床表现】咳嗽气喘，胸闷，痰液清稀，量多色白，倚息不得平卧；或胸胁胀闷作痛，随呼吸、咳嗽转侧而加剧；或脘痞腹胀，水声漉漉，泛吐清水；或下肢浮肿，身体困重疼痛，舌苔白滑，脉弦。

【辨证要点】本证以水饮内停于脏腑组织为其主要病机。由于饮停聚的部位不同，故形成的证候特点有很大区别，一般依《金匮要略》，将饮证分为四种，即痰饮、悬饮、支饮、溢饮。舌苔白滑、脉弦为饮证的主要舌脉征象。饮停于胃肠为痰饮，故见脘痞腹胀、水声漉漉、泛吐清水之症；饮停于胸胁为悬饮，故见胸胁胀满作痛，随呼吸、咳嗽转侧而加剧之症；饮停于胸膈为支饮，肺气上逆，则见咳嗽气喘、胸闷、痰液清稀色白等症；水饮泛滥于四肢肌肤为溢饮，故有小便不利、下肢浮肿、身体困重疼痛等症。

四、阴阳失调病辨证

八纲辨证中的阴阳两纲是辨别疾病类别的纲领,根据疾病的症状、体征特点,用阴阳的纲领给予归类,即表、热、实证属阳,里、寒、虚证属阴。本节所述的是阴阳失调所引起的具体病证辨证,主要有阳盛证、阴盛证、阳虚证、阴虚证、阴阳两虚证、亡阳证和亡阴证等。

(一)阳盛证

阳盛证是指阳气偏盛,脏腑经络机能亢进,邪热过盛所表现的证候。常由感受阳热之邪,或感受阴寒之邪,从阳化热,或七情内伤,五志过极化火所引起。

【临床表现】壮热,或持续高热不退,心烦失眠,烦躁,或发狂,口渴喜冷饮,汗出,面红目赤,大便干燥,小便短赤,舌红苔黄,脉数等。

【辨证要点】本证以"阳盛则热"为主要病机。有壮热,或持续高热不退、面红目赤、汗出、舌红苔黄、脉数等实热症状。可兼见阴津耗伤和心神被扰症状,如口渴喜冷饮、尿少色黄、大便干燥,及心烦失眠、烦躁或发狂等。

(二)阴盛证

阴盛证是指阴气偏盛,脏腑机能障碍或减退,阴寒之邪过盛所表现的证候。常由感受寒邪、湿邪,或过食生冷,寒湿中阻所引起。

【临床表现】恶寒,或形寒肢冷,喜暖,口淡不渴,或脘腹冷痛,溲清,便溏,或痰液清稀,水肿,苔白,脉紧或迟。

【辨证要点】本证以"阴盛则寒"为主要病机。有恶寒、形寒肢冷、脘腹冷痛、苔白、脉紧或迟等实寒表现。可兼见喜暖、溲清、便溏等伤阳症状,以及痰液清稀或水肿、口淡不渴等水液停留的症状。

(三)阳虚证

阳虚证是指机体阳气亏损,温煦功能减退所表现的证候。常由久病耗伤阳气或感受阴寒之邪日久伤阳等引起。

【临床表现】面色淡白,少气懒言,畏寒肢冷,精神萎靡,口淡不渴,或喜热饮,小便清长,大便溏泄,或浮肿,小便不利,舌淡胖苔白滑,脉沉弱。

【辨证要点】本证以阳气亏损,温煦功能减退为主要病机。以面色淡白、畏寒肢冷、小便清长、大便溏泄的虚寒之象为辨证依据。有少气懒言、精神萎靡、尿少浮肿、脉沉弱等脏腑机能衰退的症状。

(四)阴虚证

阴虚证是指机体内津液精血等属阴的物质亏损,无以制阳,滋润濡养功能减退所表现的证候。常由温热病后期,灼伤阴液,或内伤久病,思虑劳伤等伤阴所引起。

【临床表现】形体消瘦,午后潮热,五心烦热,或骨蒸劳热,颧红盗汗,大便干燥,尿少色黄,舌红绛少苔或无苔,脉细数。

【辨证要点】本证以阴液亏虚,虚热内生为主要病机。以午后潮热、五心烦热、颧红盗汗、尿少色黄、舌红绛少苔、脉细数等虚热症状为辨证依据。有形体消瘦、口咽干燥、大便干燥等阴液不足之症。

（五）阴阳两虚证

阴阳两虚证是指阴虚与阳虚症状并见所表现的证候。常由阴虚进一步发展损及阳，或阳虚进一步发展损及阴所引起。

【临床表现】畏寒肢冷，神疲乏力，少气懒言，口咽干燥，自汗或盗汗，低热，消瘦，失眠，尿少水肿，溲清便溏，面色淡白或颧红，脉沉迟无力或虚数。

【辨证要点】本证以阴液不足和阳气虚弱并见为主要病机。若为阴虚不能化生阳气，则形成以阴虚为主的阴阳两虚证候，有低热、盗汗、咽干、消瘦、失眠、神疲乏力、少气懒言、脉虚数等症状。若是阳虚不能化阴，则形成以阳虚为主的阴阳两虚证候，有畏寒肢冷、神疲乏力、少气懒言、尿少水肿、口咽干燥、消瘦、失眠、脉沉迟无力等症状。

（六）亡阳证

亡阳证是指机体阳气突然脱失，而致全身机能严重衰竭所表现的危重证候。常由邪盛，正不敌邪，或大汗、大出血以致阳气暴脱所引起。

【临床表现】面色苍白，冷汗淋漓，四肢厥冷，呼吸微弱，精神疲惫，神情淡漠，甚则昏迷，舌淡润，脉微欲绝。

【辨证要点】本证以阳气突然脱失为主要病机。以冷汗淋漓味淡、四肢厥冷、面色苍白为辨证依据。有呼吸微弱、精神疲惫、神情淡漠，甚则昏迷、舌淡润、脉微欲绝等脏腑机能严重衰竭的症状。

（七）亡阴证

亡阴证是指机体阴液突然大量消耗或丢失，而致全身机能严重衰竭所表现的危重证候。

【临床表现】大汗淋漓，味咸而粘，面色赤，四肢温和，肌肤热，烦躁不安，呼吸急促，口舌干燥，渴喜冷饮，齿燥，目眶深陷，舌质红绛而干，脉细数无力。

【辨证要点】本证以阴液亡失，阴竭阳浮为主要病机。以大汗淋漓、味咸而粘、面色赤、四肢温和、肌肤热、烦躁不安、息促、渴喜冷饮、舌质红绛而干、脉细数无力的症状为辨证依据。有口舌干燥、齿燥、目眶深陷等阴液濡润功能严重衰竭的症状。

亡阴证与亡阳证的鉴别：亡阴证的特点为汗热味咸、肌肤温热、喘息烦躁、渴喜冷饮、面舌色红、脉细数；亡阴证则表现为汗冷味淡、肌肤逆冷、气息微弱、口不渴、面色苍白、舌淡而润、脉微欲绝。

第三节　脏腑病辨证

脏腑病辨证是指运用脏腑经络、气血津液阴阳及病因的相关理论，分析四诊所搜集的症状、体征等资料，以辨明疾病所在的脏腑部位、病因、性质以及邪正盛衰的一种辨证方法。简言之，即以脏腑的相关理论为依据，辨别脏腑疾病证候的辨证方法。

藏象学说是脏腑病辨证的理论依据。因为每一个脏腑都有其各自的生理功能，脏腑之间又相互联系，故脏腑功能失常时，就会形成不同的病证。因此熟悉和掌握各脏腑的生理功能及其相互关系是掌握脏腑病辨证的基础。脏腑病辨证主要用于内伤杂病的辨证，是临床各种疾病的诊断基础。其内容包括脏病辨证、腑病辨证和脏腑兼病辨证，其中脏病辨证是脏腑病辨证的核心内容。

一、心与小肠病辨证

心居胸中,外有心包络裹护。心的主要生理功能是主血和藏神,开窍于舌,其华在面。心的病变主要表现为血液运行和神志活动的异常,因此心脏病的常见症状有心悸怔忡、心痛、心烦、失眠、神昏、神志错乱、口舌生疮等。心与小肠相表里,小肠主液,受盛化物,泌别清浊,故小肠病的常见症状为小便赤涩灼痛、尿血。

(一)心气虚证

心气虚证是指心气不足,鼓动无力所表现的证候。常由久病失养,或年高心气衰微所引起。

【临床表现】心悸或怔忡,动则尤甚,伴见精神疲惫,气短,身倦乏力,自汗面色淡白,舌淡苔白,脉虚弱或结代。

【辨证要点】本证以心气不足,鼓动无力为主要病机。以心悸和气虚症状并见为辨证依据。有身倦乏力、自汗、气短、面色淡白等气虚的一般症状。有心悸或怔忡、动则尤甚、脉虚弱或结代等心病的定位症状。

(二)心阳虚证

心阳虚证是指心阳虚衰,失其温养,虚寒内生所表现的证候。常是心气虚的进一步发展。

【临床表现】心悸或怔忡,动则尤甚,伴见心胸憋闷,疼痛,气短,自汗,形寒肢冷,面色淡白或面唇青紫,舌质淡胖,苔白滑,脉弱或结代。

【辨证要点】本证以心阳虚衰,虚寒内生为主要病机。以心气虚和寒象症状并见为辨证依据。心阳虚多由心气虚发展而来,故见心悸或怔忡、气短、自汗、脉弱或结代等心气虚的定位症状。有形寒肢冷、面色淡 白、舌淡胖、苔白滑等虚寒的定性症状。

(三)心阳暴脱证

心阳暴脱证是指心阳衰极,阳气突然外脱所表现的危重证候。常由心阳虚证进一步发展,或由痰瘀阻塞心脉所致。

【临床表现】在心阳虚证临床表现的基础上,突然冷汗淋漓,四肢厥冷,呼吸微弱,面色苍白,或心痛剧烈,口唇青紫,神志昏糊,或昏迷不醒,舌淡紫,脉微欲绝。

【辨证要点】本证以心阳衰极,突然外脱为主要病机。以心阳虚和亡阳症状并见为辨证依据。有冷汗淋漓、四肢厥冷、呼吸微弱、面色苍白,或心痛剧烈、口唇青紫、舌淡紫、脉微欲绝,甚至神志昏糊,或昏迷不醒等心功能突然严重衰竭的定位症状。

心气虚证、心阳虚证、心阳暴脱证的鉴别:心气虚证病情轻,无虚寒表现;心阳虚证病情重虚寒特点明显;心阳暴脱证病危势急,伴有亡阳的危候。

(四)心血虚证

心血虚证是指心血不足,失其濡养功能所表现的证候。常由失血过多,久病耗伤,或生血减少等所引起。

【临床表现】心悸,失眠多梦,健忘,面色淡白而无华,或萎黄不泽,头晕目眩,唇舌淡白,脉细无力。

【辨证要点】本证以心血不足,心神失养为主要病机。以心悸、失眠多梦、健忘和血虚症状并见为辨证依据。有面色淡白而无华,或萎黄、头晕目眩、唇舌淡白、脉细无力等血虚证的定性症状。有心悸、失眠多梦、健忘等心神失养的定位症状。

(五)心阴虚证

心阴虚证是指心阴耗损,虚热内扰所表现的证候。常由思虑劳神过度,暗耗心阴等所引起。

【临床表现】心悸,心烦,失眠多梦,形体消瘦,口燥咽干,颧红盗汗,午后潮热,五心烦热,舌红少津,脉细数。

【辨证要点】本证以心阴耗损,虚热内扰心神为主要病机。以心悸、心烦、失眠多梦和虚热症状并见为辨证依据。有形体消瘦、口咽干燥、颧红盗汗、五心烦热、舌红少津、脉细数等虚热证的定性症状。有心悸、心烦、失眠多梦等心病的定位症状。

心血虚证与心阴虚证的鉴别:两者都以心悸、失眠多梦、健忘为主症,而心血虚证有血虚证的一般表现,无虚热之象;心阴虚证则有虚热特点。

(六)心火亢盛证

心火亢盛证是指心火内炽所表现的证候。常由外感火热之邪,或情志抑郁,气郁化火所引起。

【临床表现】心烦,失眠,甚则狂躁谵语,或口舌生疮,或吐血,衄血,伴发热,口渴喜冷,尿少色黄或灼痛,大便秘结,面色红赤,舌尖红赤,舌苔黄,脉数有力。

【辨证要点】本证以心火内炽为主要病机。以心的常见症状与实热证的一般表现共见为辨证依据。有发热、口渴、饮冷、小便短赤或灼痛、大便秘结、舌尖红赤、苔黄、脉数有力等热证的定性症状。以及吐血,衄血等出血症状。有心烦、失眠,甚则狂躁谵语等火热内扰心神的心病定位症状。

(七)心脉痹阻证

心脉痹阻证是指各种致病因素导致心脉痹阻不通,血行不畅所表现的证候。常由正气不足,瘀血、痰浊、阴寒、气滞等因素阻痹心脉所引起。

【临床表现】心悸怔忡,心胸憋闷疼痛,痛引肩背内臂,时作时止。或见痛如针刺,舌紫暗,或有瘀斑、瘀点,脉涩或结代;或见心胸闷痛,体胖多痰,身重困倦,舌胖苔厚腻,脉沉滑;或见心胸剧痛,得温痛减,畏寒肢冷,舌淡苔白润,脉沉迟或沉紧;或见心胸胀痛,因情志波动而加重,喜太息,舌淡红或暗红,脉弦。

【辨证要点】本证以心脏脉络痹阻不通为主要病机。以心悸怔忡、心胸憋闷疼痛的心病定位症状为辨证依据。有舌紫暗或有瘀斑、瘀点、脉涩或结代等血瘀证的一般症状。

本证有不同类型,如因痰浊阻痹心脉所致者,可见心胸闷痛、体胖多痰、身重困倦、舌胖苔厚腻、脉沉滑;若因阴寒凝滞心脉所致者,可见心胸剧痛、得温痛减、畏寒肢冷、舌淡苔白润、脉沉迟或沉紧;若因气滞心脉痹阻者,可见心胸胀痛、喜太息,并因情志波动而诱发或加重,舌淡红或暗红、脉弦等。

(八)痰蒙心神证

痰蒙心神证是指痰浊蒙闭心神,以致精神、情志失常所表现的证候。常由外感湿浊、内伤七情或内生痰浊所引起,又称痰迷心窍证。

【临床表现】神志模糊,甚则昏不知人;或精神抑郁,表情淡漠,神志痴呆,喃喃独语,举止失常;或突然仆倒,不省人事,四肢抽搐,目睛上视,口吐涎沫,喉中痰鸣,伴见面色晦滞,胸脘满闷,呕恶,舌苔白腻,脉滑。

【辨证要点】本证以痰浊内盛,蒙闭心神为主要病机。以痰浊内盛和神志失常并见为辨证依据。有神志模糊、精神抑郁、神识痴呆,或突然昏仆、不省人事等心神失常的定位要点。有喉中痰鸣、胸闷呕恶、苔腻脉滑等痰证的一般症状。

本证有肝郁痰蒙与肝风挟痰两型。若因肝气郁结,气郁生痰,上蒙心神,发为癫证,症见精神抑郁、表情淡漠、神志痴呆、喃喃独语、举止失常;若因肝风夹痰,上蒙心神,发为痫证,可见突然仆地、不省人事、四肢抽搐、目睛上视、口吐涎沫等症。

(九)痰火扰神证

痰火扰神证是指痰火扰乱心神,以致神志异常所表现的证候。常由情志刺激,气郁化火生痰,或外感火热邪气,灼津为痰,痰火内扰所引起,又称痰火扰心证。

【临床表现】心烦失眠,重则神昏谵语或语言错乱,哭笑无常,狂躁妄动,打人毁物,伴见发热气粗,面红目赤,口渴喜冷,吐痰黄稠或喉中痰鸣,舌红苔黄腻,脉滑数。

【辨证要点】本证以痰火搏结,扰乱心神为主要病机。以痰火内盛和神志失常并见为辨证依据。有心烦失眠、神昏谵语或语言错乱、狂躁妄动等神志异常的定位症状。有吐痰黄稠、喉中痰鸣、发热气粗、面红目赤、口渴喜冷、舌红、苔黄腻、脉滑数等痰火内盛的定性症状。

痰蒙心神证与痰火扰神证的鉴别:两证都以精神、情志失常为主症,都有痰盛的症状,都属心的实证。但痰蒙心神证多表现为癫,或痫,无明显热象;痰火扰神证多表现为狂,且热象突出。

(十)小肠实热证

小肠实热证是指心移热于小肠所表现的证候。常由心火亢盛,移热于小肠所引起。

【临床表现】心烦,口舌生疮,小便涩痛色黄,尿道灼热,或尿血,口渴,舌尖红赤苔黄,脉数。

【辨证要点】本证以心火炽盛,下移小肠为主要病机。以心烦、口舌生疮、尿赤、尿道灼热等症状为辨证依据。有口渴、舌红苔黄、脉数等实热证的一般症状。

二、肺与大肠病辨证

肺居胸中,上连气道,开窍于鼻,外合皮毛。肺的生理功能是主管呼吸,辅心行血,通调水道。肺病的常见症状有咳嗽、气喘、吐痰、胸痛、咯血、声音嘶哑、鼻塞流涕和水肿等。

肺与大肠相表里。大肠为"传导之官",能吸收水分,排泄糟粕。大肠病的主要症状有便秘、泄泻、便血等。

(一)肺气虚证

肺气虚证是指肺气不足而致功能活动减弱所表现的证候。常由久咳久喘耗气,或脾肾亏虚影响及肺所引起。

【临床表现】咳喘无力,气短,动则益甚,咳痰清稀,语声低微,神疲乏力,懒言,自汗,易感冒,面色淡白,舌淡苔白,脉弱。

【辨证要点】本证以肺气不足,宣降无力为主要病机。以咳喘无力、吐痰清稀和气虚症状并见为辨证依据。有神疲乏力、懒言、自汗、面色淡白、易感冒、舌淡苔白、脉弱等气虚证的一般症状。有咳喘无力、气短、动则益甚、咳痰清稀、语声低微等呼吸功能减弱等肺病的定位症状。

(二)肺阴虚证

肺阴虚证是指肺阴亏耗,虚热内扰,肺失清肃所表现的证候。常由久咳伤阴,痨虫袭肺等所引起。

【临床表现】干咳无痰,或痰少而黏,不易咯出,甚或痰中带血,胸痛,声音嘶哑,口干咽燥,形体消瘦,颧红,盗汗,五心烦热,舌红少苔或无苔,脉细数,或伴见气短乏力,神疲倦怠等症状。

【辨证要点】本证以肺阴亏耗,虚热内扰为主要病机。以干咳无痰或痰少而黏和虚热症状并见为辨证依据。有五心烦热、颧红盗汗、口干咽燥、形体消瘦、舌红少苔或无苔、脉细而数等阴虚内热的定性症状。有干咳、咯血、胸痛、音哑等肺病的定位症状。若伴见气短、乏力、神疲倦怠,则为肺的气阴两虚证。

(三)风寒束肺证

风寒束肺证是指风寒之邪,侵袭肺表,肺卫失宣所表现的证候。常由外感风寒之邪所引起。

【临床表现】咳嗽,痰清稀色白,甚或胸闷气喘,喉痒,恶寒,微有发热,鼻塞流清涕,或身痛无汗,舌苔薄白,脉浮紧。

【辨证要点】本证以风寒外袭,肺卫失宣为主要病机。以咳嗽、痰液清稀和风寒在表之象并见为辨证依据。有恶寒、微有发热、鼻塞流清涕,或身痛无汗、舌苔薄白、脉浮紧等表寒证的一般症状。有咳嗽、痰清稀色白,甚或胸闷气喘、喉痒等肺病的定位症状。

风寒束肺证与表寒证的鉴别:两证虽然都属外感病证,但主兼症状有别。风寒束肺证以咳嗽、痰稀色白,或胸闷气喘为主症;表寒证以恶寒、发热、脉浮为主症,而咳嗽等肺系症状为次或缺无。

(四)风热犯肺证

风热犯肺证是指风热之邪侵袭肺卫所表现的证候。常由外感风热邪气,或外感风寒化热所引起。

【临床表现】咳嗽,痰稠色黄,鼻塞流黄浊涕,咽喉肿痛,发热,微恶风寒,口微渴,舌边尖红,苔薄黄,脉浮数。

【辨证要点】本证以风热外袭,肺卫失常为主要病机。以咳嗽、痰黄稠和风热在表之象并见为辨证依据。有发热、微恶风寒、口微渴、鼻塞流黄涕、舌边尖红、苔薄黄、脉浮数等表热证的一般症状。有咳嗽、痰稠色黄,或咽喉肿痛等肺病的定位症状。

风热犯肺证与表热证的鉴别:两证虽然都属外感病证,但风热犯肺证以咳嗽、痰稠色黄,或咽喉肿痛为主症,表热证则以发热、微恶风寒、脉浮数等为主症,咳嗽、咽喉肿痛等肺系症状为次,或者轻微,或者缺无。

(五)燥邪犯肺证

燥邪犯肺证是指自然界燥邪侵犯肺卫,肺的津液受伤所表现的证候。常由秋令之季,感受燥邪所引起。

【临床表现】干咳无痰或少痰,痰黏难咯,甚则胸痛,痰中带血,口、唇、鼻、咽干燥,小便短少,大便干结,或身热微恶风寒,少汗或无汗,苔薄而干燥少津,脉浮数或浮紧。

【辨证要点】本证以燥邪侵袭,肺卫受伤为主要病机。以肺系症状和干燥少津之象并见为辨证依据。有口、唇、鼻、咽干燥、小便短少、大便干结、苔薄而干燥少津等燥邪伤津的一般症状,以及干咳无痰,或少痰、痰黏难咯、甚则胸痛、痰中带血等肺病的定位症状。有发热、微恶风寒、少汗或无汗、脉浮等表证的症状。

燥邪犯肺证与肺阴虚证的鉴别:两者虽然都有肺系失于滋润的干咳无痰,或痰少而黏,口咽干燥,痰中带血等干涩症状,但燥邪犯肺证属于外感病证,多发于秋季或干旱少雨之时,病程短,并兼有外感表证特点;肺阴虚证属内伤虚证,可发于任何季节,且有阴虚内热的特点。

(六)热邪壅肺证

热邪壅肺证是指热邪炽盛,内壅于肺所表现的证候。常由外感风热之邪入里,或风寒之邪入里化热,壅塞于肺所引起。

【临床表现】咳嗽,痰稠色黄,气喘息粗,鼻翼翕动,或胸痛,咳吐脓血腥臭痰,或衄血,咳血,伴见壮热,口渴饮冷,烦躁不安,面赤,大便干燥,尿少色黄,舌红苔黄,脉滑数。

【辨证要点】本证以热邪炽盛,内壅于肺为主要病机。以里热炽盛和肺病症状并见为辨证依据。有壮热、口渴饮冷、烦躁不安、面赤、大便干燥、尿少色黄、舌红苔黄、脉滑数里热炽盛的定性症状。有咳嗽、痰稠色黄,或胸痛、咳吐脓血腥臭痰、气喘息粗、鼻翼翕动,或衄血、咳血等肺病的定位症状。

热邪壅肺证与风热犯肺证的鉴别:两者都属肺的热证,但热邪壅肺证属里热证,且热象明显,病程长;风热犯肺证兼有表证,病程短。

(七)寒痰阻肺证

寒痰阻肺证是指寒邪与痰浊交并,壅滞于肺所表现的证候。常由素有痰疾,复感寒邪,内客于肺,或中阳不足,聚湿生痰所引起。

【临床表现】咳嗽气喘,痰稀色白量多,胸闷,或喘哮痰鸣,形寒肢冷,舌淡苔白,脉濡缓或滑。

【辨证要点】本证以寒痰交阻,壅滞于肺为主要病机。以咳喘痰多突然发作和寒象并见为辨证依据。有形寒肢冷、舌淡苔白、脉濡缓或滑等里寒证的定性症状。有咳嗽气喘、痰稀色白量多、胸闷,或喘哮痰鸣等肺病的定位症状。

(八)痰湿阻肺证

痰湿阻肺证是指痰浊阻塞于肺,以致肺气上逆所表现的证候。

【临床表现】咳嗽痰多,色白而黏,易于咯出,胸闷,甚则气喘痰鸣,舌淡苔白腻,脉滑。

【辨证要点】本证以痰湿阻塞于肺,肺气上逆为主要病机。以咳嗽痰多色白,易咯出,而寒热之象不明显为辨证依据。有咳嗽痰多、色白而黏、易于咯出、胸闷,甚则气喘痰鸣、舌淡苔白腻、脉滑等肺病的定位症状。

痰湿阻肺证与寒痰阻肺证的鉴别:两者都是肺的实证,都以咳、喘、胸闷、痰稀量多色白为主症,但寒痰阻肺证有明显的寒象,而痰湿阻肺证则无明显的寒象。

(九)大肠湿热证

大肠湿热证是指湿热邪气阻滞大肠,以致大肠传导失司所表现的证候。常由饮食不节或不洁所引起。

【临床表现】腹痛,下痢脓血,里急后重,或暴注下泻,气味秽臭,肛门灼热,尿少色黄,或口渴,或发热,舌红苔黄腻,脉濡数或滑数。

【辨证要点】本证以湿热阻滞大肠,传导失司为主要病机。以下痢或泄泻和湿热之象并见为辨证依据。有发热、口渴、尿少色黄、舌红苔黄腻、脉濡数等湿热内盛的定性表现。有腹痛、下痢脓血、里急后重,或暴注下泻等大肠病的定位症状。

(十)大肠液亏证

大肠液亏证是指津液不足,大肠失其濡润所表现的证候。常由热病后津伤未复,或老年阴血亏虚等所引起。

【临床表现】大便秘结干燥,难以排出,常数日一行,或伴见口臭,头晕,口咽干燥,舌红少津,脉细涩。

【辨证要点】本证以津液不足,大肠失润为主要病机。以大便燥结、难以排出和津亏失润之象并见为辨证依据。有口咽干燥、舌红少津、脉细涩等津液亏损失润之燥象。有大肠液亏,传导失司之大便秘结干燥、难以排出、常数日一行等大肠病的定位症状;可兼见浊气上逆之口臭、头晕。

(十一)肠虚滑脱证

肠虚滑脱证是指大肠阳气虚衰,失于固摄,以致大肠滑脱失禁所表现的证候。常由久泻、久痢伤及脾肾等所引起。

【临床表现】泻下无度,或大便滑脱失禁,甚则脱肛,腹痛隐隐,喜温喜按,形寒肢冷,舌淡苔白滑,脉沉弱。

【辨证要点】本证以大肠阳衰,滑脱不禁为主要病机。以泻下无度和虚寒之象并见为辨证依据。有腹痛隐隐、喜温喜按、形寒肢冷、舌淡苔白滑、脉沉弱等虚寒的定性症状。有泻下无度,或大便滑脱失禁,甚则脱肛等大肠病的定位症状。

三、脾与胃病辨证

脾胃共处中焦,为表里关系。脾主运化水谷,胃主受纳腐熟,脾主升,胃主降,共同完成饮食物的消化、吸收与输布。脾为气血生化之源,又能统摄血液。脾的病变常见症状有腹胀腹痛、泄泻或便溏、浮肿、出血、肢体倦怠等。

胃病常见的症状有胃脘疼痛、恶心、呕吐、呃逆、嗳气等。

(一)脾气虚证

脾气虚证是指脾气不足,运化失常所表现的证候。常由饮食失调,劳累过度等伤脾耗气所引起。

【临床表现】纳少,腹胀,饭后尤甚,大便溏薄,肢体倦怠,少气懒言,面色萎黄无华,形体消瘦,或浮肿,舌淡苔白,脉缓弱。

【辨证要点】本证以脾气不足,运化失常为主要病机。以纳少、腹胀、便溏和气虚症状并见为辨证依据。有肢体倦怠、少气懒言、面色萎黄无华、舌淡苔白、脉缓弱等气虚证的定性症状。有纳少、腹胀、便溏、消瘦、浮肿等脾病的定位症状。

(二)脾气下陷证

脾气下陷证是指脾虚无力升举，反而下陷所表现的证候，又称中气下陷证。常由脾气虚进一步发展而来。

【临床表现】脘腹重坠作胀，便意频数，或久泄不止，或脱肛，子宫下垂，胃下垂，或小便如米泔。伴见纳少，少气乏力，肢体倦怠，声低懒言，头晕目眩，舌淡苔白，脉弱。

【辨证要点】本证以脾气虚，升举无力而陷下为主要病机。以脾气虚和下陷症状并见为辨证依据。有纳少、肢体倦怠、声低懒言、头晕目眩、舌淡苔白、脉弱等脾气虚证的定位症状。有胃下垂、子宫脱垂、脱肛等内脏下垂症状，以及便意频数，或久泄不止、小便如米泔等气陷特征。

(三)脾不统血证

脾不统血证是指脾气不足，统血无权，血溢出脉外所表现的证候。常由久病或劳倦伤脾所引起。

【临床表现】便血，尿血，崩漏，或月经量多，或皮下出血。伴见纳少，便溏，神疲乏力，少气懒言，舌淡苔白，脉细弱。

【辨证要点】本证以脾气不足，统血无权为主要病机。以出血和脾气虚症状并见为辨证依据。有纳少便溏、神疲乏力、少气懒言、舌淡苔白、脉细弱等脾气虚的定位症状。以出血为主症，有血色淡、病程长、病势缓的特点。

(四)脾阳虚证

脾阳虚证是指脾阳虚衰，中焦阴寒内盛所表现的证候。常由脾气虚发展而来，或过食生冷，损伤脾阳所引起。

【临床表现】腹胀纳少，腹痛喜温喜按，大便稀溏，畏寒肢冷，面白无华，或肢体困倦，或周身浮肿，小便不利，或白带量多清稀，舌淡胖，苔白滑，脉沉迟无力。

【辨证要点】本证以脾阳虚衰，中焦阴寒内盛为主要病机。以脾气不足和虚寒性症状并见为辨证依据。有腹胀纳少、大便稀溏、肢体困倦，或周身浮肿、小便不利，或白带量多清稀等脾病的定位症状。有腹痛喜温喜按、畏寒肢冷、舌淡胖、苔白滑、脉沉迟无力等虚寒的定性症状。

脾气虚证、脾气下陷证、脾不统血证、脾阳虚证的鉴别：此四证为脾病常见的证候，以脾气虚证为基本证候，脾气虚证是在气虚特点的基础上，以纳呆，腹胀为主症；脾阳虚证较前者重，有腹痛喜温喜按、畏寒肢冷、浮肿等虚寒特征；脾气下陷证则兼有内脏下垂、头晕目眩、久泄久痢、下坠等气陷特征；脾不统血证则以出血为主症。

(五)脾阴虚证

脾阴虚证是指脾的阴液亏虚，运化功能失常所表现的证候。常由饮食不节，过食辛辣香燥，伤及脾阴，或胃阴不足病及于脾所致。

【临床表现】不饥不食，涎少，腹胀，消瘦，伴见五心烦热，口唇干燥，大便秘结，小便短少，倦怠乏力，舌红无苔或光剥，脉细数。

【辨证要点】本证以脾阴不足，运化失常为主要病机。以不饥不食、腹胀、大便秘结和阴虚之象并见为辨证依据。有消瘦、五心烦热、口唇干燥、小便短少、舌红无苔或光剥、脉细数等虚热的定性症状。有不饥不食、倦怠乏力、腹胀、大便秘结等脾病定位症状。

(六)寒湿困脾证

寒湿困脾证是指寒湿内盛,中阳受困所表现的证候。常由饮食不节,过食生冷,或居处潮湿所引起。

【临床表现】脘腹胀满疼痛,纳呆,恶心,呕吐,大便溏泄,肢体困重,或浮肿,小便不利;面目肌肤发黄,色泽晦暗如烟熏,舌体胖苔白腻,脉濡缓。

【辨证要点】本证以寒湿内盛,中阳困阻为主要病机。以脾运失健和寒湿中阻症状并见为辨证依据。有脘腹胀满疼痛、纳呆、恶心、呕吐、大便溏泄,或水肿、肢体困重等脾病的定位症状。有黄疸、晦暗如烟熏、舌体胖苔白腻、脉濡缓等寒湿偏盛的定性症状。

(七)脾胃湿热证

脾胃湿热证是指湿热内蕴中焦所表现的证候,又称中焦湿热或湿热蕴阻脾胃证。常由感受湿热邪气,或过食肥甘,积湿化热所引起。

【临床表现】脘腹胀满,肢体困倦,尿少色黄,大便溏泄不爽,纳少厌食,恶心呕吐,或面目肌肤发黄,色泽鲜明如橘子色,皮肤发痒;或身热起伏,汗出热不解;舌红苔黄腻,脉濡数。

【辨证要点】本证以湿热蕴阻中焦,脾胃失常为主要病机。以脾运失健和湿热内阻症状并见为辨证依据。有脘腹胀满、肢体困倦、尿少色黄、大便溏泄不爽、纳少厌食、恶心呕吐等湿热蕴结脾胃的定位症状。有黄疸、身热起伏、汗出热不解、舌红苔黄腻、脉濡数等湿热蕴蒸的定性表现。

脾胃湿热证和寒湿困脾证的鉴别:两证都属中焦的实性证候,都具有湿盛的特征,所区别的是脾胃湿热证为热性证候,可见身热、舌红苔黄腻、脉濡数等热象特征;寒湿困脾证则以湿盛为主,可见舌胖苔白腻、脉濡缓等。

(八)胃气虚证

胃气虚证是指胃气不足,受纳、腐熟功能减弱,以致胃失和降所表现的证候。常由饮食不节,损伤胃气,或久病失养所引起。

【临床表现】胃脘隐痛,或胀痛,食后胀甚,按之觉舒,食欲减退,时作嗳气,气短神疲,倦怠懒言,舌质淡苔薄白,脉虚弱。

【辨证要点】本证以胃气不足,纳降失常为主要病机。气虚和胃失和降症状并见为辨证依据。有胃脘隐痛,或胀痛、食后胀甚、按之觉舒、食欲减退、时作嗳气等胃气亏虚的定位症状。有气短神疲、倦怠懒言、舌质淡苔薄白、脉虚弱等气虚的定性症状。

(九)胃阴虚证

胃阴虚证是指胃阴不足,胃失濡润,和降失常所表现的证候。常由温热病后期,胃阴耗伤,或气郁化火伤阴所引起。

【临床表现】胃脘隐隐灼痛,饥不欲食,或食而甚少,或胃脘嘈杂,脘痞不舒,或干呕呃逆,伴见口咽干燥,大便干结,小便短少,舌红少苔或无苔,脉细而数。

【辨证要点】本证以胃阴不足,纳降失常为主要病机。胃失和降与阴虚之象并见为辨证依据。有口咽干燥、大便干结、小便短少、舌红少苔或无苔、脉细而数等阴虚证的定性症状。有胃脘隐隐灼痛、饥不欲食,或食而甚少,或胃脘嘈杂、脘痞不舒,或干呕呃逆等胃失纳降的定位症状。

（十）胃阳虚证

胃阳虚证是指胃阳不足，虚寒内生，以致胃气失和所表现的证候，又称胃虚寒证。常由过食生冷，损伤胃阳，或过用寒凉攻伐药物等所引起。

【临床表现】胃脘绵绵冷痛，时发时止，喜温喜按，泛吐清水，食少脘痞，口淡不渴，倦怠乏力，畏寒肢冷，舌质淡嫩或淡胖，脉沉迟无力。

【辨证要点】本证以胃阳不足，失于和调为主要病机。以胃失和降和虚寒症状并见为辨证依据。有畏寒肢冷、口淡不渴、倦怠乏力、舌质淡嫩或淡胖、脉沉迟无力等阳虚内寒证的定性症状。有胃脘绵绵冷痛、时发时止、喜温喜按、泛吐清水、食少脘痞等胃病的定位症状。

（十一）胃热（火）证

胃热（火）证是指胃中火热炽盛，胃的功能失常所表现的证候。常由过食辛辣温燥之品，或气郁化火犯胃所引起。

【临床表现】胃脘灼痛，拒按，或消谷善饥，或见口臭，或牙龈肿痛溃烂，齿衄，渴喜冷饮，大便秘结，尿少色黄，舌红苔黄，脉滑数。

【辨证要点】本证以火热炽盛，胃气失和为主要病机。以胃脘灼痛及实火内炽症状并见为辨证依据。有渴喜冷饮、大便秘结、尿少色黄、舌红苔黄、脉滑数等火热内炽的定性症状。有胃脘灼痛、拒按、消谷善饥、口臭，或牙龈肿痛溃烂、齿衄等火热灼胃的定位症状。

胃热（火）证与胃阴虚证的鉴别：两证均为胃的热性证候，但有虚实的不同。胃热（火）证多为过食辛辣或气郁化火所致，病发突然，病程短，热象明显为实性热证；胃阴虚证多为热病后期，发病缓，病程长，具有阴虚特点为虚性热证。

（十二）胃寒证

胃寒证是指寒邪犯胃，或胃阳不足，使胃的功能失常所表现的证候。常由过食生冷，或胃脘受寒所引起。

【临床表现】胃脘冷痛，痛势剧烈，拒按，得温稍减，遇冷痛剧，或恶心呕吐，畏寒肢冷，口淡不渴，舌淡苔白润，脉弦或沉紧。

【辨证要点】本证以寒邪犯胃，或胃阳不足为主要病机，故有实寒与虚寒之分。以胃脘冷痛，遇冷痛剧为辨证依据。有形寒肢冷、口淡不渴、舌淡苔白润、脉弦或沉紧等寒证的定性症状。有胃脘冷痛、痛势剧烈、拒按、得温稍减、遇冷痛剧，或恶心呕吐等寒凝气机，胃气失和的定位症状。

胃寒的虚证、实证鉴别：胃虚寒证的病程长，以胃阳不足，虚寒内生为主要病机，其脘痛多为隐痛、喜温喜按。胃实寒证的病程短，多突然发病，以外感寒邪，寒凝气阻为主要病机，其脘痛多为剧痛、拒按。

（十三）食滞胃肠证

食滞胃肠证是指饮食停滞胃肠所表现的食积证候，常由饮食过量，或暴饮暴食伤及胃肠所引起。

【临床表现】脘腹胀闷疼痛，拒按，厌食，嗳腐酸馊，或呕吐酸腐食臭，吐后胀痛减轻；或肠鸣矢气，大便溏泄，泻下物酸腐臭秽，舌苔厚腻，脉滑。

【辨证要点】本证以饮食停滞,胃肠失调为主要病机。以脘腹胀满疼痛,呕吐酸腐食臭为辨证依据。有脘腹胀闷疼痛、拒按、厌食、嗳腐酸馊;或呕吐酸腐食臭、舌苔厚腻、脉滑等食滞于胃的定位症状。有肠鸣矢气、大便溏泄、泻下物酸腐臭秽等食伤于肠,传导失常的表现。

(十四)胃腑气滞证

胃腑气滞证是指胃气壅滞,和降失常所表现的证候。常由情志抑郁,气机失调,或饮食停滞,阻塞胃脘所引起。

【临床表现】胃脘胀满疼痛,拒按,嗳气,呃逆,恶心,呕吐,不思饮食,大便秘结,或腹胀肠鸣,舌苔白,脉弦涩。

【辨证要点】本证以胃气壅滞,失于和降为主要病机。以胃脘胀满疼痛、脉弦涩为辨证依据。有胃脘胀满疼痛、嗳气、呃逆、恶心、呕吐等气滞胃腑,失于和降的定位症状。

(十五)胃腑血瘀证

胃腑血瘀证是指瘀血积滞胃腑所表现的证候。常由寒凝、气滞等原因使血瘀于胃所引起。

【临床表现】胃脘疼痛如针刺,或如刀割,固定不移,痛处拒按,进食后加剧,伴有食少,消瘦,或吐血,或大便色黑,面色紫暗,舌紫暗,或有瘀斑、瘀点,脉涩。

【辨证要点】本证以胃腑血行瘀阻为主要病机。以胃脘疼痛和瘀血之象并见为辨证依据。有疼痛固定不移、痛处拒按、面色紫暗、舌紫暗,或有瘀斑、瘀点、脉涩等瘀血证的一般症状。有胃脘疼痛如针刺,或如刀割、食少、消瘦,或吐血,或大便色黑等胃病定位症状。

(十六)胃肠实热证

胃肠实热证是指邪热入里,与肠中糟粕相搏,燥屎内结所表现的证候。常由邪热炽盛,侵犯于胃肠所引起。

【临床表现】高热,或日晡热甚,腹部硬满疼痛,拒按,大便秘结,或热结旁流,气味恶臭,汗出口渴,甚则神昏谵语,狂乱,尿少色黄,舌红苔黄燥,或焦黑起芒刺,脉沉实有力。

【辨证要点】本证以胃肠实热炽盛为主要病机。以腹部硬满疼痛、大便秘结和里热炽盛之象并见为辨证依据。有高热,或日晡热甚、汗出口渴,甚则神昏谵语、狂乱、尿少色黄、舌红苔黄燥,或焦黑起芒刺、脉沉实有力等里热炽盛的定性症状。有腹部硬满疼痛、拒按、大便秘结,或热结旁流、气味恶臭等热炽胃肠的定位症状。

四、肝与胆病辨证

肝位于右胁,其生理功能为疏通全身气机和藏血。肝病常见的症状有胸胁、乳房、少腹胀痛或窜痛、头部胀痛、头晕目眩、情志抑郁,或急躁易怒、肢麻手颤、四肢抽搐、消化异常,以及目疾、月经不调、睾丸疼痛等。

胆附于肝,为中精之府,其生理功能为贮藏胆汁,排泄胆汁,以助消化。胆病常见症状有口苦、黄疸、惊悸、胆怯等。

(一)肝气郁结证

肝气郁结证是指肝失疏泄,气机郁滞所表现的证候。常由精神刺激,情志不遂以致肝失疏泄所引起。

【临床表现】胸胁、少腹胀痛或窜痛,胸闷善太息,情志抑郁或易怒,或咽喉如梗,吞之不下,吐之不出;或瘿瘤;或妇女乳房胀痛,或月经不调,痛经或闭经;或形成癥块;舌苔薄白,脉弦或涩。

【辨证要点】本证以肝失疏泄,气机郁滞为主要病机。以情志抑郁、胸胁、少腹胀痛或窜痛、脉弦为辨证依据。有胸胁、少腹胀痛或窜痛、胸闷善太息、情志抑郁或易怒、脉弦等肝病定位症状。由于肝疏泄气机功能涉及面广,故可兼见胸闷善太息、咽喉如梗、瘿瘤,或气滞血瘀的妇女乳房胀痛、月经不调、痛经或经闭,血瘀胁下,见癥块等症。

(二)肝火上炎证

肝火上炎证是指肝火炽盛,气火上逆所表现的证候。常由情志不遂,郁而化火,或火热之邪伤肝所引起。

【临床表现】头晕胀痛,耳鸣如潮,或突然耳聋,耳内流脓肿痛,或两目赤肿,急躁易怒,胁肋灼痛,口苦,不寐,或噩梦纷纭,面红目赤,或吐血、衄血;大便秘结,尿少色黄,舌红苔黄,脉弦数。

【辨证要点】本证以肝火炽盛,气火上逆为主要病机。以肝经循行部位实火炽盛为辨证依据。有头晕胀痛、耳鸣如潮,或突然耳聋、耳内流脓肿痛;或两目赤肿,或胁肋灼痛,急躁易怒、口苦等肝经火盛的定位症状。可兼见不寐、噩梦纷纭、面红目赤,或吐血、衄血、大便秘结、尿少色黄、舌红苔黄、脉弦数等热盛的定性症状。

(三)肝血虚证

肝血虚证是指肝血不足,所属组织器官失养所表现的证候。常由血的生成不足,或久病耗伤阴血所引起。

【临床表现】头晕目眩,面白无华或萎黄,爪甲不荣,视物模糊,或夜盲;或肢体麻木,关节拘急不利,手足震颤;或妇女月经量少,色淡,甚则闭经,舌淡,脉细。

【辨证要点】本证以血液不足,肝失所养为主要病机。以筋脉、头目、爪甲失养和血虚症状并见为辨证依据。有面白无华或萎黄、舌淡、脉细等血虚的定性症状。有头晕目眩、爪甲不荣、视物模糊,或夜盲,或肢体麻木、关节拘急不利、手足震颤,或妇女月经量少、色淡,甚则闭经等肝血不足,经脉头目等组织失养的肝病定位症状。

(四)肝阴虚证

肝阴虚证是指肝阴不足,虚热内扰所表现的证候。常由久病伤阴或肾阴不足以致水不生木所引起。

【临床表现】头昏耳鸣,两目干涩,胁肋灼痛,或手足蠕动,形体消瘦,口咽干燥,五心烦热,潮热盗汗,面部烘热,舌红少苔或无苔,脉细弦数。

【辨证要点】本证以肝阴不足,虚热内扰为主要病机。以筋脉、头目失养和阴虚虚热症状并见为辨证依据。有形体消瘦、五心烦热、口干咽燥、潮热盗汗、面部烘热、舌红少苔或无苔、脉细弦数等虚热的定性症状。有头昏耳鸣、两目干涩、胁肋灼痛,或手足蠕动等筋脉、头目失养的肝病定位症状。

(五)肝阳上亢证

肝阳上亢证是指肝肾阴虚,阴不制阳,肝阳偏亢所表现的证候。常由恼怒伤肝,化火伤阴,或房劳所伤,年老肾阴亏虚等阴不制阳所引起。

【临床表现】眩晕耳鸣,头目胀痛,面红目赤,急躁易怒,心悸失眠,头重脚轻,步履不稳,腰膝酸软,舌红,脉弦有力或弦细数。

【辨证要点】本证以肝肾阴虚,肝阳偏亢为主要病机。以头目眩晕胀痛、腰膝酸软、头重脚轻、病程较长为辨证依据。有眩晕耳鸣、头目胀痛、面红目赤、急躁易怒、心悸失眠等肝阳升发太过,气血上逆的定位症状。有腰膝酸软、头重脚轻、步履不稳、舌红、脉弦或弦细数等肝肾阴虚的一般症状。

肝火上炎证、肝阴虚证、肝阳上亢证的鉴别:三证都有热象,但肝火上炎证属于实热证,以肝经火热内盛为主要病机;肝阴虚证属于虚热证,以肝阴不足,阴不制阳,虚热内扰为主要病机;肝阳上亢证为本虚标实证,以肝肾阴虚,阴不制阳而致肝阳偏亢为主要病机。肝火上炎证进一步发展可致肝阴虚证,肝阴虚证日久可演变为肝阳上亢证。肝阴虚证和肝阳上亢证的过程中,均可出现肝火上炎。

(六)肝风内动证

肝风内动证是指以眩晕欲仆、抽搐、震颤等"动摇不定"症状为主要特征的一类证候。常由肝阳上亢、高热、阴虚、血虚等进一步发展所致。根据病因病性的不同,临床主要分为肝阳化风、热极生风、阴虚生风和血虚生风四种证型。

1. 肝阳化风证

肝阳化风证是指肝阳升发太过,亢逆无制所表现的动风证候。常由情志不遂,化火伤阴,或素有肝肾阴虚,阴不制阳,阳亢日久化风所引起。

【临床表现】眩晕欲仆,头摇,头痛,肢体震颤,项强,步履不正,手足麻木,语言謇涩,或突然昏倒,不省人事,口眼歪斜,半身不遂,喉中痰鸣,舌红苔白腻,脉弦细有力或弦滑。

【辨证要点】本证以肝阳升发太过而亢逆无制为主要病机。以平素即有头晕目眩等肝阳上亢症状,又突见动风之象,甚或突然昏倒、半身不遂等症为辨证依据。有眩晕欲仆、头摇、头痛、手足麻木、肢体震颤、项强、步履不正、舌红苔白腻、脉弦细有力或弦滑等肝阳化风的定位症状。有突然昏倒、不省人事、口眼歪斜、半身不遂等肝风夹痰,蒙蔽清窍的症状。

2. 热极生风证

热极生风证是指热邪炽盛,耗伤津液,筋脉失养所表现的动风证候。常由热邪燔灼肝经所引起。

【临床表现】高热,心烦,或躁扰如狂,或神昏,手足抽搐,颈项强直,牙关紧闭,两目上视,角弓反张,舌质红绛苔黄燥,脉弦数。

【辨证要点】本证以热伤阴津,筋脉失养而风动为主要病机。以高热和动风之象并见为辨证依据。有高热、心烦,或躁扰如狂、舌质红绛苔黄燥、脉弦数等实热的定性症状。有手足抽搐、颈项强直、牙关紧闭、角弓反张等肝风的定位症状。

3. 阴虚动风证

阴虚动风证是指阴液亏虚,筋脉失养所表现的动风证候。常由外感热病后期伤阴,或内伤久病,阴液耗伤所引起。

【临床表现】手足蠕动,眩晕耳鸣,潮热颧红,口咽干燥,形体消瘦,舌红无苔,脉细数。

【辨证要点】本证以阴液亏虚,筋脉失养而风动为主要病机。以阴虚和动风之象并见为辨证依据。有眩晕耳鸣、潮热颧红、口咽干燥、舌红无苔、脉细数等虚热的定性症状。有手足蠕动等虚风内动的肝病定位症状。

4. 血虚生风证

血虚生风证是指血液亏虚,筋脉失养所表现的动风证候。常由久病血虚,或生血不足所引起。

【临床表现】手足震颤,肌肉瞤动,肢体麻木,眩晕耳鸣,爪甲、口唇色淡,面白无华,舌质淡白,脉细弱。

【辨证要点】本证以血虚而致风动为主要病机。以血虚和动风之象并见为辨证依据。有眩晕耳鸣、爪甲、口唇色淡、面白无华、舌质淡白、脉细弱等血虚的定性症状。有肢体麻木、手足震颤、肌肉瞤动等风动的定位症状。

肝风内动四证的鉴别:四证均以眩晕欲仆、抽搐、震颤等动摇症状为主症。但肝阳化风证为本虚标实证,在肝阳上亢证的基础上发病;热极生风证为实热证,且有高热等实热征象;阴虚生风证属虚证,继发于他证之后,有虚热特点;血虚生风证也为虚证,有明显的血虚特征。

(七)肝胆湿热证

肝胆湿热证是指湿热蕴结肝胆,或肝经湿热所表现的证候。常由感受湿热邪气,或过食肥甘,积湿生热,侵犯肝经所引起。

【临床表现】胁肋灼热胀痛或胁下痞块,腹胀,厌食,口苦,恶心呕吐,大便不调,小便短黄;或身目发黄,黄色鲜明,或寒热往来,或身热不扬;或阴部瘙痒,带下色黄味臭;或阴部湿疹,灼热瘙痒;或睾丸肿胀热痛。舌红苔黄腻,脉弦数或滑数。

【辨证要点】本证以湿热蕴结肝胆,疏泄失常为主要病机。以胁肋胀痛、厌食腹胀、身目发黄、阴部瘙痒和湿热内蕴症状并见为辨证依据。有身热不扬、大便不调、小便短黄、舌红苔黄腻、脉弦数或滑数等湿热内盛的定性症状。有胁肋灼痛、胀痛、胁下痞块、黄疸、口苦,或寒热往来、外阴瘙痒、带下黄臭、睾丸肿痛等肝失疏泄,气机不畅的定位症状。可兼见腹胀、厌食、恶心呕吐等肝病横犯脾胃的症状。

(八)寒滞肝脉证

寒滞肝脉证是指寒邪凝滞肝经所表现的证候。常由寒邪侵袭所引起。

【临床表现】少腹牵引睾丸坠胀冷痛,或阴囊收缩引痛,得温则减,遇寒加重,形寒肢冷,舌淡苔白润,脉沉紧或弦紧。

【辨证要点】本证以寒邪凝滞肝脉为主要病机。以少腹、睾丸、阴囊坠胀冷痛为辨证依据。有形寒肢冷、舌淡苔白润、脉沉紧或弦紧等寒证的定性症状。有少腹冷痛、睾丸坠胀疼痛,或阴囊收缩冷痛等寒袭肝经的定位症状。

(九)胆郁痰扰证

胆郁痰扰证是指胆气郁滞,痰热内扰所表现的证候。常由情志不遂,气郁化火生痰,内扰于胆,胆气不宁,心神不安所致。

【临床表现】胆怯易惊,惊悸不宁,失眠多梦,烦躁不安,胸胁闷胀,头晕目眩,口苦,恶心,呕吐,舌苔黄腻,脉弦数或滑数。

【辨证要点】本证以痰热内扰,胆气郁滞不畅为主要病机。以惊悸心烦失眠、眩晕、舌苔黄腻为辨证依据。有胆怯易惊,或惊悸不宁、胸胁闷胀等胆病定位症状。有头晕目眩、烦躁不安、多梦、口苦、恶心、呕吐、舌苔黄腻、脉弦数或滑数等痰热内扰的症状。

五、肾与膀胱病辨证

肾位于腰部,主管人体的生长发育与生殖,调节水液代谢,并有纳气功能。肾寓元阴元阳,为脏腑阴阳的根本。肾病的常见症状有腰膝酸软、头晕耳鸣、发脱齿摇、遗精早泄,或阳痿不育、浮肿、气喘、二便异常等。

膀胱位于下腹部,与肾相表里,能贮尿排尿。膀胱病变的常见症状有尿频、尿急、尿痛、尿血、尿闭、遗尿,或小便失禁。

(一)肾精不足证

肾精不足证是指肾精亏虚,生殖和生长发育机能低下所表现的证候。常由先天禀赋不足,或房室不节,过度耗伤肾精所引起。

【临床表现】小儿发育迟缓,身体矮小,囟门迟闭,智力低下,骨骼痿软,或成人早衰,发脱齿摇,耳鸣耳聋,失眠健忘,或男子精少不育或女子经闭不孕,性机能减退,舌淡脉细弱。

【辨证要点】本证以肾精亏虚,功能低下为主要病机。以小儿发育迟缓,成人生殖机能低下及早衰之象为辨证依据。有小儿发育迟缓,或成人早衰等肾精不足的表现,以及男子精少不育、女子经闭不孕、性机能减退等肾病定位症状。

(二)肾阴虚证

肾阴虚证是指肾阴亏虚,失于濡润,虚热内生所表现的证候。常由久病虚劳,房事不节,或温热病后期,灼伤肾阴所引起。

【临床表现】眩晕耳鸣,腰膝酸软,健忘,发脱齿摇,男子遗精,阳强易举,女子经少、经闭,或见崩漏,五心烦热,颧红盗汗,骨蒸潮热,形体消瘦,尿少色黄,舌红无苔,脉细数。

【辨证要点】本证以肾阴亏虚,虚热内生为主要病机。以肾的常见症状和虚热之象并见为辨证依据。有五心烦热、颧红盗汗、骨蒸潮热、形体消瘦、尿少色黄、舌红无苔、脉细数等虚热的定性症状。有眩晕耳鸣、腰膝酸软、健忘、发脱齿摇、男子遗精、早泄、阳强易举、女子经少、经闭,或见崩漏等肾虚的定位症状。

(三)肾阳虚证

肾阳虚证是指肾阳亏虚,温煦失职,气化失权所表现的证候。常由素体阳虚,或房劳过度,或久病伤阳所引起。

【临床表现】腰膝酸冷疼痛,畏寒肢冷,尤以下肢为甚,面色淡白,或黧黑,神疲乏力,小便清长或夜尿多;或男子阳痿,精冷不育;或女子宫寒不孕,或性欲减退;或大便久泄不止,或五更泄泻;或浮肿(腰以下为甚),按之凹陷不起,甚则腹部胀满,心悸久喘,舌淡胖苔白滑,脉沉迟无力。

【辨证要点】本证以肾阳亏虚,温煦、气化失常为主要病机。以性与生殖机能减退与畏寒肢冷、腰膝酸冷等虚寒之象并见为辨证依据。有面色淡白,或黧黑、神疲乏力、舌淡胖苔白滑、脉沉迟无力等虚寒的定性表现。有男子阳痿不举、精冷不育,女子宫寒不孕、性欲减退;小便清长、夜尿多、大便久泄不止、五更泄泻;浮肿、按之凹陷不起,甚则腹部胀满、心悸咳喘等肾病定位症状。

（四）肾气不固证

肾气不固证是指肾气不足，封藏固摄功能失职所表现的证候。常由先天禀赋不足，或久病劳损，伤及肾气所引起。

【临床表现】 腰膝酸软，神疲乏力，耳鸣，小便频数而清，或尿后余沥不尽，或夜尿多，或遗尿，或小便失禁；或男子滑精，早泄；或女子带下清稀，胎动易滑，舌淡脉沉弱。

【辨证要点】 本证以肾气不足，固摄无力为主要病机。以肾和膀胱不能固摄的症状为辨证依据。有小便频数而清，或尿后余沥不尽，或夜尿多，或遗尿，或小便失禁；男子滑精、早泄；女子带下清稀、胎动易滑等肾病定位症状。有神疲乏力、耳鸣、舌淡脉沉弱等气虚特点。

（五）肾不纳气证

肾不纳气证是指肾虚摄纳肺气功能失常所表现的证候。常由先天禀赋不足，或老年肾气虚弱所引起。

【临床表现】 久喘不止，呼多吸少，动则喘甚，腰膝酸软，自汗，神疲，声音低怯，舌淡苔白，脉沉弱。喘息严重时，突然出现冷汗淋漓，肢冷面青，脉浮大无根；或气短息促，颧红盗汗，心烦，五心烦热，舌红无苔，脉细数。

【辨证要点】 本证以肾气亏虚，纳气无力为主要病机。以久病咳喘、呼多吸少、动则喘甚为辨证依据。有腰膝酸软、自汗、神疲、声音低怯、舌淡苔白、脉沉弱等肾气亏损的定位症状。本证可兼有肾阴虚证或肾阳虚证的症状特点，若兼喘息、肢冷面青等症者为肾阳不足所致；若兼气息短促、颧红、盗汗、五心烦热等症者为肾阴亏虚所致。

（六）膀胱湿热证

膀胱湿热证是指湿热蕴结膀胱，气化功能失常所表现的证候。常由外感湿热之邪，或湿热内生，下注膀胱所引起。

【临床表现】 尿频，尿急，尿道灼痛，尿血，尿有砂石，或尿浊，尿短赤，小腹胀痛急迫，或见发热，腰酸胀痛，舌红苔黄腻，脉滑数。

【辨证要点】 本证以湿热蕴结膀胱，气化失常为主要病机。以尿急、尿痛、尿频和湿热症状并见为辨证依据。有尿频、尿急、尿道灼热、尿血、尿有砂石等膀胱病的定位症状。有发热、腰酸胀痛、舌红苔黄腻、脉滑数等湿热的定性特点。

六、脏腑兼病辨证

人体的脏腑在生理上是一个有机的整体，因而发生疾病时常可互相影响。凡两个或两个以上的脏器相继或同时发生疾病时，即为脏腑兼病。

脏腑兼病在临床上甚为多见，其证候也较为复杂，这里主要介绍临床常见的 13 种证候。

（一）心肺气虚证

心肺气虚证是指心肺两脏气虚，以心悸、喘咳无力为主要表现的证候。常由久病咳喘或先天禀赋不足所引起。

【临床表现】 胸闷心悸，咳喘气短，吐痰稀白，神疲乏力，面色淡白，声音低怯，自汗，舌淡苔白，或唇舌淡紫，脉虚或弱。

【辨证要点】本证以心肺之气不足,功能减退为主要病机。以咳喘、心悸和气虚症状并见为辨证依据。有神疲乏力、自汗、面色淡白、舌淡苔白,或唇舌淡紫、脉虚或弱等气虚证的症状。有心悸胸闷、咳喘气短、吐痰稀白等心肺疾病的定位症状。

(二)心脾两虚证

心脾两虚证是指心血不足,脾气虚弱所表现的证候。常由久病失调,或思虑过度耗伤心脾所引起。

【临床表现】心悸怔忡,失眠多梦,头晕健忘,食欲不振,腹胀便溏,或皮下出血,或妇女月经量少色淡,淋漓不尽,倦怠乏力,面色萎黄,舌淡,脉细弱。

【辨证要点】本证以心血不足,脾气虚弱为主要病机。以心悸、失眠多梦等心神失养的症状与纳差、腹胀、便溏等脾虚不运化症状共见为辨证依据。有脾不统血之皮下出血,或妇女月经量少色淡、淋漓不尽等症。

(三)心肝血虚证

心肝血虚证是指心肝两脏血液亏损,机体失其濡润所表现的证候。常由思虑劳神,暗耗阴血,或失血过多,或久病体虚所引起。

【临床表现】心悸健忘,失眠多梦,头晕耳鸣,面白无华,两目干涩,视物模糊,爪甲不荣,肢体麻木,关节拘挛,妇女月经量少,色淡,甚或经闭,舌淡苔白,脉细无力。

【辨证要点】本证以血液亏虚,心肝失养为主要病机。以血虚,神志、目、筋失养的症状为辨证依据。有心悸健忘、失眠多梦、面白无华以及头晕耳鸣、两目干涩、视物模糊、爪甲不荣、肢体麻木、关节拘挛、妇女月经量少色淡等心肝血虚定位症状。

(四)心肾不交证

心肾不交证是指心肾水火既济失调所表现的证候。常由思虑太过,久病伤阴,或房事不节伤肾所引起。

【临床表现】心烦不寐,心悸不安,口舌生疮,腰膝酸软,遗精,健忘,头晕耳鸣,五心烦热,潮热盗汗,舌红无苔,脉细数;或兼见腰膝酸困发凉。

【辨证要点】本证以肾阴不足,心火偏亢为主要病机。以心烦不寐、遗精、腰膝酸软和虚热症状并见为辨证依据。有五心烦热、潮热盗汗、健忘、头晕耳鸣、舌红无苔、脉细数等虚热定性症状。有心烦不寐、心悸不安、口舌生疮及腰脊酸痛、遗精等心肾疾病的定位症状。本证亦可兼见腰膝酸困发凉的肾阳虚特征。

(五)心肾阳虚证

心肾阳虚证是指心肾阳气虚衰,气化无力,阴寒内盛所表现的证候。常由心阳虚病及于肾,或肾阳虚水泛凌心所引起。

【临床表现】心悸怔忡,形寒肢冷,肢体浮肿,腰以下为甚,小便不利,神疲乏力,或唇甲青紫,舌质淡胖,或淡暗青紫,脉沉微。

【辨证要点】本证以心肾阳虚,阴寒内盛为主要病机。以心悸怔忡、肢体浮肿和虚寒症状并见为辨证依据。有形寒肢冷、神疲乏力、唇甲青紫、舌质淡胖,或淡暗青紫、脉沉微等虚寒定性特征。有肢体浮肿、小便不利、心悸、怔忡等心肾两虚的定位症状。

（六）肺脾气虚证

肺脾气虚证是指肺脾两脏气虚，以气短咳喘，纳呆腹胀为主要表现的证候。常由久病咳喘，或劳倦伤脾所引起。

【临床表现】久咳不止，痰多稀白，或气短而喘，语声低微，食欲不振，腹胀便溏，甚则面浮肢肿，倦怠乏力，自汗，面白无华，舌淡苔白滑，脉虚或弱。

【辨证要点】本证以肺脾之气不足，两脏功能减退为主要病机。以咳喘、气短、腹胀便溏和气虚之象并见为辨证依据。有神疲乏力、语声低微、自汗、面白无华、舌淡苔白滑、脉虚或弱等气虚症状。有久咳不止、痰多稀白，或气短而喘，以及食欲不振、腹胀便溏、甚则面浮肢肿等肺脾功能减退的定位症状。

（七）肺肾阴虚证

肺肾阴虚证是指肺肾两脏阴液亏损不足，虚热内扰所表现的证候。常由久咳伤肺，肺虚及肾，或虚痨久病，肾病及肺所引起。

【临床表现】干咳无痰，痰少而黏，或痰中带血，或声音嘶哑，腰膝酸软，男子遗精，女子月经量少，经闭，崩漏，形体消瘦，颧红盗汗，潮热，五心烦热，口咽干燥，舌红无苔或少苔，脉细数。

【辨证要点】本证以肺肾两脏阴液不足，虚热内扰为主要病机。以肺肾常见症状与虚热之象并见为辨证依据。有形体消瘦、颧红盗汗、潮热、五心烦热、口咽干燥、舌红无苔或少苔、脉细数等虚热定性症状。有干咳无痰、痰少而黏，或痰中带血，或声音嘶哑、腰膝酸软、男子遗精、女子月经量少、经闭、崩漏等肺肾不足的定位症状。

（八）脾肾阳虚证

脾肾阳虚证是指脾肾两脏阳气虚衰，以泄泻或水肿为主要表现的证候。常由久泻不止，或脾肾久病伤阳所引起。

【临床表现】腰膝或下腹冷痛，久泄久痢不止，或五更泄泻，完谷不化，粪质清稀；或面浮肢肿，小便不利，甚则腹胀如鼓，面色淡白，形寒肢冷，精神萎靡，舌质淡胖，舌苔白滑，脉沉迟无力。

【辨证要点】本证以脾肾之阳不足，阴寒内盛为主要病机。以泻痢浮肿、腰膝冷痛和虚寒症状并见为辨证依据。有面色淡白、形寒肢冷、精神萎靡、舌质淡胖苔白滑、脉沉迟无力等虚寒的定性症状。有腰膝或下腹冷痛、久泄久痢不止，或五更泄泻、完谷不化、粪质清稀；或面浮肢肿、小便不利，甚则腹胀如鼓等脾肾不足的定位症状。

（九）肝肾阴虚证

肝肾阴虚证是指肝肾两脏阴液亏损不足，虚热内扰所表现的证候。常由房事不节，肾精耗损，肾病及肝，或情志内伤，肝病及肾所引起。

【临床表现】头晕目眩，耳鸣，双目干涩，腰膝酸软，男子遗精，女子月经量少，经闭，崩漏，胁痛，形体消瘦，口咽干燥，五心烦热，颧红盗汗，舌红无苔或少苔，脉细数。

【辨证要点】本证以肝肾之阴不足，虚热内扰为主要病机。以腰膝酸软、胁痛、耳鸣、遗精和虚热症状并见为辨证依据。有形体消瘦、口咽干燥、五心烦热、颧红盗汗、舌红无苔或少苔、脉细数等虚热的定性症状。有头晕目眩、耳鸣、双目干涩、胁痛、腰膝酸软、男子遗精、女子月经量少等肝肾不足的定位症状。

(十)肝脾不调证

肝脾不调证是指肝失疏泄,脾失健运所表现的证候。又称肝郁脾虚、肝气犯脾。常由情志不遂,郁怒伤肝犯脾,或劳倦伤脾侮肝所引起。

【临床表现】胸胁胀闷窜痛,善太息,情志抑郁或急躁易怒,纳呆腹胀,便溏不爽,肠鸣矢气,或大便溏结不调,或腹痛欲泻,泻后痛减,舌苔白或腻,脉弦。

【辨证要点】本证以肝失疏泄,脾失健运为主要病机。以胸胁胀满、腹痛肠鸣、纳呆便溏、脉弦为辨证依据。有胸胁胀闷窜痛、善太息、情志抑郁或急躁易怒和纳呆腹胀、便溏不爽、肠鸣矢气,或大便溏结不调,或腹痛欲泻、泻后痛减等肝郁脾虚的定位症状。

(十一)肝气犯胃证

肝气犯胃证是指肝气郁结,横逆犯胃,胃失和降所表现的证候。常由情志不遂,郁怒伤肝犯胃等所引起。

【临床表现】胃脘连胸胁胀闷疼痛,或窜痛,呃逆,嗳气,或吞酸嘈杂,情志抑郁或急躁易怒,善太息,舌苔薄白或薄黄,脉弦或弦数。

【辨证要点】本证以肝气横逆犯胃为主要病机。以胸胁胃脘胀痛、呃逆、嗳气、脉弦为辨证依据。有胃脘连胸胁胀闷疼痛,或窜痛、呃逆、嗳气,或吞酸嘈杂、情志抑郁或急躁易怒、善太息、舌苔薄白或薄黄、脉弦或弦数等肝胃不和的定位症状。

(十二)寒犯肝胃证

寒犯肝胃证是指胃阳虚衰,浊阴引动肝气上逆所表现的证候。常由胃阳不足,浊阴上逆,或肝寒犯胃所引起。

【临床表现】干呕,或呕吐涎沫,食少,口淡乏味,头疼连脑,或巅顶作痛,伴见畏寒肢冷,小便清长,面色淡白,舌苔薄,脉弦细。

【辨证要点】本证以胃中阴寒,引动肝气上逆为主要病机。以干呕,或呕吐涎沫和巅顶作痛并见为辨证依据。有畏寒肢冷、小便清长、面色淡白、舌苔薄、脉弦细等虚寒的定性症状。有干呕,或呕吐涎沫、食少、口淡乏味,以及巅顶头痛等邪犯肝胃的定位症状。

(十三)肝火犯肺证

肝火犯肺证是指肝经气火犯肺,使肺失清肃所表现的证候。常由肝气不舒,情志不遂,气郁化火,伤及于肺等所引起。

【临床表现】胸胁灼痛,急躁易怒,头痛目赤,咳嗽阵作,咯痰黄稠,甚或咯血,烦热口苦,舌红苔薄黄,脉弦数。

【辨证要点】本证以肝火灼伤肺金,肺失肃降为主要病机。以胸胁灼痛、咳嗽或咯血和实火内炽之象并见为辨证依据。有胸胁灼痛、急躁易怒、头痛目赤、咳嗽阵作、咯痰黄稠,甚或咯血等肝肺定位症状。有烦热口苦、舌红苔薄黄、脉弦数等实火内炽之热象。

名词点击

辨证 寒证 热证 阴证 阳证 水肿证 痰证 饮证 亡阳证 亡阴证

 目标检测

1. 表证之恶寒,是由于( )
    A. 风性开泄,腠理疏松
    B. 阳气不足
    C. 外邪束表,卫阳闭郁
    D. 肺气不足

2. 病人发热而恶寒明显,苔薄白而润,脉浮紧。证属( )
    A. 表证
    B. 表寒
    C. 表虚证
    D. 寒证

3. 亡阳的汗出特点是( )
    A. 汗出而肢冷
    B. 汗多而壮热
    C. 汗出而肤热
    D. 汗出而恶风

4. "虚证"最确切的含义是( )
    A. 精髓失充
    B. 邪气不盛
    C. 正气亏虚
    D. 阳气不足

5. 阳虚证的主要特征是( )
    A. 舌质淡苔薄白
    B. 口不渴或饮少
    C. 面色淡白少华
    D. 经常畏寒肢凉

6. 下列各项,除( )外,均是实寒证的临床表现
    A. 恶寒喜暖
    B. 面色苍白
    C. 腹痛喜按
    D. 肠鸣泄泻

7. 下列( )不属于里证的特点
    A. 脏腑的证候明显
    B. 病情一般较重
    C. 由表证发展而成
    D. 恶寒发热不并见

 想一想

1. 什么是八纲辨证?八纲辨证有何临床意义?

2. 什么是气血津液阴阳病辨证?气血津液阴阳病辨证有何临床意义?

3. 什么是脏腑病辨证?脏腑病辨证有何临床意义?

4. 虚证和实证如何鉴别?

参考答案

1. C 2. B 3. A 4. C 5. D 6. C 7. C

第八章 养生 防治 康复

📖 **学习要点**

1. 掌握养生、预防的基本概念和基本原则。

2. 掌握治则、治病求本的概念，以及扶正祛邪、标本先后、调整阴阳、正治反治和三因制宜等治疗原则。

3. 了解汗、吐、下、和、温、清、补、消治疗"八法"。

4. 了解康复的基本原则和常用方法。

　　养生、防治、康复，包括养生、预防、治则以及康复等内容。养生是研究人类的生命规律以及各种保养身体的原则和方法。预防是采取各种防护措施，避免疾病的发生与发展。治则是指在中医基本理论指导下制定的对临床立法、处方、用药等具有普遍指导意义的治疗原则。康复是指促进伤残、病残、慢性病、老年病、急性病缓解期等疾病恢复的理论及方法。虽然这四者在研究对象、基本理论、具体方法、适应范围等方面不完全相同，但都是为了维护人体的身心健康，达到提高人类生活质量、延年益寿的目的，因此都是中医学理论体系的重要组成部分。

第一节 养　生

　　养生，又称道生、摄生、保生等，即保养生命。养生就是采取各种方法保养身体，增强体质，预防疾病，增进健康。中医养生学是以中医理论为指导，研究人类生命的发展规律，探索衰老的机理，寻找增强生命活力以及防病益寿方法的系统理论。

一、养生的重要意义

　　生命是自然界发展到一定阶段的必然产物，人禀天地之气生，沐四时之气而成，生命过程是按自然规律发展变化的过程。中医养生学是从天人相应的整体观出发，以正气为本，持之以恒地运用正确而科学的养生知识和方法调摄机体，提高身体素质，增强防病抗衰的能力，达到延年益寿的目的。

（一）增强体质

　　增强体质是养生的重要内容。体质是个体在生命过程中，在先天遗传和后天获得的基础上表现出的在形态结构、生理机能和心理状态方面综合的、相对稳定的特质。体质壮实者，气血阴阳充足，脏腑功能健全，正气充盛而抗御病邪的能力较强；体质虚弱者，气血阴阳不足，脏腑功能低下,正气亏虚而抗御病邪的能力较差。

体质的形成关系到先天和后天两个方面。从养生的角度而言,增强体质要着眼于后天。后天因素主要指人出生后饮食营养、生活起居、劳动锻炼等对体质的稳定、巩固或转变所产生的影响。虽然从一定意义上说体质是相对稳定的,一旦形成不易很快改变,但也绝不是一成不变的,是可以通过中医养生调摄的方法进行改善的。尤其是先天禀赋薄弱之人,若后天摄养得当及加强身体锻炼,可促使体质由弱变强,弥补先天之不足而获得长寿。如饮食充足而精良,饥饱适度不偏嗜;生活起居有规律,劳逸结合不妄作;经常锻炼,动静有度不懈怠等,皆可积极主动地改善体质,使体质日益增强,促进人体的身心健康。

(二)预防疾病

疾病可以削弱人体的脏腑机能,耗散体内的精气,缩短人的寿命,对健康的危害是显而易见的。由于人类生存在一定的自然环境和社会环境之中,不可避免地要受到各种致病因素的侵袭,因此如何有效地预防疾病的发生,维护健康,也是养生的意义所在。

疾病的发生是因人体正气相对不足,邪气乘虚而入,破坏了体内的相对平衡状态。所以在未发生疾病之前,一方面应当保养正气,如做到精神愉快、饮食合理、起居有常、劳逸适度等,使正气日渐强盛,提高机体抵御病邪的能力。另一方面也要注意防止邪气侵袭,切忌暴怒、大惊、忧愁过度;不吃不洁净和腐烂有毒的食物,防范各种金刃伤、虫兽伤等。只要慎于摄生,扶正避邪,就能够最大限度地防止疾病的发生。

(三)延缓衰老

人的一生要经历生、长、壮、老、已等不同的生命过程,衰老是生命活动不可抗拒的自然规律,但衰老之迟早、寿命之长短,并非人人相同,究其原因,多与养生有关。

衰老与人的寿命有着密切的关系。早衰会使寿命缩短,迟衰就有长寿的可能。各种生物都有相对稳定的自然寿命,在现实生活中,一般人的寿命仅有六七十岁,离自然寿限相差甚远。这种早衰现象,除了先天禀赋有差异以外,还包括社会因素、自然环境、精神刺激等对人体的不良影响。尽管如此,世上活到高龄乃至百岁的老人也并不鲜见,其关键就在于掌握了养生之道,调摄得当。长寿与否,盖非天命而全在乎人类自身的调养。再纵观古今百岁老人长寿的奥秘,也不外乎是顺应自然界的气候变化,保持乐观开朗的心情,注意饮食和生活起居,适当进行劳动和体育锻炼等。因此只要在日常生活中能够持之以恒地注重自我养生保健,就可延缓衰老,保持健康,尽享其天年。

二、养生的基本原则

中医养生学有着丰富的实践基础,方法颇多,但其基本的原则,大体可归纳为以下几个方面。

(一)顺应自然

人与自然界息息相通,人类生活在自然环境中,大自然是人类生命的源泉,而自然界的各种变化,无论是四时气候、昼夜晨昏的交替,还是日月运行、地理环境的演变等,都会直接或间接地影响人体,产生相应的生理或病理反应。因此人类必须掌握和了解自然环境的特点,顺乎自然界的运动变化来进行护养调摄,与天地阴阳保持协调平衡,使人体内外环境处于和谐的状态,这样才能有益于身心健康。

一年四季有春温、夏热、秋凉、冬寒的变迁,万物随之有春生、夏长、秋收、冬藏的变化,人体阴阳气血的运行也会有相应的改变。根据这一自然规律,提出了"春夏养阳,秋冬养阴"的理论,主张在万物蓬勃生长的春夏季节,要顺应阻气升发的趋势,夜卧早起,多进行户外活动,漫步于空气清新之处,舒展形体,使阳气更加充盛。秋冬季节,气候转凉至寒,风气劲疾,阴气收敛,必须注意防寒保暖,适当调整作息时间,早卧晚起,以避肃杀寒凉之气,使阴精潜藏于内,阳气不致妄泄。这种根据四时气候变化而保健调摄的方法,就是天人相应,顺乎自然养生原则的体现。

(二)形神兼养

形,指人体的脏腑身形;神,主要指人的精神活动。形乃神之宅,神乃形之主。形体物质是生命的基础,只有形体完备,才能产生正常的精神活动;精神活动是生命的主宰,只有精神调畅,才能促进脏腑的生理功能。无神则形无以主,无形则神无以附,形神合一,相辅相成,共同构成了人的生命活动。所以中医养生学非常重视形体和精神的整体调摄,提倡形神兼养,守神全形。

养形,主要是指摄养人体的内脏、肢体、五官九窍及精气血津液等。大凡调饮食、节劳逸、慎起居、避寒暑、勤锻炼等养生的方法,多属养形的重要内容。如调饮食,应做到谨和五味、粗细结合、荤素搭配、寒热适宜等;慎起居,要注意日常生活有规律,与四季相应而起卧有时,节制房事而保养肾精等。

调神,主要指调摄人的精神、意识、思维活动等。由于心为五脏六腑之大主,精神之所舍,故调神又必须要以养心为首务。调神的内容十分丰富,主要要求人们思想上保持安定清净的状态,不贪欲妄想,不为私念而耗神伤正,同时做到精神愉快,心情舒畅,尽量减少不良的精神刺激和过度的情绪波动。另外也可通过练气功而意守人静,以神御气;或通过绘画、书法、音乐、下棋、旅游等有意义的活动,来陶冶情操,修性怡神。

(三)动静结合

动与静,是自然界物质运动的两种形式,有动才有静,动中包含着静,静中蕴伏着动。如形属阴主静,是人体的物质基础,营养的来源;气属阳主动,是人体的生理功能,动力的源泉。又如五脏藏而不泻,主静;六腑泻而不藏,主动。只有动静结合,刚柔相济,才能保持人体阴阳、气血、脏腑等生理活动的协调平衡,人体才能充满旺盛的生命力。因此养生既提倡"养身莫善于动",又强调"养静为摄生之首务"的原则。

动,包括劳动和运动。"流水不腐,户枢不蠹"。运动可以增强人的体质,促进气机通畅,气血调和,经络通达,九窍和利,提高抗御病邪的能力。运动养生的方法有多种,如散步、打拳、舞蹈、游泳、按摩、气功等,可根据不同的年龄、体质、季节、环境等选择适合于自身状况的运动项目。不过运动养生也要从实际出发,避免过度疲劳和进行过量的运动,否则对身体有害无益,尤其是中老年人更应注意。

静,主要指保持精神上的清静,还包括形体活动的相对安静状态。心神为一身之统领,任诸物而理万机,具有易动难静的特点,故清静养神十分重要。只有心静方能神凝,神凝方能心定,如此神藏而不妄耗。倘若心神过于躁动,神不内守,就可扰乱脏腑,耗伤精血,招致疾病的发生。另外,还须注意劳逸结合,不妄作劳,无论从事什么工作,都要适度而不宜太过,并保持充足的睡眠,通过静养来消除疲劳,恢复旺盛的精力。再如气功中的静功,也是通过一定的体态姿势、特定的呼吸方法及意念活动,在"入静"的状态下,提高情绪的稳定性,控制自己的心境、感情,进行内部的自我锻炼和调节,从而起到对机体的"调整"、"修复"和"重建"作用。

(四)调养脾肾

中医学认为肾为先天之本,水火之宅,受五脏六腑之精而藏之,是元气、阴精的生发之源,生命活动的调节中心。肾中精气阴阳的盛衰,与人的生长发育以及衰老过程有着直接的关系。肾气充足,则精神健旺,身体健康,寿命延长;肾气衰少,则精神疲惫,体弱多病,寿命短夭。

气血是生命活动最基本的物质基础,五脏六腑、四肢百骸皆赖以营养。脾主运化,为后天之本,气血生化之源,饮食中的精微物质必须依靠脾的吸收和转输,才能化生为气血,营养于周身,维持各脏腑经络等组织器官的功能活动。

人体生命活动的根基是肾,生命活动的重要保障是脾。养生保健,调摄脏腑,应以脾肾为先,既要顾护肾脏,又要调理脾胃,使精髓足以强中,水谷充以御外,各脏腑功能强健,精气血津液充足,从而达到健康长寿之目的。

第二节 预 防

预防是指采取一定的措施,防止疾病的发生与发展。预防工作对于维护人类身心健康,促进民族繁衍昌盛,具有重要的意义。

中医学历来非常重视预防,早在《内经》中就提出了"治未病"的预防思想,指出:"圣人不治已病治未病,不治已乱治未乱……夫病已成而后药之,乱已成而后治之,譬犹渴而穿井,斗而铸锥,不亦晚乎!"(《素问·四气调神大论》)强调了"防患于未然"的重要性。所谓治未病,包括未病先防和既病防变两方面内容。

一、未病先防

未病先防,就是在疾病未发生之前,采取各种预防措施,以防止疾病的发生。

由于正气不足是疾病发生的内在根据,邪气侵犯是疾病发生的重要条件,因此未病先防必须注重邪正双方的盛衰变化。

(一)调养正气,提高机体抗病能力

人体正气的强弱与抗病能力密切相关。正气充足,精、气、血、阴阳旺盛,脏腑功能健全,则机体抗病力强;正气不足,气血阴阳亏乏,脏腑功能低下,则机体抗病力弱。所以调养正气是提高抗病能力的关键。

1. 重视精神调养

人的精神情志活动与脏腑功能、气血运行等有着密切的关系。突然、强烈或持久的精神刺激,可导致脏腑气机紊乱,气血阴阳失调而发生疾病。因此平时要重视精神调养,一是要做到心情舒畅,精神愉快安定,少私而不贪欲,喜怒而不妄发,修德养性,保持良好的心理状态。二是要尽量避免外界环境对人体的不良刺激,如营造优美的自然环境,和睦的人际关系,幸福的家庭氛围等。这样则人体的气机调畅,气血平和,正气充沛,抗邪有力,可预防疾病的发生。

2. 注意饮食起居

保持身体健康、精力充沛,生活就要有一定的规律性,做到饮食有节、起居有常、劳逸适度等,如在饮食方面要注意饥饱适宜,五味调和,切忌偏嗜,讲究卫生,并控制肥甘厚味的摄入,以免损伤脾胃,导致气血生化乏源,抗病能力下降。在起居方面要顺应四时气候的变化来安排作息时间,培养有规律的起居习惯,如定时睡眠、定时起床、定时工作学习、定时锻炼身体等,提高对自然环境的适应能力。在劳逸方面,既要注意体力劳动与脑力劳动相交替,又要注意劳作与休息相结合,做到量力而行,劳逸适度。

3. 加强身体锻炼

运动是健康之本,经常锻炼身体,能够促使经脉通利,血液畅行,增强体质,从而防病祛病,延年益寿。传统养生学中有形式多样、种类繁多的运动健身方法,如五禽戏、太极拳、八段锦、气功等,其要领是意守、调息、动形三者相统一。其中最关键的是意守,只有精神专注,方可宁神静息,呼吸均匀,导引周身气血运行,正所谓以意领气,以气动形。而现代的运动方法,如广播操、跑步、游泳等,只要动作舒缓协调,全身自如放松即可。不论何种体育运动,健身的基本原则应是形神兼练,协调统一,循序渐进,有张有弛,常劳恒练,贵在坚持。

此外调养正气还可采用人工免疫的方法,如施行人痘接种法以预防天花,在我国十六世纪已很盛行,并被传播到俄罗斯、朝鲜、日本及欧美诸国,这项伟大的发明是人工免疫的先驱,为后世免疫学的发展开辟了道路。通过人工免疫的方法,也能够增强体质,提高抗邪能力,预防某些疾病的发生。

(二)外避病邪,防止邪气侵害

邪气是导致疾病发生的重要条件,故未病先防除了调养正气,提高抗病能力外,还要注意避免各种邪气的侵害。如使用药物杀灭病邪,包括燃烧烟熏法、药囊佩带法、浴敷涂擦法、药物内服法等;讲究卫生,做到居处清洁,空气流通,并防止水源和饮食的污染;避免病邪侵袭,如顺四时而适寒暑,及时隔离传染病人,在日常生活和劳动中防范跌仆损伤、虫兽咬伤等各种外伤。

二、既病防变

既病防变是指如果疾病已经发生,则应争取早期诊断,早期治疗,及时控制疾病的传变,防止病情的进一步发展,以达到早日治愈疾病的目的。

(一)早期诊治

疾病的发展和演变有一个过程,往往是由表入里,由浅入深,逐步加重,因此必须抓住时机,尽早控制病情。一般在疾病的初期阶段,邪气侵犯的部位较浅,病情较轻,对正气的损害也不甚,而机体抗御邪气、抗损伤及康复的能力相对较强,故易治而疗效明显,有利于机体早日痊愈。倘若未及时诊断治疗,病邪就可能步步深入,继续耗损正气,使病情由轻而重,日趋复杂,甚至发展到深入脏腑,病位深沉,故治疗就愈加困难,从而减缓了机体恢复健康的进程。既病之后,一定要根据疾病发展变化的规律,争取时间及早诊断,并采取正确的治疗,以顾护正气,缩短病程,这样才能防止其进一步的传变。

(二)控制病传

人体是个有机的整体,内脏之间在功能上互相协调配合,在病理上也必然会互相影响,互相传变。所以在临床诊治疾病的过程中,不仅要掌握早期诊治这一重要原则,针对病位之所在进行治疗,还必须了解病情的发展趋势,注意其传变规律,掌握治疗的主动权,对可能被累及之处,及时地给予相应的防治措施,以截断病邪蔓延的途径。任何疾病的发展都有一定规律,如外感病之六经传变、卫气营血传变、三焦传变以及内伤病之五脏传变、脏与腑的表里传变、经络传变等。只要掌握了疾病的传变规律,针对即将要发生的某种病理变化,适时地进行某些预防性的治疗,如在温热病的发展过程中,由于热为阳邪,最易化燥伤阴,故热邪常常先损伤中焦胃阴,继而克伐下焦肾阴。针对这一传变规律,在胃阴受损时,应于甘寒养胃的方药中,适当加入一些咸寒滋肾之品,以固护肾阴,防止温邪的深入传变。

第三节 治 则

治则,亦称治疗原则,是治疗疾病时必须遵循的法则,也是在中医基本理论的指导下,对临床治疗立法、处方、用药具有普遍指导意义的治疗学理论。

治疗原则与治疗方法同属于中医学的治疗思想,但两者之间既有联系,又有区别。治则是从整体上把握治疗疾病的规律,以四诊收集的客观资料为依据,对疾病进行全面的分析与比较、综合与判断,从而针对不同的病情制订出不同的治疗原则。例如虚证用补法扶正,实证用泻法祛邪,扶正和祛邪即是治疗疾病的原则之一。治法则是医生对疾病进行辨证之后,根据辨证结果,在治则的指导下,针对具体的病症拟订的直接而有针对性的治疗方法,是对治则的具体体现和实施,如在扶正的治则之下,有益气、补血、滋阴、温阳等不同的治法;在祛邪的治则之下,又有发汗、泻下、清热、祛痰等不同的治法。

中医治则理论体系中最高层次的治疗原则就是"治病求本"。治病求本,是指治疗疾病时必须寻求出病证的本质,然后针对其本质进行治疗。这是中医治疗疾病的根本原则,反映了具有最普遍指导意义的治疗规律,是贯穿于整个治疗过程的基本方针,是任何疾病实施治疗时都必须首先遵循的原则。因此"治病求本"对其他各种治则具有指导作用,其他治则都是从属于这一根本原则的,是"治病求本"的具体体现。

病证的本质是与现象相对而言的。任何疾病在其发生和发展的过程中,都会表现出各种症状和体征,应当运用中医理论,对这些症状和体征进行综合分析,透过现象找出病证的本质,尤其要辨清"证"的本质,再根据其本质进行相应的正确治疗,如咳嗽是临床常见的症状,但引起咳嗽的原因很多,有外感风寒、湿痰阻滞、肝火犯肺、气阴亏虚等,治疗时就要根据其临床表现,寻找出不同的病证本质,在扶正祛邪治则的指导下,分别采用疏风散寒、燥湿化痰、清泄肝火、益气养阴等方法治疗,这就是"治病必求其本"的意义所在。

一、扶正祛邪

扶正与祛邪,是针对虚证和实证所制定的两个基本治疗原则。疾病的过程是正气与邪气之间互相斗争的过程,正盛邪衰则病退,邪盛正衰则病进。由于邪正斗争的消长盛衰变化,便形成了虚证或实证,故治疗疾病的根本目的就是扶助正气,祛除邪气,即所谓"虚则补之"、"实则泻之"。

扶正与祛邪虽是两种不同的治则,但二者之间又是相互为用、相辅相成的。扶正的目的在于增强正气,正气充盛,机体抗御病邪和祛除病邪的能力就会提高,这样更有利于祛邪;而祛邪的目的在于祛除邪气,减少和中止邪气对正气的损害和干扰,这样更有利于正气的恢复。因此扶正即可以祛邪,祛邪有助于扶正,只要运用得当,二者就会相得益彰,促使疾病早日好转和痊愈。

使用扶正与祛邪治则,首先要分清证候虚实。若虚证用攻,会使正气愈加消减衰弱;实证用补,可使邪气愈加鸱张亢盛。其次在用药上要注意轻重缓急。一般而言,扶正之法,药量宜先轻后重,贵在长期坚持,并注意保护脾胃的消化功能,否则会导致机体发生新的病变;祛邪之法,用药应注意中病即止,过用则易损伤人体正气,不利于恢复健康。

扶正与祛邪的具体运用,主要有以下三方面。

(一)扶正与祛邪单独使用

扶正与祛邪治则的单独使用,适用于单纯的虚证或实证。

1. 扶正

扶正,即扶助正气。是指使用扶助正气的药物,或施行针灸、推拿、气功等疗法,或配合精神调摄、饮食调养、体育锻炼等,以增强体质,提高机体的抗病能力,达到战胜疾病、恢复健康的目的。扶正治则,适用于邪气轻微或邪气已除,以正气虚弱为主要矛盾的虚证。临床上常用的补气法、养血法、滋阴法、温阳法等,都是在扶正治则指导下所制定的治疗方法。

2. 祛邪

祛邪,即祛除邪气。是使用祛除邪气的药物,或针灸、推拿、气功、手术等其他措施,以祛逐病邪,达到邪去而正复的目的。祛邪治则,适用于正气未衰,以邪气亢盛为主要矛盾的实证。根据邪气的性质和邪气所在的部位,可以选择不同的祛邪方法,如邪在肌表,用发汗解表法;邪在胃肠,用通腑泻下法。有痰饮者,宜用祛痰蠲饮法;有瘀血者,宜用活血化瘀法等。在使用祛邪治则时要注意因势利导,使邪有出路,并做到祛邪务尽,以免留邪为患。

(二)扶正与祛邪兼用

扶正与祛邪兼用,适用于正虚邪盛的虚实错杂证,根据邪正盛衰变化而决定两者的主次。

1. 扶正兼祛邪

即扶正为主,兼顾祛邪。适用于正虚为主,邪盛为次的虚实错杂证,如肾阳虚弱而水饮内停,治宜温补肾阳为主,兼利水湿之邪。

2. 祛邪兼扶正

即祛邪为主,兼顾扶正。适用于邪盛为主,正虚为次的虚实错杂证,如夏季暑热之邪伤津耗气,治宜清热祛暑为主,兼以生津益气。

扶正与祛邪兼用时,必须以"扶正不致留邪,祛邪不致伤正"为原则。因扶正不当,易使邪气留恋;祛邪欠妥,反易耗伤正气,如高热刚退,便进服大剂补药或厚味食物,常易致余邪留恋,使身热复炽;如体虚兼外感,若过用峻猛发汗之品,也会更加耗伤人体之阴。

(三)扶正与祛邪先后使用

扶正与祛邪分先后使用,适用于正虚邪盛,但不适宜扶正与祛邪兼用的虚实错杂证。此时将扶正与祛邪分先后使用,可以达到既不伤正,又不碍邪,使邪祛而正复的目的。

1. 先祛邪后扶正

在正虚邪盛的虚实错杂证中,若正气虽虚,但尚能耐攻;或邪盛为主,兼顾扶正反会助邪时,可先祛邪后扶正。例如瘀血所致的崩漏,虽有血虚症状,但瘀血不去,崩漏难止,故应先活血化瘀以祛邪,而后再予养血补虚以扶正。

2. 先扶正后祛邪

在正虚邪盛的虚实错杂证中,若正气虚甚,不耐攻邪;或正虚为主,兼以攻邪反会更伤正气时,可先扶正后祛邪。例如某些虫积病人,因病久正气颇衰,若直接驱虫,恐难以耐受,故先用扶正健脾法使正气渐复,然后再予驱虫消积以祛邪。

二、标本先后

标与本是一个相对的概念,常用来说明疾病过程中的各种矛盾关系。标本具有多种涵义,若以疾病的本质与现象而言,本质为本,现象为标;以发病的先后而言,先发之病为本,后发之病为标;以病因与症状而言,病因为本,症状为标等。应该注意的是,标本之"本"与治病求本之"本",不属于同一层次上的概念,前者是相对于"标"而建立的概念,有着多种不同的具体涵义,而后者的涵义则较明确,指的就是病证变化规律的内在本质。

标本先后治则在临床上的运用,是强调了从复杂多变的病证中,分清其标本缓急,然后确定治疗上的先后主次。这一治则体现了处理疾病过程中各种矛盾的灵活方法,体现了重点突出、措施有节的治疗步骤,也是对治病求本原则的补充。

(一)急则治标

急则治标是指标病或标症甚急,有可能危及患者生命或影响对本病治疗时所采用的一种治疗原则。由于此时的标病或标症已成为疾病过程中某一阶段矛盾的主要方面,也往往是疾病的关键所在,因此先治其标也是治本的必要前提。例如大出血的病人,若短时间内出血量很多,甚至危及生命时,无论属于什么原因导致的出血,都应采取紧急措施以止血,待血止病情缓解后,再根据其出血的病因病机予以治本。又如水臌病,当出现大量腹水,呼吸喘促,大小便不利等急重症状时,应即用逐水通便之法先治其标,待大小便通利,腹水减轻或消除后,再调理肝脾以治其本。

(二)缓则治本

缓则治本是指标病或标症缓而不急时所采用的一种治疗原则。这是在治病求本原则指导下常用的治则。由于此时的本病是矛盾的主要方面,所以应当直接治其本,病本去而标自消。例如风寒头痛,风寒之邪阻滞经络的病因病机为本,头痛的症状表现为标,采用疏风散寒法针对本质进行治疗,风寒之邪一除,则头痛自解。又如肺阴虚所致的咳嗽,肺阴虚为本,咳嗽为标,治疗用滋阴润肺之法,肺阴充足,则咳嗽亦随之而愈。

(三)标本兼治

标本兼治是指标病与本病错杂并重时采取的一种治疗原则。此时单治本不治其标,或单治标不治其本,都不能适应治疗病证的要求,故必须标本兼顾而同治,才能取得较好的治疗效果。例如阳热内盛,阴液亏损,出现腹满痛而便结,若单用清热泻下以治标,则进一步伤正;若仅用滋阴生津以治本,则热邪又不得祛除,只有采用滋阴与泻下并举的标本兼治法,才能使正盛邪退而病愈。

三、调整阴阳

调整阴阳是指调整阴阳的偏盛偏衰,以恢复阴阳相对平衡的治疗原则。人体的病理变化虽然复杂,但其根本原因是阴阳失调。调整阴阳,补偏救弊,促进阴平阳秘,就是针对阴阳失调这一基本病理变化而制定的治疗原则。在具体运用时,又要以扶正祛邪治则为指导,一方面补益人体阴阳之偏衰,另一方面祛除阴阳偏盛之邪气,从而达到阴阳平衡,使疾病痊愈的目的。

(一)损其有余

损其有余,又称祛其偏盛,是针对阴阳偏盛病理变化所制定的治疗原则。阴阳偏盛是指阴邪或阳邪的亢盛,所谓"邪气盛则实",故临床上表现为实证,当采用"实则泻之"的原则以损其有余。其中阳邪偏盛导致实热证,应以寒清热,用"热者寒之"的方法祛除阳邪;阴邪偏盛导致实寒证,应以热散寒,用"寒者热之"的方法祛除阴邪。如若阴阳偏盛进一步发展,损及人体正气明显者,则当兼顾其不足,在损其有余的同时,分别配以滋阴或温阳的治法。

(二)补其不足

补其不足,又称补其偏衰,是针对阴阳偏衰病理变化所制定的治疗原则。由于阴阳偏衰是指人体正气之阴阳虚衰,即所谓"精气夺则虚",故临床上表现为虚证,当采用"虚则补之"的治则以助其不足。其中阳偏衰不能制阴而阴盛,出现虚寒证,当补阳以制阴,又称为"阴病治阳",阴偏衰不能制阳而阳亢,出现虚热证,当养阴以制阳,又称为"阳病治阴"。

由于阴阳之间存在着互根互用的关系,所以阴阳偏衰的进一步发展,可以产生"阴阳互损"的病理变化,即阴虚日久可损及阳气而引起阳虚,阳虚日久可损及阴液而引起阴虚,其结果是出现阴阳两虚证。对此应采取阴阳并补的治法。

在治疗阴阳偏衰的病证时,还要注意"阴中求阳"、"阳中求阴"的阴阳相济之法。"阴中求阳"是指在补阳时适当配用补阴药,以此来促进阳气的化生;"阳中求阴"是指在补阴时适当配用补阳药,以此来促进阴液的化生。

四、正治反治

正治与反治,是在"治病求本"根本原则指导下,针对病证有无假象而制定的两种治疗原则。

各种疾病的性质不同,病证本质所反映的现象亦非常复杂。临床上大多数病证的本质与所表现的现象是一致的,但有些病证,其本质与所表现的现象却不尽一致,即出现假象。正治与反治,就是指所用治法的性质与病证现象之间表现出逆从关系的两种治则,所谓"逆者正治,从者反治"(《素问·至真要大论》)。

(一)正治

正,有常规之意。正治是指治疗用药的性质、作用趋向逆病证表象而治的常用治则。这一治则采用与病证性质相反的方药进行治疗,故又称为"逆治",适用于本质与现象相一致的病证。常用的正治法主要有以下四种。

1. 寒者热之

寒性病证出现寒象,用温热性质的方药进行治疗,就称为"寒者热之",如表寒证用辛温解表法,里寒证用辛热散寒法等。

2. 热者寒之

热性病证出现热象,用寒凉性质的方药进行治疗,就称为"热者寒之",如表热证用辛凉解表法,里热证用苦寒清热法等。

3. 虚则补之

虚性病证出现虚象,用补益扶正的方药进行治疗,如阳气虚弱证用温阳益气法,阴血不足证用滋阴养血法等。

4. 实则泻之

实性病证出现实象,用攻逐祛邪的方药进行治疗,如痰热壅滞证用清热化痰法,瘀血内阻证用活血化瘀法等。

(二)反治

反,与"正"相对,具有变异、非常规之意。反治是指所用药物的性质、作用趋向顺从病证的某些表象而治的治则。这一治则采用与病证表现的某些表象性质相一致的方药进行治疗,故又称为"从治",适用于本质与现象不完全一致的病证。常用的反治法主要有以下四种:

1. 热因热用

用温热性质的方药治疗具有假热现象病证的治法,又称以热治热法。适用于阴寒内盛,格阳于外的真寒假热证,例如病人四肢厥冷、下利清谷、脉微欲绝等,病证本质属阳衰阴寒,但同时又见身热不恶寒、口渴面赤、脉大等阳气浮越于外的假热症状,应用温热的方药顺从假热属性治其真寒,待里寒一散,阳气得复,假热自然消失。

2. 寒因寒用

用寒凉性质的方药治疗具有假寒现象病证的治法,即以寒治寒法。适用于阳热极盛,格阴于外的真热假寒证,例如病人渴喜冷饮、烦躁不安、便干尿黄、舌红苔黄,病证本质属里热炽盛,但同时又见四肢厥冷、脉沉等阳气被遏不能外达的假寒症状,故用寒凉的方药顺从假寒属性治其真热,待里热一清,阳气外达,假寒便会随之解除。

3. 塞因塞用

用补益的方药治疗具有闭塞不通症状之虚性证候的治法,即以补开塞法。一般实邪内阻时,往往会出现闭塞不通的症状,但在人体气血津液不足,脏腑功能低下时,也会出现因虚而闭塞不通的现象,例如脾气虚运化无力,可出现脘腹胀满;肠腑阴液不足,可导致便秘;胞宫精血亏虚,易引起闭经等,这些病证的本质皆为虚,所以运用"塞因塞用"的反治法,分别给予补气健脾,滋阴润肠以及充养精血等补益的方法治疗,闭塞不通的症状便能缓解。

4. 通因通用

用通利祛邪的方药治疗具有通泄症状之实性证候的治法,即以通治通法。一般气虚无力固摄时,往往会出现通利的症状,但当实邪阻滞,气化失司时,也可出现通泄下利的现象,例如饮食积滞引起的腹泻,瘀血内停出现的崩漏,膀胱湿热导致的尿频等,这些病证的本质皆为实,故运用"通因通用"的反治法,分别给予消导泻下,活血化瘀和清利湿热等祛邪的方法治疗,通泄的症状即会痊愈。

总之,正治与反治,在所用药物性质与病证表象性质上存在着相递与相从的差异,但对疾病的本质而言,二者都是逆其病证性质而治的法则,均属于治病求本,反治原则是治病求本原则在特殊状态下的体现。

五、因人、因时、因地制宜

因人、因时、因地制宜,是指治疗疾病时,要根据病人、时令、地理等具体情况,制订适宜的治疗方法。疾病的发生和发展变化是由多方面因素所决定的,人的年龄、性别、体质,时令气候变化,以及地理环境差异等,对病变都有一定的影响。因此临床治疗时,除应掌握治疗疾病的一般规律外,还应知常达变,综合考虑以上因素,做到区别对待,灵活处理。

(一)因人制宜

因人制宜,是根据病人的年龄、性别、体质等不同特点,来制订适宜的治法、选用适宜的方药。人的年龄不同,生理状况和气血盈亏有别,病理变化各异,故治疗用药也应有所区别。特别是小儿和老人,尤当注意用药的宜忌。小儿生机旺盛,但气血未充,脏腑娇嫩,肌肤疏薄,易被邪侵。发生病变后,病情变化较快,常有易寒易热,易虚易实的特点。因此治疗时既要少用补益,亦应忌投峻攻之剂,用药量宜轻,疗程多宜短,并随病情变化而及时调整治疗方案。老年人生机减退,气血阴阳亏虚,脏腑功能衰弱。发生病变后多为虚证或虚实夹杂证。所以治疗要注意扶正,且持重守方,缓而图之;如需攻逐祛邪,也要慎重考虑,用药量应比青壮年轻,并中病即止,防止攻邪过度而损伤正气。

男女性别不同,其生理、病理特点也各有差异,治疗时应加以考虑。特别是女子,必须注意其经、带、胎、产的不同生理阶段,掌握用药的宜忌,如月经期间,慎用破血逐瘀之品,以免造成出血不止;妊娠期间,禁用慎用峻下、破血、滑利、走窜伤胎或有毒的药物,以免对胎儿不利;产褥期间,应考虑气血亏虚,恶露留存的特殊情况,在治疗时兼顾补益、化瘀等等。男子以肾为先天,精气易虚,多劳损内伤,治疗用药亦当顾及。

由于先天禀赋与后天调养的影响,人的体质是不相同的,存在着强弱、寒热等多方面的差异,治疗上就有一定的区别,如体质强者,病证多实,能够耐受攻伐,故用药量宜重;体质弱者,病证多虚或虚实夹杂,不耐攻伐,故治疗宜补,祛邪则药量宜轻。又如偏阳盛或阴虚体质者,用药宜寒凉而慎用温热;偏阴盛或阳虚体质者,用药宜温热而慎用寒凉。

(二)因时制宜

因时制宜,是根据不同季节的气候特点,来制订适宜的治法、选用适宜的方药。四时气候的变化,对人体生理活动、病理变化都会产生一定的影响,所以治疗疾病时必须考虑时令气候的特点,注意治疗宜忌。如春夏季节,气候由温转热,阳气生发,人体腠理疏松开泄,即使外感风寒致病,也不宜过用辛温发散之品,以免开泄太过,耗伤气阴;秋冬季节,气候由凉转寒,阴盛阳衰,人体腠理致密,此时若非大热之证,应当慎用寒凉药物,以免寒凉太过损伤阳气。此外暑热季节,湿气亦重,暑邪常兼夹湿邪致病,形成暑湿夹杂证,所以暑天治病要注意解暑化湿;秋天气候干燥,最易外感燥邪致病,故秋天治病要注意多用滋润生津之品,而慎用辛燥劫津之药。

（三）因地制宜

因地制宜，是根据不同地区的地理环境特点，来制订适宜的治法、选用适宜的方药。不同的地区，由于地势高下、物产差异、气候寒热以及居民饮食习惯不同等因素，导致人的体质和发病后的病理变化不尽相同，因此治疗用药也应有所区别。例如我国西北地区，地处高原，气候寒冷少雨，病多风寒或凉燥，治疗宜温热或润燥；东南地区，地势低下，气候温暖潮湿，病多温热或湿热，治疗宜清热或化湿，即使出现相同的病证，在具体的治疗用药方面，亦应考虑不同地区的特点。如外感风寒表证，西北地区气候严寒，人们腠理多致密，可重用辛温解表药；东南地区气候温热，人们腠理多疏松，选用辛温解表药较轻。

第四节　治　法

治法，包括治疗大法和具体方法。治疗大法也叫基本治法，概括了某类病证的共性治疗，在临床上具有普遍意义，基本治法针对的是类证，如汗、吐、下、和、温、清、补、消等"八法"。具体治法是针对具体病证而拟定的治法，属于个性的、各具自己特定应用范围的治疗方法。具体治法针对的是个证，如辛温解表法、清胃泄热法、温补脾肾法等。以下介绍属于共性的治疗八法。

一、汗法

汗法，也叫解表法，是运用发汗解表的方药，以开泄腠理，调和营卫，来逐邪外出，解除表证的一种治疗大法。它适用于一切外感疾病初起，病邪在表，症见恶寒发热、头痛身疼、苔薄、脉浮等。此外，水肿病腰以上肿甚、疮疡病初起、麻疹将透未透等有表证者也可运用。

汗法的临床应用，根据外感表证的表寒、表热的性质不同，可分为辛温发汗（或解表）和辛凉发汗（或解表）两类具体治法。

辛温发汗，适用于外感风寒，恶寒重、发热轻的表寒证；辛凉发汗，适用于外感风热或湿燥，发热重、恶寒轻的表热证。如果病人正气素虚，则应根据其阴虚、阳虚、气虚、血虚等的具体症状，在解表剂中适当配伍滋阴、助阳、益气、养血等药物，以达到扶正祛邪的目的。此即滋阴发汗、助阳发汗、益气发汗、养血发汗等方法。此外，还有理气、清热、消食等与发汗并用的方法，亦称"表里双解法"。

汗法的应用，宜汗出邪去为度，发汗太过会耗散津液，损伤正气。对于表邪已解、麻疹已透、疮疡已溃，以及自汗、盗汗、失血、吐泻、热病后期津亏者，均不宜用。上述诸证患者，如必须使用汗法时，则需配伍加用益气、滋阴、助阳、养血等药物进行治疗。凡用发汗剂时，服药后应避风寒，忌食油腻厚味及辛辣食物。

二、吐法

吐法，也叫催吐法，是利用药物涌吐的性能，引导病邪或有毒物质从口中吐出的治疗方法。适用于食积停滞胃脘、顽痰留滞胸膈、痰涎阻塞于气道而病邪有上涌之势者，或误食毒物尚在胃中等病证。此外，有时吐法还可以代替升提法，用于癃闭或妊娠胞阻等病证。

吐法多用于病情严重迫急,必须迅速吐出积滞或毒物的实证。但因邪有寒热之分,又有邪实正气未伤和邪实正气已伤的不同。因此,吐法的具体运用可分为四类:寒药吐法,适用于热邪郁滞于上的病证;热药吐法,适用于寒邪郁滞于上的病证;峻药吐法,适用于邪实于上,病势急迫的病证;缓药吐法,适用于邪实正虚,病在上焦,且须采用吐法的病证。

吐法是一种急救的方法,用之得当,收效迅速;用之不当,最易伤正气,故必须慎用。临床中凡见病势危笃、老弱气衰、失血证、喘证、幼儿、孕妇或产后气血虚弱者,均不得用吐法。此法,不宜反复使用。凡给予催吐剂时,吐后宜进稀粥等以自养,禁食辛辣、硬性食物,防止七情刺激、房室劳倦,谨避风寒。

三、下法

下法,也叫泻下法,是运用具有泻下作用的药物通泻大便,攻逐体内实热结滞和积水,以解除实热蕴结的治疗大法。适用于寒、热、燥、湿等邪内结在肠道,以及水结、宿食、蓄血、痰滞、虫积等里实证。

下法在临床中的运用,由于里实证有寒、热、水、血、痰、虫及病情的新、久、缓、急等不同,而分为多种下法:寒下,适用于里实热证之大便不通、热结旁流以及肠垢结滞之痢疾等病证;温下,适用于寒痰结滞、胃肠冷积、寒实结胸及大便不通之病证;逐水,适用于阳水实证;润下,适用于肠道津液不足、阴亏血少的大便不通证;通瘀,适用于蓄血,瘀血内结证;攻痰,适用于痰滞胶结证;驱虫,适用于虫积在肠道较重者;攻瘀,适用于瘀热结于下焦,体质尚实者。

以上诸法虽皆属下法,但通瘀、攻痰、驱虫等法中,均有其对症的主药,而下法只用以为佐。另外以上各法又皆有缓急之分:峻下,必须在病势急迫,病人体质尚强时才能使用;缓下,是在病势轻缓,或病人体质较弱的情况下使用。

下法中,特别是峻下逐水剂,极易损伤人体正气,故应用时务须注意,要根据病情和病人的体质,适当掌握剂量,以邪去为度,不可过量或久用,以防正气受损。服药后大便已通,则应中病即止,以防大泻。下法如运用适度,在临床可收到很好的疗效;如果用之不当,流弊很大。因此,运用下法时必须注意以下情况:邪在表者不可下;邪在半表半里者不可下;阳明病腑未实者不可下;高龄津枯便秘或素体虚弱、阳气衰微者,以及新产后营血不足而大便难下者皆不宜用峻下法;妇人行经期、妊娠期及脾胃虚弱者,均应慎用或禁用。

四、和法

和法,也叫和解法,是用和解或疏泄的方药,来达到祛除病邪,调整机体,扶助正气的治疗大法。和法的应用范围很广泛,除适宜于外感病中的往来寒热之少阳证外,凡内伤病中的肝胃不和、肝脾不和、肠胃不和、肝气郁结的月经不调及肝木乘脾土之痛泻等脏腑不和病证,皆可采用。

和法适用于邪气在半表半里之间的少阳证,肝气犯胃、胃失和降之肝胃不和证,肝脾失调导致的腹痛,泄泻或月经不调等病证,邪在肠胃导致寒热互见的肠胃失调证等。一般情况下,在病势不太强盛,而汗、吐、下等法皆不适用而正气并不虚弱的状况下,均可使用。具体应用时,依病情的偏表、偏里、偏寒、偏热以及邪正虚实,可分为以下几种和法。

和而兼汗;适用于病偏表而又需和解者;和而兼下,适用于病偏里实而又需和解者;和而兼温,适用于病偏寒而又需和解者;和而兼清,适用于病偏热而又需和解者;和而兼消,适用于内有积滞而又需和解者;和而兼补,适用于正气偏虚而又需和解者。

和法虽属治法当中较缓和的一种治法,但是如果使用不妥,亦能引起助邪或损伤正气。因此,凡病邪在表而尚未入少阳者,邪气入里、阳明热盛之实证者,症见三阴寒证者,均不宜使用和法。

五、温法

温法,也称祛寒法,是运用温热的方药,来祛除寒邪和补益阳气的一种治疗大法。它是采用回阳救逆,温中散寒的方药,从而达到消除沉寒痼冷,补益阳气之目的的一种治疗方法。

温法,适用于里寒证。用以治疗寒邪侵及脏腑,阴寒内盛的寒实证;亦用于阳气虚弱,寒从内生的虚寒证。温法在临床应用时,根据其寒邪所犯部位及正气强弱的不同,可分为温中祛寒、温经散寒、回阳救逆等方法。

温中散寒,适用于寒邪直中中焦,或阳虚中寒证;温经散寒,适用于寒邪凝滞经络、血脉不畅的寒痹证;回阳救逆,适用于亡阳虚脱,阴寒内盛的危候。另外,中医临床上常用的温肺化饮、温化寒痰、温肾利水、温经暖肝、温胃理气等治法,亦都属于温法的范围。

温法所用药物,性多燥热,故易耗伤阴血。因此,凡素体阴虚、血虚以及血热妄行的出血证,内热火炽、挟热下痢、神昏阴液欲绝脱者,孕、产妇,均应慎用或禁用。

六、清法

清法,也叫清热法,是运用性质寒凉的方药,通过泻火、解毒、凉血等作用,以清除热邪的治疗大法。本法治疗范围广泛,凡外感热病,无论其热在气分、营分、或血分,只要表邪已解而里热炽盛者,均可应用。清热法的运用,根据热病发展阶段的不同和火热所伤脏腑有异,有清热泻火、清热解毒、清营凉血、清泻脏腑等不同用法。

清热泻火,适用于热在气分,属于实热的证候;清热解毒,适用于时疫温病、热毒疮溃等证;清热凉血,适用于热入营血的证候。按照邪热入气、营、血分之不同,临床上可分为以下具体治法:辛凉清热,适用于热在气分,热炽津伤之证;苦寒清热,适用于热在气分,属实热证者,透营清热,适用于热入营分证;咸寒清热,适用于热入血分证;养阴清热,适用于热灼伤阴,水不制火证;清热开窍,运用于高热不退、神志昏迷之证。邪热入于脏腑,用本法清泻脏腑之热邪,则有泻肺清热、清心降火、清肝泻火、清泻胃火等不同治法。

清热法所有的方药多具寒凉之性,常易损伤脾胃阳气,故一般不宜久用。另外,凡体质素虚、脏腑本寒者,表邪未解、阳气被郁而发热者,因气虚或血虚引致虚热证者,皆禁用本法。

七、补法

补法,也叫补益法。是运用具有补养作用的方药,以益气强筋、补精益血,消除虚弱证候的治疗大法。适用于各种原因造成的脏腑气血、阴阳虚弱,或某一脏腑虚损之证。补法一般分为补气、补血、补阴、补阳四大类,还依其不同的病情,选用峻补、平补、缓补等治法。

补气法,适用于脾肺气虚,倦怠乏力,少气不足以息,自汗,脉虚大等症;补血法,适用于血虚与失血的患者,视其血热(宜补血行血以清之)、血寒(宜温经养血以和之)之不同,分别用药;

补阴法,适用于阴精或津液不足而引起的病证;补阳法,适用于脾肾阳虚,表现为腰膝冷痛、下肢酸软不任步履、不仁、少腹冷痛、小便频数、阳痿、早泄等症者。除以上四类外。临床中使用补法时,常根据其虚在何脏,予以直补其脏;如补养心血法、补益心气法、养血柔肝法、滋阴润肺法、补气健脾法、滋阴补肾法、温补肾阳法等;另当某些脏腑的气、血、阴、阳同虚时,则应几法相兼治疗,如脾肾双补、滋补肝肾、益气养阴等。

运用补法时应注意,对"真实假虚",即"大实有羸状"证,应绝对禁补,免犯误补益疾之戒。对邪实正虚而以邪气盛为主者,亦当慎用,防止造成"闭门留寇"的不良后果。在采用补剂时,为防止因虚不受补而发生气滞症,故宜在补剂中稍佐加理气药。

八、消法

消法,也叫消导法或消散法,包括消散和破消两方面。是运用消食导滞、行气、化痰、利水等方药,使积滞的实邪逐步消导或消散的治疗大法。它适用于气、血、食、痰、湿(水)所形成的积聚、癥瘕、痞块等病证。

消法的运用,应依据其病因的不同,而分别选择使用,通常可分为五类。即消食导滞,适用于饮食不当,脾胃不适,以致饮食停滞的病证;行气消瘀,适用于气结血瘀证;消坚化积,适用于体内痰积痰湿,气血相结,形成痞块积聚癥瘕等病证;消痰化饮,适用于痰饮蓄积的病证;消水散肿,适用于气不化水,水气外溢的病证。此外,虫积、内外痈肿等病证,亦可采用消法治疗。积聚癥瘕病有初、中、末的不同,应根据正气的状况,采用消散、消和、消补等不同治法。

消法属临床上常用治法之一,虽不比下法峻猛,但用之不当,亦能损伤人体正气。凡气滞中满之鼓胀,及土衰不能制水之肿满,见阴虚热病或脾虚而腹胀、便泻、完谷不化,妇人血枯而致月经停闭者,均应禁用消法。消法即为祛邪而设,故凡正气虚而邪实者,还应在祛邪的同时兼以扶正。

上述治疗八法,是针对八纲辨证及方药的主要作用而归纳起来的基本治疗大法。但是,随着医学科学的发展和医疗实践的需要,"八法"除吐法少用外,实际上临床已超出"八法"的范围,如息风法、镇潜法、活血化瘀法等,使具体治法的内容更为丰富。

第五节　康　复

康复,即恢复平安或健康之意。中医康复学,是以中医理论为指导,研究各种有利于疾病康复的方法和手段,使伤残者、慢性病者、老年病者及急性病缓解期病人的身体功能和精神状态最大限度地恢复健康的综合性学科。中医康复学有着完整而独特的理论和丰富多彩,行之有效的康复方法,对于帮助伤残者消除或减轻功能缺陷,慢性病、老年病患者祛除病魔,恢复身心健康,提高生存质量发挥着极其重要的作用。

一、康复的基本原则

康复的目的,旨在促进和恢复病伤残者的身心健康。其基本原则包括形神结合、内外结合、药食结合、自然康复与治疗康复结合等。

（一）形神结合

形神结合，指形体保养与精神调摄相结合。中医康复理论认为，人体一切疾病的发生和发展变化，都是形神失调的结果。因此康复医疗，必须从形和神两个方面进行调理。养形，一是重在补益精血。二是注意适当运动，以促进周身气血运行，增强抗御病邪的能力。调神主要是通过语言疏导、以情制情、娱乐等方法，使病人摒除一切有害的情绪，创造良好的心境，保持乐观开朗、心气平和的精神状态，以避免病情恶化。这样以形体健康减轻精神负担，以精神和谐促进形体恢复，使形体安康，精神健旺，两者相互协调，便能达到形与神俱，身心整体康复的目的。

（二）内外结合

内外结合，指内治法与外治法相结合。内治法，主要指药物、饮食等内服的方法；外治法，则包括针灸、推拿、气功、传统体育、药物外用等多种方法。人体是个有机的整体，通过经络系统的联系、气血的运行贯通，上下内外各部分之间都保持着相互协调的关系。因此在康复医疗的过程中，应掌握并利用这种关系，将内治与外治诸法灵活地结合运用。内治法可调整脏腑阴阳气血，恢复和改善脏腑组织的功能活动；外治法能通过经络的调节作用，疏通体内阴阳气血的运行，故内外结合并用，综合调治，能促进病人的整体康复。一般来说，病在脏腑者，以内治为主，配合外治；病在经络者，以外治为主，配合内治；若脏腑经络同病者，则内治与外治并重。如高血压病常以药物内治为主，配合针灸、推拿、磁疗等外治之法；颈椎病则多以牵引、针灸、推拿等外治为主，再配合药物进行内治。

（三）药食结合

药食结合，指药物治疗与饮食调养相结合。由于药物治疗具有康复作用强、见效快的特点，故是康复医疗的主要措施。可根据病人的不同病证，分别采用补气养血、温阳滋阴、调整脏腑、疏通经络等各种治法促其康复。但恢复期的病人大多病情复杂，病程较长，服药过久，既难以坚持，又可能会损伤脾胃功能，或出现一些副作用。饮食虽不能直接祛邪，但能通过促进脏腑功能以补偏救弊，达到调整阴阳，促进疾病康复的目的。而且饮食与日常生活相融合，制作简单，味道鲜美，易被病人接受，便于长期服用。因此以辨证论治为基础，有选择地服用某些食物，做到药食结合，不仅能增强疗效，相辅相成，发挥协同作用，也可减少药量，预防药物的副作用，缩短康复所需的时间。

（四）自然康复与治疗康复结合

自然康复是借助自然因素对人体的影响，来促进人体身心健康的逐步恢复。大自然中存在着许多有利于机体康复的因素，包括自然之物与自然环境，如日光、空气、泉水、花草、高山、岩洞、森林等。人是依赖自然界而生存的，不同的自然因素必然会对人体产生不同的影响，例如空气疗法可使人头脑清新、心胸开阔，增强神经系统的调节功能；日光疗法可温养体内的阳气，改善血液循环，加速新陈代谢；花卉疗法则可美化环境，使人心情舒畅愉悦等。因此在运用药物、针灸、气功等治疗康复方法的同时，可以有选择性和针对性地结合自然康复法，利用这些自然因素对人体不同的作用，以提高康复的效果。

二、常用的康复方法

中医康复医疗的适应范围,主要是伤残者、慢性病人、老年病人以及急性病缓解期的病人。针对康复医疗的对象,有饮食、药物、针灸、气功、怡情、运动等不同的康复方法。

(一)饮食康复法

饮食康复法,是指有针对性地选择适宜的饮食品种,或药食相配,以调节饮食的质量,促使人体疾病康复的方法,也称食疗。

运用饮食康复法,一是要注意辨证进食。根据病人的体质,平日饮食的喜恶及病情证候的变化,进行科学合理的配膳,利用食物的不同属性来调节人体内部的阴阳气血。如气虚者可服茯苓饼,血虚者可服红枣桂圆汤,阴虚者可服枸杞子饮,阳虚者可服鹿茸酒等。二是要重视饮食禁忌。如疾病初愈,身体虚弱,或久病缠身,元气亏乏,饮食应以清淡调养为要。若恣意多食,或进食肥甘厚腻之品,导致食积内停,反而容易助邪恋邪,使旧病复发,或使疾病更加迁延不已。还有热体热病需忌辛辣煎炸,寒体寒病需忌生冷瓜果,疮疡肿毒忌羊肉、蟹、虾及辛辣刺激性食物等。

(二)药物康复法

药物康复法,是指运用药物进行调理,以减轻或消除病残病人功能障碍的方法。

药物康复不外乎扶正与祛邪两方面。由于康复病人大多属虚证或虚中夹实证,故以扶正为主,兼顾祛邪,是药物康复法的基本原则。扶正包括滋阴、温阳、补气、养血等,治疗时又要详辨虚在何脏何腑而分别治之。脾为后天之本,气血生化之源,肾为先天之本,脏腑阴阳之根,且久病及肾,故扶正应重在调养脾肾。祛邪当根据邪气的性质和引起的病理变化的不同,而分别予以调畅气机、化痰蠲饮、活血化瘀等方法。

药物康复,不仅可用内服法,也可按病情需要采取外治法。如对于风湿痹痛、筋肉劳损、痿证、瘫证等,可用熏蒸法;对于多种皮肤病、筋骨痹痛及痔疮、妇女阴痒、子宫脱垂等,可用浸洗法;对于慢性咳喘、失眠、眩晕、头痛、腹泻等,可用敷贴法等。

(三)针灸推拿康复法

针灸推拿康复法是指运用针刺、艾灸、推拿等方法来刺激病人某些穴位或特定部位,以激发、疏通经络气血的运行,恢复脏腑经络生理功能的方法。

针刺法是利用不同的针具,刺激人体的经络腧穴或相应部位,以通经活血,行气导滞,镇静止痛,主要用于实证、郁证。常用的针法除了体针以外,还包括近代发展起来的耳针、头针、电针、水针等疗法。艾灸法是对人体一定部位或穴位,利用艾绒或其他药物点燃后的热力和药力来进行刺激,具有温阳扶元,温通经络,行气活血,散寒除湿以及消肿散结的作用。常用的灸法分为艾柱灸和艾条灸两类。无论是针法还是灸法,都要根据病证的寒热虚实,辨证选穴组方,并采取不同的操作手法,补虚泻实。就针、灸两法比较而言,灸法偏重于补虚,针法偏重于泻实。

推拿具有疏通经络,理筋整复,活血祛瘀,调整阴阳的作用,多用于伤残、病残等损伤性疾患,尤宜于陈旧性损伤。其中的自我按摩法,可增强体质,消除疲劳,延缓衰老,对慢性病及老年病人更为适宜。推拿的手法特点包括揉、摩、推、按、搓、拍等多种,并有强刺激和弱刺激之分。如为老弱虚损、小儿疾病等,应用力轻缓,时间稍短;若是痛证、旧伤、实证等,应用力重强,时间较长。

(四)气功康复法

气功康复法是指用意识不断地调整呼吸和姿势,以意引气,循经运行,从而增强体质,协调脏腑功能,使体内气血阴阳复归平衡的方法。

气功是着眼于"精、气、神"进行锻炼的一种健身术,包括动功和静功。动功,指练功时形体要做各种动作进行锻炼,如大雁功、鹤翔桩等;静功,指练功时或坐、或站、或卧而形体不动,如放松功、站桩功、内养功等。练气功的基本要领可概括为调心、调息、调身。调心即意守或练意,是在形神放松的基础上,排除杂念,意守丹田,以达到"入静"的状态。调息即调整呼吸,在口鼻自然呼吸的前提下,逐渐把呼吸练得柔和、细缓、均匀、深长。调身即调整形体,使自己的形体符合练功的要求,同时强调身体自然放松,以使气血运行通畅。如内养功重在调整阴阳,练养精气神;鹤翔桩可宣畅经络,调和气血,锻炼筋骨;各种静坐、禅定等,则有助于健脑益智,增强记忆。静功运动量较小,多适宜于阴虚者;动功运动量较大,多适宜于阳虚者。

(五)怡情康复法

怡情康复法,主要是指医生以某种言行,影响病人的感受、认识、情绪和行为等,以改善和消除病人的不良情志反应,促使其身心康复的方法。

人的情志变化与疾病的发生和发展均有着密切的关系。病残病人常常伴有不同程度、不同形式的精神情志变化。如初期不了解病情时,或是在疾病过程中病情发生变化时,容易产生紧张、忧愁、消沉、悲伤、烦躁、焦虑、恐惧等心理。这些不良的情绪,极易加重病情,直接影响到康复的治疗效果。因此医生要洞察人情,善于巧妙地运用语言工具,通过耐心细致的说理开导,化解病人思想上的疑虑,减轻或消除其异常的情志反应。尤其是病残者的心理负担较重,情绪波动明显,如果再遭受不良的精神刺激,往往更易使病情加重、恶化,或者引起并发症。素有痼疾的病人、重病缠身的老人,更经不起强烈的精神刺激。因此医务人员及家庭成员等都应给其生活上的体贴照顾,精神上的安抚劝慰,使之在整个康复过程中处于良好的精神状态,安心养病,安心治疗,并能从心理上积极主动地配合治疗,才能收到较好的疗效,促使机体早日康复。

(六)运动康复法

运动康复法,是指病人通过体育运动的锻炼,调养身心,祛除疾病,促使其身心日渐康复的方法。

体育运动可促进气血运行调畅,增强体质,扶助正气,提高病人抗御病邪及修复病体的能力。不同的运动方法,锻炼强度有别,适应范围各有侧重,再加上康复对象的病情、体质、年龄、兴趣爱好等各不相同,所以运动康复法要因人因病而异,有针对性地选择合理的运动项目,以求获取最佳的效果。如慢性消化系统疾病及高血压病、低血压病、糖尿病等,可选择八段锦、散步等;偏瘫、痹症、痿症、骨质疏松症等,可选择五禽戏、易筋经等;而太极拳由于动作舒缓,刚柔相济,则适宜于神经衰弱、高血压病、冠心病、消化性溃疡、胃下垂、肺结核、慢性支气管炎、糖尿病等多种慢性疾病。进行运动康复时,还应注意一是要量力而行,合理地安排和调节运动量,使其适度,避免运动量过大而损伤身体;二是要循序渐进,先简后繁,从易到难,有步骤地分阶段练习;三是要行之有素,持之以恒。只要遵循这些原则,就能收到良好的运动康复效果。

（七）自然康复法

自然康复法,亦称环境康复法,是指充分利用自然环境所提供的各种有利因素,以促进疾病的痊愈和身心康复的一类方法。常见的自然康复法有泉水疗法、日光疗法、热砂疗法、泥土疗法等。

泉水疗法是饮用泉水或外浴泉水以康复疾病的方法。其中泉水冷饮法有滋阴、解毒、通淋、通便等作用,常用于肥胖症、眩晕、习惯性便秘、淋证等;泉水热饮法有温阳、解郁等作用,可用于中焦虚寒、寒性头痛、风湿痹痛等。温泉浴不仅可温经通络、调畅气血、祛寒舒筋,还可解毒消肿、杀虫止痒,适用于各种皮肤病、风寒湿痹证、痈证、痿证、腰痛、失眠、眩晕等。

日光疗法是根据日光的生物效应原理,科学地利用日光的照射,以促进机体康复的方法,也称日光浴。日光照射可温壮体内阳气,增强机体抗御疾病的能力,同时还可振奋精神,使人心情舒畅,消除抑郁。由于人体背部属阳,督脉行于脊背正中,总督一身之阳经,主持一身之阳气,故古人认为日照当以"朝阳"、"晒背"为好。

热砂疗法是用砂粒盖埋身体,利用砂的温热和按摩作用来促进病体康复的方法,简称"砂疗"。此法的作用是温通经脉,行气活血,适宜于风寒湿痹证、痈证、痿证、四肢麻木不仁等病人。

泥土疗法是使用天然泥土外敷身体,以达到恢复健康的目的,简称"泥疗"。泥疗多采用矿泉泥、海泥、湖泥等,具有温阳散寒、祛风除湿等功效,适用于各种风湿痹证、外伤后遗症、头痛、失眠及慢性泄泻等。

名词点击

治则　扶正　祛邪　正治　反治　热因热用　寒因寒用　塞因塞用　通因通用

目标检测

1. 中医治未病包括 _____ 和 _____ 。
2. 常用的正治法主要有 _____ 、 _____ 、 _____ 和 _____ 。
3. 中医治疗常用"八法"有 _____ 、吐、下、和、清、温、 _____ 和消。
4 康复的基本原则 _____ 、 _____ 、药食结合、自然康复与治疗康复。
5. 温法适用于 _____ 。

想一想

1. 何谓正治法,包括什么内容?
2. 何谓反治法,包括什么内容?
3. 为何要三因制宜?

参考答案

1. 未病先防　既病防变　2. 寒者热之　热者寒之　虚则补之　实则泻之　3. 汗、补　4. 形神结合　内外结合　5. 里寒证